Toute la grammaire

Bénédicte Gaillard
Jean-Pierre Colignon

ALBIN MICHEL ■ MAGNARD

Conception graphique (intérieur) : Sarbacane/Magnard
Réalisation : Nord Compo

Préface
de Bernard Pivot

La grammaire est une chanson populaire

I l en est de la grammaire comme de la dictée, de l'algèbre, de la physique ou des sciences naturelles : elle laisse de bons ou de mauvais souvenirs selon que l'élève s'y frotte avec ou sans plaisir et y recueille des éloges ou des blâmes.

Cependant, la grammaire reste dans l'opinion une matière à part, stricte, réputée difficile, avec des règles contraignantes, pointilleuses, de moins en moins adaptées à notre époque d'écriture rapide et efficace, et de parole libérée. La grammaire ne jouit pas d'une excellente réputation. Elle serait la discipline favorite des scrogneugneux ; et le mot lui-même serait synonyme de codification obscure, de convention surannée.

Et puis Erik Orsenna publia *La Grammaire est une chanson douce*. Tout le monde, à commencer par son éditeur, lui déconseilla de mettre ce mot rébarbatif de *grammaire* dans son titre. Il s'obstina. Et il en fut récompensé par l'approbation enthousiaste de plusieurs centaines de milliers de lecteurs.

Rajeuni, revigoré, popularisé, le mot *grammaire* est redevenu à la mode. J'en observe l'emploi de plus en plus fréquent comme métaphore dans la presse ou l'édition. On y parle aussi bien de « la grammaire du sentiment amoureux » que de « la grammaire de la diplomatie américaine au Proche-Orient ». J'ai même noté une « grammaire inquiétante du rugby français ».

On voit bien que le mot est employé pour désigner ce qui est caché et qui unit, ce qui est sous-jacent et qui explique, ce qui est constitutif et qui gouverne. Il en est de même avec la grammaire, la vraie, celle qui rassemble tous les éléments d'une langue et qui raconte leur agencement dans des structures et selon des règles qui lui sont propres. La grammaire est à la fois l'inventaire et le mode d'emploi d'une langue. Je me souviens du grand linguiste Georges Dumézil qui, à travers les mots et les phrases d'un Caucasien, dernier locuteur d'une langue qui allait disparaître avec lui, s'efforçait d'en reconstituer la grammaire, autrement dit d'en deviner les principes fondateurs et les règles d'usage.

Sauf à mépriser sa langue, tout citoyen, jeune ou adulte, de l'apprenti en écriture jusqu'au professionnel du verbe, doit connaître les rouages et les mécanismes grâce auxquels les mots s'organisent, se disposent et circulent. Il y a du meccano dans la grammaire. Il y a du puzzle. Nous construisons des phrases avec des articles, des noms, des verbes, des adjectifs, des pronoms, etc., en toute liberté, mais selon des règles communes, des usages codifiés, que nous ne pouvons ignorer parce qu'ils conditionnent notre souci d'être lus, entendus et compris. La grammaire est l'un des composants essentiels de la vie en société.

C'est pourquoi une nouvelle grammaire est un événement linguistique, scolaire et sociétal. Non que celle-ci, signée Bénédicte Gaillard, que j'accueille avec plaisir et fierté dans la collection des « Dicos d'or », soit différente des précédentes dans ses conclusions – les règles de grammaire sont évidemment les mêmes pour tout le monde –, mais elle s'en sépare par l'analyse, par les exemples, par la méthodologie, par la classification, par un esprit d'ouverture et de modernité (compléments d'adjectif, d'adverbe et de pronom, la locution : *est-ce que… ?*). Bénédicte Gaillard a privilégié la clarté, dans ses textes comme dans leur présentation. Elle s'est constamment mise à la place des lecteurs de tous âges pour qu'ils trouvent aisément des réponses pratiques, sûres, complètes, à leurs questions de grammaire. Elle propose même, dans la rubrique « Sitôt lu, sitôt su ! », des astuces, des analyses logiques, des trucs mnémotechniques, etc., pour éviter de tomber dans des pièges ou pour se rappeler les bonnes règles. Enfin, Jean-Pierre Colignon a ajouté son grain de sel encyclopédique en prolongeant chaque point de grammaire avec des anecdotes, des citations, des réflexions le plus souvent inattendues. « Qui l'eût cru ? », en effet.

Toute la grammaire, ce n'est rien que la grammaire. Mais la grammaire, c'est tout l'oral et tout l'écrit. Toute la communication.

Bernard Pivot

Avant-propos

TOUTE LA GRAMMAIRE... POUR TOUS !

Souvent jugée comme une discipline scolaire plutôt rébarbative, la grammaire mérite qu'on lui prête davantage attention : savoir reconnaître les différentes fonctions au sein d'une phrase, c'est-à-dire comment les mots sont reliés entre eux, aide aussi bien à comprendre le sens de la phrase qu'à l'écrire correctement.

La grammaire est une science qui décrit une langue, de même que la botanique est une science qui décrit les végétaux. Comme toutes les sciences, elle connaît des évolutions – indépendantes des évolutions de la langue elle-même – dues aux travaux menés par des chercheurs qui visent à améliorer la description de leur sujet. Et comme toutes les sciences, elle connaît également des divergences de points de vue. La matière (la langue) reste la même, mais la façon de l'analyser, de la décrire peut varier d'un spécialiste à l'autre. Ici, nous avons tenu à présenter une description proche de l'intuition du lecteur : cette grammaire se veut avant tout pratique.

UN OUVRAGE COMPLET, CONTENANT TOUTES LES NOTIONS DE GRAMMAIRE

Reprenant la distinction, qui reste le fondement de la grammaire, entre nature et fonction d'un mot, *Toute la grammaire* commence par la description de chacune des catégories grammaticales (le nom, le verbe...) ; la deuxième partie présente les différentes propositions (principale, subordonnée, etc.) ; la troisième expose les fonctions que peuvent occuper les mots dans la phrase (sujet, complément d'objet...). Une quatrième partie est consacrée à la phrase (ses types, ses formes et ses différentes composantes) et la dernière est axée sur l'expression.

De nombreuses annexes situées en fin d'ouvrage constituent des outils précieux auxquels l'utilisateur pourra se référer : tableau récapitulatif des différentes catégories grammaticales et des différentes fonctions, exemples d'analyse grammaticale, lexique, index, etc.

UN GUIDE PRATIQUE, POUR UNE CONSULTATION RAPIDE ET EFFICACE

Qu'est-ce qu'une proposition relative ? Qu'est-ce qu'un attribut ? Comment reconnaît-on le complément d'agent ? Comment utilise-t-on la négation ? Toutes les questions que l'on peut se poser trouvent immédiatement leur réponse grâce à une présentation extrêmement simple : un point de grammaire par page.

Chaque explication est accompagnée d'exemples inspirés le plus souvent de la littérature, du cinéma, de la mythologie ou de la vie quotidienne pour illustrer et concrétiser le propos tenu.

UN GUIDE MODERNE ET VIVANT, POUR VOUS RÉCONCILIER AVEC LA GRAMMAIRE !

La rubrique « Sitôt lu, sitôt su ! » présente, pour chaque notion abordée, un moyen simple et efficace de retenir une règle de grammaire, d'identifier la nature ou la fonction d'un mot, d'éviter une construction fautive...

La rubrique « Qui l'eût cru ? » présente, elle, de façon ludique un aspect de la notion en la rattachant à une citation, à une anecdote, à une situation de la vie courante...

UNE COLLECTION COMPLÈTE... POUR MAÎTRISER TOUS LES ASPECTS DE LA LANGUE FRANÇAISE

Les ouvrages de la collection « Dicos d'or Référence » ont été conçus dans le but de répondre clairement et simplement à toutes les questions que peuvent se poser les élèves, les enseignants, les parents ou un public plus large. Aussi utiles en classe qu'au bureau ou à la maison, ils sont essentiels pour progresser avec bonne humeur dans la maîtrise de la langue française ! *Toute l'orthographe* et *Toute la conjugaison* sont les indispensables compléments de cet ouvrage.

Sommaire

LES CLASSES GRAMMATICALES

Le verbe

LES PROPOSITIONS

LES FONCTIONS

LA PHRASE

EXPRESSION

ANNEXES

Le genre

La langue française possède deux genres : le masculin et le féminin.

POUR QUELS MOTS ?

● Seuls les **noms** possèdent un genre en eux. Ce genre leur est propre et ne dépend d'aucun autre mot de la phrase.

cinéma, film : masculin
action, aventure : féminin

La plupart des noms ont un **genre fixe** : ils sont soit masculins, soit féminins.

Les dictionnaires donnent pour chacun d'eux son genre. Mais certains noms peuvent être masculins ou féminins [voir p. 20].

comédien : masculin ; *comédienne* : féminin ; *artiste* : masculin ou féminin

● Les autres mots ont un genre qui dépend du genre du nom ou du pronom auquel ils se rapportent. C'est ce que l'on appelle l'**accord** [voir *Toute l'orthographe*, p. 123] :

➤ les **adjectifs** et les **déterminants** prennent les marques de genre du nom ou du pronom auquel ils se rapportent ;

la fiction *américaine* (*la* et *américaine* sont féminins comme *fiction*)

➤ le genre du **pronom** dépend lui aussi de celui de son antécédent* ;

l'œuvre à **laquelle** *vous faites allusion* (*laquelle* est féminin comme *œuvre*)

Parfois, le genre du pronom ne dépend pas d'un nom, mais du **sens**.

Tu *n'es pas comédienne.* (*tu* ne dépend d'aucun autre mot, il désigne une femme)

COMMENT EST MARQUÉ LE GENRE ?

● Souvent, rien n'indique dans un nom s'il est masculin ou féminin. Mais les déterminants, les adjectifs et les pronoms ont souvent des formes différentes selon le genre. La marque du féminin la plus fréquente à l'écrit est **e** [voir *Toute l'orthographe*, p. 111].

*ce grand artiste, cett**e** grand**e** artiste*

● Certains pronoms ont la même forme aux deux genres. Il est donc nécessaire de repérer leur genre pour accorder correctement les mots qui s'y rapportent.

De nombreuses candidates se sont présentées. **Plusieurs** *ont été reçues.*

❓ QUI L'EÛT *cru*

Marqué à l'écrit par les déterminants, par les adjectifs et participes passés, et par les pronoms, le genre des noms peut échapper à l'oral à cause de l'homophonie. Attention, alors, à ne pas en déduire qu'il faille écrire : « cette ancienne athlète » pour Alain Mimoun !

Il est important de bien repérer le nom (et son genre) auquel se rapportent les différents déterminants, adjectifs et pronoms pour faire les bons accords. En effet, de nombreuses marques ne s'entendent pas à l'oral : il ne faut pas les oublier à l'écrit.

cet ancien ami (et non ~~cette ancienne ami~~)
Quelle fière allure ! (et non ~~Quel fier allure !~~)

SITÔT LU
sitôt su

Le nombre

La langue française possède deux nombres : le singulier et le pluriel.

POUR QUELS MOTS ?

● Les **noms** ne possèdent pas de nombre en eux. Ils sont donnés au singulier dans les dictionnaires, mais on peut choisir d'employer le singulier ou le pluriel **selon le sens**, contrairement à ce qui se passe pour le genre [voir p. 19].

> *Je lis **un livre*** (singulier) n'a pas le même sens que *je lis **des livres*** (pluriel).

 **QUI L'EÛT** *cru*

Attila était un Hun... Les noms de peuples francisés (dans la langue, pas dans l'Histoire !) prennent la marque du pluriel : on peut donc écrire « des Huns » avec la marque du pluriel... et « J'ai écrit des *un* [les chiffres sont invariables, sauf zéro] au tableau » !

Dans certains cas, le nombre du pronom dépend également du sens [voir p. 61].

> *J'ai lu plusieurs livres, mais c'est **celui-là** que j'ai préféré.* (*celui-là* est au singulier car c'est le seul à avoir été le plus apprécié)

● Les autres mots ont un nombre qui dépend du nombre du nom ou du pronom auquel ils se rapportent. C'est ce que l'on appelle l'**accord** :

➤ les adjectifs et les déterminants prennent les marques de nombre du nom ou du pronom auquel ils se rapportent ;

> *un livre **passionnant*** (*un* et *passionnant* sont au singulier comme *livre*)
> ***des** livres **passionnants*** (*des* et *passionnants* sont au pluriel comme *livres*)

➤ le pronom, dans certains cas, a le même nombre que son antécédent* ;

> *J'ai lu des livres **qui** m'ont plu.* (*qui* est au pluriel comme *livres*)

➤ le nombre du verbe dépend du nombre de son sujet.

> *J'ai lu des livres qui m'**ont** plu.* (*ont* est au pluriel comme *qui*)

COMMENT EST MARQUÉ LE NOMBRE ?

● À l'**oral**, dans la majorité des cas, **aucune distinction** entre singulier et pluriel ne se fait entendre pour les noms, les adjectifs ou les verbes.

> *On prononce de la même façon poème satirique ou poèmes satiriques, aime ou aiment.*

● À l'**écrit**, singulier et pluriel sont **presque toujours distincts :**

➤ les noms et les adjectifs ont souvent un *s* au pluriel ;

➤ le pluriel des verbes se marque le plus souvent avec *-ons*, *-ez*, et *-(e)nt*.

SITÔT LU
sitôt su

Il est très important de ne pas se fier à ce que l'on entend à l'oral pour écrire correctement.

> *Tous ces livres, films, poèmes et chants – que j'ai aimés et que les lecteurs de cet ouvrage connaissent bien – seront souvent cités dans les quelques pages qui suivent.*

La personne

Les personnes grammaticales (1ʳᵉ, 2ᵉ...) correspondent aux pronoms personnels (*je*, *tu*...) qui désignent les personnes de la communication.

1ʳᵉ ET 2ᵉ PERSONNES

• Au singulier, la 1ʳᵉ personne désigne la personne qui parle ou qui écrit (le **locuteur**).

> *Je* veux prendre le métro.

Au pluriel, elle désigne un groupe de personnes auquel appartient le locuteur. Le groupe entier, ou une partie seulement, est présent au moment de la communication.

> *Nous* irons à la tour Eiffel.

Un auteur peut utiliser la 1ʳᵉ personne du pluriel pour se désigner lui-même, même s'il est seul. C'est ce qu'on appelle le *nous* **de modestie**.

• Au singulier, la 2ᵉ personne désigne la personne à laquelle on s'adresse (l'**interlocuteur**).

> *Tu* ne peux pas prendre le métro, il y a des grèves.

Au pluriel, elle désigne un groupe de personnes auquel appartient l'interlocuteur. Le groupe entier, ou une partie seulement, est présent au moment de la communication.

> *Vous* êtes trop bêtes tous les deux !

On utilise également la 2ᵉ personne du pluriel lorsqu'on s'adresse à une seule personne que l'on vouvoie. C'est ce qu'on appelle le *vous* **de politesse**.

> Mais je ne *vous* connais pas, Monsieur.

❓ QUI L'EÛT *cru*

Certains pronoms nominaux présentent des particularités : *vous* peut être un singulier désignant une personne unique, ou bien un pluriel remplaçant plusieurs êtres animés.

Nous est, en presse, un « pronom de modestie » employé par les journalistes, à qui, en principe, le *je* trop... personnel est interdit. Un reporter écrira donc, très normalement : « Arrivé sur place avec le premier détachement de l'armée régulière, nous avons constaté... ». Cette phrase est contestée à tort par des lecteurs, qui écrivent aux rédactions pour fustiger âprement ce qu'ils croient être une faute de français ! Mais le *nous* est aussi un « pronom de majesté » lorsqu'il est employé par un pape ou par un prince souverain : « Nous, Sigismond-Childéric II, roi de Sylvanie... ».

3ᵉ PERSONNE

La 3ᵉ personne désigne l'être ou la chose (au singulier), ou les êtres ou les choses (au pluriel) **dont on parle**. Celui ou ce dont on parle est présent ou non lors de la communication.

> *Il* est trop bavard ce perroquet !

À chaque personne, sa lettre :
– **M** pour la 1ʳᵉ personne du singulier : *me, moi, mon...* ;
– **T** pour la 2ᵉ personne du singulier : *tu, te, toi, ton...* ;
– **N** pour la 1ʳᵉ personne du pluriel : *nous, notre...* ;
– **V** pour la 2ᵉ personne du pluriel : *vous, votre...*

SITÔT LU
sitôt su

Classes grammaticales (1)

Les mots de la langue sont regroupés en différents ensembles selon les points communs qu'ils ont entre eux. Ces regroupements s'appellent catégories ou classes grammaticales.

LES DIFFÉRENTES CLASSES GRAMMATICALES

Donner la **nature** d'un mot, c'est dire à quelle classe il appartient.

Le nom	*corbeau, renard, odeur, langage*	voir p. 18
Le déterminant	*un, ce, votre*	voir p. 28
L'adjectif	*beau, large, honteux*	voir p. 54
Le pronom	*vous, lui, y*	voir p. 58
Le verbe	*tenir, allécher, ouvrir, être, sembler*	voir p. 108
L'adverbe	*peu, bien, tard, plus*	voir p. 126
La préposition	*sur, en*	voir p. 135
La conjonction de subordination	*que, si*	voir p. 138
La conjonction de coordination	*et, mais*	voir p. 141
L'interjection et l'onomatopée	*hé !*	voir p. 144-145

QUELS SONT CES POINTS COMMUNS ?

● Les mots d'une même classe :

➤ peuvent occuper les mêmes **fonctions** [voir p. 163] dans la phrase : les noms peuvent être sujets ou compléments, les adjectifs épithètes ou attributs, etc. ;

➤ répondent aux mêmes règles d'**accord** : l'adjectif s'accorde avec le nom, le verbe avec le sujet, etc. ;

➤ se présentent sous une seule **forme** – pour les classes de mots invariables – ou sous différentes formes – pour les classes de mots variables – [voir *Toute l'orthographe*, p. 93] : les adverbes sont toujours invariables, les verbes ont plusieurs formes.

● Cependant, les frontières entre les classes peuvent bouger [voir p. 17] !

❓ QUI L'EÛT *cru*

Dans certaines formulations, on peut adopter des graphies différentes, faisant d'un mot, par exemple, un nom (commun ou propre) ou un adjectif : « C'est un jeune *Breton* » / « C'est un jeune *breton* » (*jeune* devient un nom commun et *breton* un adjectif)...

SITÔT LU
sitôt su

Si des mots appartiennent à la même classe grammaticale, ils peuvent occuper la même place dans une phrase. Ainsi, il est souvent utile de chercher à remplacer un mot par un autre pour reconnaître sa classe ou pour savoir comment l'écrire.

Le corbeau et le renard ne vieilliront pas ensemble. (*...ne vieilliront pas vite* ; *ensemble* est donc un adverbe)

Classes grammaticales (2)

Chaque mot de la langue appartient à une classe grammaticale que les dictionnaires donnent le plus souvent sous forme abrégée (*adj., v., conj.,* etc.). Mais les classes sont plus ou moins perméables !

APPARTENANCE À PLUSIEURS CLASSES

- Certains mots appartiennent à **plusieurs classes**.

  tout peut être déterminant, adverbe ou pronom

  que peut être conjonction, pronom ou adverbe

- C'est notamment le cas des mots qui sont à la fois **déterminants** et **pronoms** tels que *le, un, aucun, plusieurs, certains, lequel,* etc.

  *Harpagon aime **les** pièces d'or* (déterminant). *Il **les** garde dans sa cassette* (pronom). *Il ne supporte **aucune** dépense* (déterminant). *D'ailleurs, il n'en fait **aucune*** (pronom).

❓ QUI L'EÛT *cru*

Les classes grammaticales sont un peu turbulentes, mais c'est pour le bon motif : étendre les possibilités du vocabulaire. C'est ainsi que, entre autres, des participes deviennent des adjectifs, des adverbes se métamorphosent indûment en adjectifs (*l'avant-centre le plus vite du monde*) et des verbes en substantifs (*le boire, le manger, le savoir-vivre...*), marchant sur les traces d'anciens verbes comme *manoir* (« habiter ») et *loisir* (« être permis ») ! Sans compter, à l'intérieur de la catégorie des substantifs, les nombreux noms propres devenus noms communs : *une béchamel, de la chantilly, un poulbot, un harpagon, une minerve...*

- De nombreux mots se transforment facilement en **noms**.

  *Le **mieux** est l'ennemi du **bien**.* (*mieux* et *bien*, d'ordinaire adverbes, sont ici des noms)
  *Un **peut-être** qui en dit long.* (*peut-être*, d'ordinaire adverbe, est ici un nom)

CLASSES ET FONCTIONS

- Les mots d'une même classe occupent en général les mêmes fonctions dans la phrase [voir p. 163].

- Certains mots peuvent occuper une **fonction** qui est généralement réservée à une autre classe. C'est notamment le cas des verbes à l'infinitif qui sont sujets dans une phrase ou des adjectifs employés comme adverbes.

  *Harpagon trouve que tout coûte **cher**.* (l'adjectif *cher* est employé comme un adverbe)
  ***Dépenser** a toujours été pour lui un supplice.* (le verbe *dépenser* est sujet)

Les dérivés* de noms de lieux peuvent être adjectifs ou noms. Il est important de bien repérer la classe à laquelle ils appartiennent car ils s'écrivent avec ou sans majuscule selon qu'ils sont noms ou adjectifs.

France : → *Harpagon, un Français du XVIIe siècle* (nom)
→ *le théâtre français au XVIIe siècle* (adjectif)

SITÔT LU *sitôt su*

Le nom : généralités

Les noms – appelés également substantifs – représentent une vaste classe grammaticale. Ils partagent entre eux plusieurs caractéristiques.

VALEURS

● Le nom **désigne** un être, une chose, une action, une qualité, un sentiment...
dauphin, mer, plongée, courage, passion
Cependant, d'autres mots appartenant à d'autres classes peuvent exprimer aussi ces notions. On ne se contentera donc pas du critère du sens pour définir un nom.
plongée (nom)/*plonger* (verbe)
courage (nom)/*courageux* (adjectif)

 **QUI L'EÛT** *cru*

Le mot *substantif* a signifié autrefois « résumé qui ne donne que l'essentiel ». Le nom, c'est la substance, donc la « *substantifique moelle* » de la phrase, si l'on reprend la célèbre expression de Rabelais. Une formule que le « père » de Gargantua et de Pantagruel utilisa avec bonheur pour définir ce qu'il y a de plus riche en substance dans un écrit...

● On distingue plusieurs **catégories** de noms :
➤ noms communs et noms propres [voir p. 23] ;
➤ animés et non-animés [voir p. 24] ;
➤ comptables et non-comptables [voir p. 25].

CARACTÉRISTIQUES

● Le nom, contrairement aux mots des autres catégories, est le seul à avoir un **genre en lui** [voir p. 13]. Il est soit masculin, soit féminin et ne varie généralement pas en genre.

● Le nom varie en **nombre** : il peut s'employer au singulier ou au pluriel selon que ce qu'il désigne correspond à un élément ou à plusieurs.
*un **dauphin**, des **dauphins** – un **plongeur**, des **plongeurs***

● Souvent, il ne peut être employé que s'il est précédé d'un **déterminant** [voir p. 28].
***Notre** héros recherche **ce** dauphin rencontré dans **les** profondeurs de l'océan.*
(on ne pourrait dire ~~héros recherche dauphin rencontré dans profondeurs d'océan~~)

● Le nom occupe principalement les **fonctions** de sujet, d'attribut et de complément dans la phrase. Pour plus de détails, voir p. 27.

SITÔT LU

sitôt su

Il est important de repérer le nom auquel se rattachent les déterminants, les adjectifs et les pronoms dans une phrase, puis de bien définir son genre et son nombre pour faire les bons accords.
Le public a été touché par cette amitié loyale entre les deux plongeurs passionnés.

Le genre naturel et le genre grammatical

Les noms ont un genre en eux, le plus souvent arbitraire. On distingue le genre naturel et le genre grammatical.

LE GENRE NATUREL

• Généralement, les noms qui désignent les hommes sont masculins, ceux qui désignent les femmes sont féminins. C'est ce qu'on appelle le **genre naturel**.

> **un** *frère*, **un** *acteur*, **un** *ami*
> **une** *sœur*, **une** *actrice*, **une** *amie*

• Il en va de même pour certains noms d'animaux, notamment pour les noms d'animaux domestiques ou qui nous sont familiers : les mâles portent des noms masculins, les femelles des noms féminins.

> **un** *coq*, **un** *chat*, **un** *loup*, **un** *lion*
> **une** *poule*, **une** *chatte*, **une** *louve*, **une** *lionne*

Pour plus de détails, voir p. 20.

❓ QUI L'EÛT *CRU*

Certains noms virils désignent plaisamment, dans la littérature, des femmes... peu féminines, peu représentatives du « beau sexe » par le comportement ou l'allure. Il est donc « naturel » de continuer à employer le genre masculin quand on a recours à des substantifs masculins : *ce dragon* de mère McMiche (*cf. Un bon petit diable*, de la comtesse de Ségur) ; *le gendarme* à forte poitrine (qui terrifie son minuscule époux dans les dessins humoristiques d'Albert Dubout).

LE GENRE GRAMMATICAL

Pour les autres noms, le genre n'a pas de lien avec le sens, il est **arbitraire** et on doit le connaître. En cas d'hésitation, on peut vérifier dans un dictionnaire.

> **un** *champ*, **une** *prairie*
> **un** *apogée*, **une** *giroflée*

Retenir le genre de ces suffixes* permet de déduire le genre de la plupart des noms.

SUFFIXE MASCULIN		SUFFIXE FÉMININ	
-age : plumage	-et : cornet	-ade : promenade	-esse : délicatesse
-al : signal	-ier : sablier	-aie : roseraie	-ette : noisette
-ant : restaurant	-isme : journalisme	-ance : espérance	-ise : gourmandise
-ard : buvard	-iteur : serviteur	-ation : fabrication	-ition : punition
-at : bénévolat	-ment : égarement	-ence : différence	-té : vanité
-ateur : congélateur	-oir : saloir	-erie : boulangerie	-ude (-itude) : certitude
-eau : dindonneau	-ot : cageot		

SITÔT LU
sitôt su

Le genre des noms animés

Pour les noms d'êtres animés*, le genre correspond le plus souvent au sexe de l'être : les hommes et les mâles sont désignés par un nom masculin, les femmes et les femelles par un nom féminin.

GENRE ET SEXE

• Un nom animé est souvent **variable** en genre et peut être employé avec un déterminant* masculin ou un déterminant féminin. Le nom féminin répond aux règles de formation du féminin [voir *Toute l'orthographe*, p. 111].

 **QUI L'EÛT** *cru*

Les noms ont parfois... un drôle de genre. Il faut pourtant s'y faire : *la* sentinelle est généralement... un homme, tandis que *le* mannequin est le plus souvent une femme !

> *un élève, une élève – un sorcier, une sorcière – un chat, une chatte*

• Dans certains cas, on a recours à **deux mots** différents pour désigner les deux individus du couple homme/femme ou mâle/femelle.

> *un frère, une sœur* (on se gardera alors de dire que « *sœur* est le féminin de *frère* »)

GENRE FIXE

• La plupart des noms d'animaux et d'êtres fabuleux ont un **genre fixe**, indépendant du sexe. Le même nom sert à désigner les individus des deux sexes.

> *un pigeon, un dragon, un hippogriffe*
> *une colombe, une licorne, une hydre*

• Certains noms, en particulier les noms de métier, ne s'emploient qu'au **masculin** même s'ils désignent une femme : *agent, chef, génie, mannequin*, etc.

> *Sibylle Trelawney est **le professeur** de divination.*

Des noms qui étaient autrefois exclusivement masculins s'emploient aujourd'hui plus facilement au féminin.

> *une arbitre, une avocate, une sculptrice, une peintre*

• Quelques noms, plus rares, ne s'emploient qu'au **féminin** même lorsqu'ils désignent un homme : *idole, personne, recrue, sentinelle, star, vedette, victime*, etc.

> *Le jeune Harry Potter est toujours **la victime** d'affreuses machinations.*

SITÔT LU

sitôt su

Les accords se font en fonction du genre du nom et non pas du sexe de la personne !

> *Les personnes concernées sont invitées à se présenter. **Elles** recevront leur attestation de quidditch. (et non ~~ils recevront~~, même si ce sont des garçons !)*

Le genre des noms inanimés

Contrairement aux noms désignant les êtres humains ou les animaux, les noms désignant les choses, les qualités, etc. ont un genre qui n'a pas de lien avec le sens. Leur genre dépend de l'histoire du mot, de sa formation ou de l'usage.

UN OU UNE ?

Bien qu'il soit rarement prévisible, le genre des noms ne pose vraiment de problème qu'aux étrangers. Mais, dans certains cas, même les francophones peuvent hésiter.

> *l'exode rural* (masculin et non féminin comme *une méthode, une ode...*)
> *une longue épître* (féminin et non masculin comme *un chapitre, un pupitre...*)

En cas d'hésitation, il faut vérifier dans un **dictionnaire**.

UN ET UNE

● Pour certains noms, les **deux genres** sont acceptés. Sont ainsi indifféremment masculins ou féminins : *alvéole, après-midi, enzyme, météorite, oasis, interview, réglisse...*

> *un* après-midi ensoleillé ou ***une*** après-midi ensoleillée

❓ QUI L'EÛT *cru*

L'usage dit « littéraire, poétique » autorise parfois, par licence, un changement du genre des noms. La plupart du temps, il s'agit du passage du masculin au féminin, pour des mots comme *après-midi* et *automne*, par exemple. C'est également cette référence littéraire et poétique qui a introduit dans la langue des subtilités comme le changement de genre en fonction du nombre : ainsi *délice* et *amour*, masculins au singulier, deviennent féminins au pluriel, systématiquement pour le premier, uniquement au sens de « passion amoureuse » pour le second. Quant à *orgue*, masculin lui aussi, il devient féminin seulement quand il désigne par emphase l'instrument monumental *unique* d'une cathédrale, d'une église... On évitera de dire : « Cette relation d'enfance a été *le* plus beau de mes *belles* amours » !

● Pour d'autres noms, au contraire, le genre instaure une **différence de sens**. Le nom féminin et le nom masculin sont alors deux homonymes*.

> *un* manche de marteau, ***une*** manche de pull-over
> *un* poêle à charbon, ***une*** poêle à crêpes

Espèce est un nom féminin. Il doit donc être précédé d'un déterminant* féminin. À l'oral, il est fréquent de considérer *espèce de* comme un adjectif pris au sens de « bizarre, curieux » et le déterminant qui précède prend souvent le genre du nom qualifié (*un espèce de malaise, une espèce de gêne*). Mieux vaut éviter de reproduire cette tendance à l'écrit.

SITÔT LU

sitôt su

Noms ayant un seul nombre

Les noms peuvent s'employer au singulier ou au pluriel selon que l'on parle d'un seul être, d'une seule chose ou de plusieurs. Cependant, certains noms ne s'emploient qu'au singulier, d'autres qu'au pluriel.

NOMS SINGULIERS

Les noms non comptables* ne peuvent être dénombrés, comptés. Ils s'emploient donc au **singulier**.

> le sable, la pluie, l'or
> la paresse, le courage
> la littérature, l'architecture
> la chimie, l'informatique
> le nord, le sud

Cependant, certains de ces noms peuvent s'employer dans un autre sens qui accepte le pluriel.

> Des **pluies** torrentielles se sont abattues sur le nord du pays.
> L'artiste a pu exposer ses **peintures**.

NOMS PLURIELS

Certains noms ne s'emploient qu'au **pluriel** :

➤ soit parce qu'ils désignent un ensemble constitué de plusieurs éléments ;
> des archives, des grands-parents

➤ soit pour des raisons historiques ; dans ce cas, le nom pourrait être remplacé par un nom singulier.
> les alentours (le voisinage), les honoraires (la rémunération), les ténèbres (l'obscurité)

❓ QUI L'EÛT *cru*

Certains noms s'emploient au pluriel tout bonnement parce qu'ils expriment forcément, manifestement, une pluralité d'êtres ou de choses. D'autres sont dans le même cas parce qu'ils désignent des ensembles plus ou moins vagues. Enfin, une dernière catégorie de substantifs toujours au pluriel est constituée de mots figés au pluriel par des références sémantiques...

Une personne *accomplie* – par exemple, « une épouse accomplie » – est remarquable, parfaite en tout, quasiment l'idéal de la femme et maîtresse de maison. Si cette personne est croyante et pratiquante, elle peut être aussi une personne... *à complies*, c'est-à-dire participant à la dernière heure de l'office religieux qui suit les vêpres : les *complies*.

Ce dernier mot s'employa jadis au singulier mais, depuis le XIIIᵉ siècle, il fut aligné sur les vêpres, les matines, les laudes...

SITÔT LU
sitôt su

Certains noms changent totalement de sens selon qu'ils sont employés au singulier ou au pluriel.

> des toilettes (des W.-C.)   une toilette (action de se laver)
> des lunettes (pour corriger la vue)   une lunette (pour observer le ciel)

On peut alors considérer que l'on a affaire à deux noms différents, l'un toujours employé au pluriel (que l'on ait affaire à un ou plusieurs objets), l'autre pour lequel le singulier et le pluriel correspondent réellement à l'unicité ou la pluralité.

Le nom propre

Parmi les noms, on distingue les noms communs et les noms propres.

DÉFINITIONS

● Un nom commun est un nom que l'on utilise pour nommer **tous les éléments** d'un même ensemble. Il a une définition.

> Ainsi, si l'on voit une personne enceinte, on peut dire qu'il s'agit d'une femme. (toutes les femmes ont un point commun : elles peuvent être un jour enceintes)

● Le nom propre, lui, ne sert à nommer qu'**un seul élément** (un lieu, un personnage, etc.).

> Si l'on voit une femme que l'on ne connaît pas, on ne pourra pas dire s'il s'agit de Josette. D'autre part, toutes les Josette n'ont pas les mêmes points communs.

● Les noms propres sont surtout des noms de **lieux** ou de **personnes**. Ils peuvent également désigner des **divinités** ou des **animaux** familiers.

> *la France, Vincennes, Josette, Zézette, Apollon, Vishnou, Rantanplan, Grosminet*

CARACTÉRISTIQUES

● Les noms propres s'écrivent avec une **majuscule** [voir *Toute l'orthographe*, p. 37].

> *Le soir de **Noël**, M. **Preskovitch** a offert à **Pierre** et à **Thérèse** des gâteaux.*

● Les noms de personnes et les noms de villes ainsi que la plupart des noms d'astres s'emploient **sans déterminant**.

> ***Josette*** *et **Félix** habitent à **Paris**.*

Mais quand ces noms propres sont qualifiés, ils sont précédés d'un déterminant.

> ***notre*** *sympathique Josette*

● Le nom propre fait partie de la classe des noms. Il peut donc occuper toutes les fonctions de cette classe [voir p. 27].

Tout comme les noms communs peuvent avoir plusieurs sens, les noms propres peuvent désigner plusieurs lieux ou plusieurs personnes. Ainsi, un même nom peut désigner à la fois un pays, une région ou une ville. Cela peut avoir des conséquences sur l'emploi des prépositions, par exemple.

> *Je vais à Québec, à Koweït. (= à la ville)*
> *Je vais au Québec, au Koweït. (= dans la région, le pays)*

SITÔT LU

sitôt su

23

Animés, non-animés

Parmi les noms, on peut distinguer les animés et les non-animés (ou inanimés).

DÉFINITIONS

● Les **animés** désignent un être humain, un animal ou un être imaginaire.

Jacques, écolier, saumon, cheval

Parmi les animés, on distingue aussi les humains et les non-humains.

humains : *Jacques, écolier*
non-humains : *saumon, cheval*

● Les **non-animés** désignent un objet, une action, une idée, un sentiment, etc.

école, wagon, parfum, naufrage, bonheur

> **❓ QUI L'EÛT *cru***
>
> Un *dessin animé* n'est pas un « animé », puisque c'est un objet, une œuvre artistique. Mais ses personnages sont, comme de véritables êtres humains ou de véritables animaux, des *animés*. En revanche, des personnes et des personnages peuvent, quoique étant des *animés*, se montrer... indolents, mollassons, léthargiques, lymphatiques, atoniques, engourdis, apathiques : quasiment inertes et inanimés ! S'il y a bel et bien une distinction d'ordre grammatical entre animés et non-animés, elle ne recoupe pas forcément la réalité !

CARACTÉRISTIQUES

● La plupart des animés ont un **genre** qui dépend du **sexe** de l'être [voir p. 20].

un écolier, une écolière
un garde-barrière, une garde-barrière
un cheval, une jument

Les non-animés ont eux un **genre arbitraire**, fixe.

la Terre, le Soleil, une voie, un chemin, une voiture, un bateau

● Certains **pronoms** ne représentent que des humains, d'autres que des non-humains et des non-animés.

*Les écoliers ont vu le **garde-barrière** ; ils ont vu **quelqu'un**.*
*Les écoliers ont vu des **coquillages** ; ils ont vu **quelque chose**.*

● Il est fréquent d'attribuer à un non-animé le sens d'un animé.

La direction a autorisé les élèves à sortir de l'école. (la direction = les personnes qui dirigent l'école, le directeur)

SITÔT LU
sitôt su

Savoir reconnaître un animé d'un non-animé permet d'utiliser correctement les prépositions *chez* et *à* pour introduire un complément de lieu.

*Les écoliers iront-ils **chez** le poissonnier ?* (et non ~~au poissonnier~~)
*Les écoliers iront-ils **à** la poissonnerie ?*

Comptables, non-comptables

Parmi les noms communs, on distingue les comptables et les non-comptables.

DÉFINITIONS

● Un nom **comptable** désigne des êtres, des choses que l'on peut compter, que l'on peut considérer comme des éléments distincts.

agneau, loup, courant

● Un nom **non comptable** désigne une chose qu'on ne peut pas compter, qui se présente dans sa globalité. Il s'agit le plus souvent de noms désignant une qualité, un état, une matière, une science, un art...

eau, faim, colère, témérité, justice

> ### ? QUI L'EÛT *cru*
>
> Il arrive que l'on mette un pluriel même quand... il n'y a pas de personnes ou de choses ! En effet, deux raisonnements sont possibles avec des expressions comme une *dictée sans faute(s)* : ou bien cela signifie qu'il n'y a pas la moindre *faute*, ou bien l'on entend par là qu'on ne voit pas de *fautes* dans la copie !...

CARACTÉRISTIQUES

● Un nom comptable peut toujours être précédé des **déterminants cardinaux** *un, deux, trois...* (puisqu'on peut compter) ou se mettre au pluriel, ce qui n'est pas le cas pour les non-comptables.

l'agneau : un agneau, deux agneaux, trois agneaux... des agneaux

● Un nom non comptable peut être précédé de **l'article partitif**, mais ne peut pas se mettre au pluriel.

la témérité : **de la** *témérité*

Certains noms s'emploient au pluriel avec une valeur de non-comptable.

Le loup préférerait-il **des rillettes** *?*

● Un même mot peut être comptable ou non comptable selon le **sens** qu'il a.

L'agneau *se désaltère.* (*agneau* désigne ici l'animal, c'est un comptable)
Il a mangé de ***l'agneau****.* (*agneau* désigne ici la viande, c'est un non-comptable)

Il est important de bien repérer si l'on a affaire à un comptable ou à un non-comptable pour savoir si on peut mettre le pluriel ou non.

Le loup a beaucoup de **force***, mais il n'a pas beaucoup d'*amis*.*

SITÔT LU
sitôt su

25

Le nom collectif

Il est important de bien repérer les noms collectifs car ils peuvent poser des problèmes d'accord.

QUELS SONT CES NOMS ?

● Des noms singuliers tels que *foule, troupeau, ensemble, centaine* désignent un ensemble d'êtres ou de choses. On les appelle **noms collectifs**.

> Une **foule** est par définition constituée de nombreuses personnes.
>
> Un **ensemble** est généralement constitué de plusieurs éléments.

● Certains noms comptables* qui désignent normalement un élément peuvent s'employer au singulier avec une **valeur de collectif**. Dans ce cas, le nom est considéré comme non comptable.

> *une cerise, un panier de cerises* (dans ce cas, *cerise* est un nom comptable ; il n'a pas la valeur d'un collectif)
>
> *le goût de **la cerise*** (ici, il est non comptable ; il a la valeur d'un collectif)

LE COLLECTIF ET SON COMPLÉMENT

● Le nom collectif peut être suivi d'un **complément** désignant les êtres ou les choses qui composent cet ensemble.

> *Des clameurs s'élevaient de la **foule** des admirateurs.*
>
> *Sa décision dépend d'un **ensemble** de circonstances.*

● Le collectif peut alors se vider plus ou moins de son sens premier et servir juste à indiquer que l'on a affaire à une quantité indéterminée : il a la même valeur qu'un **déterminant indéfini** [voir p. 49].

> *Il s'adresse à l'**ensemble** de ses admirateurs.* (à tous ses admirateurs)

● Dans ce cas, les accords peuvent se faire avec le nom collectif ou avec le nom complément. Pour plus de détails, voir *Toute l'orthographe*, p. 126.

> *Une **foule** de manifestants suivait (ou suivaient) les leaders.*

SITÔT LU
sitôt su

C'est le sens qui permet de vérifier que le collectif a la valeur d'un déterminant ou non.

> *On lui a livré un tas de cailloux.* (dans cette phrase, *tas* garde vraisemblablement son sens premier ; on dira donc *un tas de cailloux lui a été livré*)
>
> *On lui a dit un tas de choses.* (dans cette phrase où *un tas de* a une valeur déterminative, le sens change : beaucoup de choses ; on dira *un tas de choses lui ont été dites*)

Les fonctions du nom

Le nom peut occuper différentes fonctions au sein de la phrase.

RAPPEL

- Le nom peut s'employer seul.
  Jean est **horticulteur**.

- Mais, le plus souvent, il est employé dans un **groupe* nominal** (GN) dont il est le noyau*.
  *Le **père** de Manon a la **passion** des fleurs.* (le *père de Manon* et *la passion des fleurs* sont deux groupes nominaux ayant respectivement pour noyau les noms *père* et *passion*. Ainsi, quand on dit « *père* est le sujet de *a* », on parle du GN dont *père* est le noyau)

❓ QUI L'EÛT *cru*

De la même façon qu'il y a des faux amis, des faux billets ou des faux témoins, il y a de faux groupes nominaux. Ainsi, dans « Théodule a trouvé le vin acide », *le vin acide* est un groupe nominal si la signification est : « Parmi tous les vins débouchés, Théodule a trouvé, reconnu, celui qui était acide. » Mais il n'est plus question de groupe nominal quand on veut dire, par cette même phrase, que le dénommé Théodule a trouvé, a estimé « que ce vin était acide ». Dans le second cas, on peut détacher l'épithète du nom... Dans cette dernière formulation, où *acide* est détaché, il devient l'attribut du complément d'objet direct.

FONCTIONS DU NOM

- Le plus souvent le GN est :
  ➤ **sujet** [voir p. 165] ;
    *Le **courage** ne lui manquait pas.*
  ➤ **complément d'objet** [voir p. 169] ;
    *Jean cultivait ses **œillets**.*
    *Papet voulait nuire au **père** de Manon.*
  ➤ **attribut** [voir p. 173] ;
    *Ugolin est son **neveu**.*
  ➤ **complément** d'un autre mot [voir p. 178] ;
    *Il est amoureux de **Manon**.* (Manon est complément de l'adjectif *amoureux*)

- On trouve également le GN dans les fonctions de :
  ➤ **complément circonstanciel** [voir p. 175] ;
    *Jean travaillait avec un grand **courage**.*
  ➤ **complément d'agent** [voir p. 177] ;
    *Papet fut condamné par tout le **village**.*
  ➤ **apposition** [voir p. 185] ;
    *Manon, la jeune **orpheline**, veut se venger.*
  ➤ **apostrophe** [voir p. 186].
    « ***Ugo**, s'écria Papet, où vas-tu ?* »

Dans un GN sujet, il est toujours important de bien repérer le nom noyau, puis de définir son nombre pour accorder correctement le verbe auquel il se rattache.
*Les **amis** de la jeune bergère étai**ent** nombreux.*

SITÔT LU
sitôt su

Le déterminant : généralités

Pour qu'un nom puisse être utilisé dans une phrase, il doit être « déterminé », c'est-à-dire précédé d'un déterminant tel que *le*, *mon*...

CATÉGORIES

Les déterminants sont répartis selon le type d'informations qu'ils apportent :

➤ l'**article** est le déterminant le plus neutre, celui qui est le moins chargé en informations [voir p. 32] ;

    les parents de Wendy

QUI L'EÛT *cru*

« Dominique et ses frères sont partis dans les Vosges » : cette phrase montre les limites de la... détermination. Car qu'en est-il du sexe du possesseur ? On ne saurait le dire avec un prénom comme Dominique... ou bien encore Claude !

➤ le déterminant **démonstratif** localise dans l'espace ou le temps [voir p. 36] ;

    Ces enfants se sont envolés pour un pays imaginaire.

➤ le déterminant **possessif** renseigne sur le possesseur [voir p. 38] ;

    Wendy et ses frères ont été faits prisonniers.

➤ le déterminant **indéfini** note une quantité plus ou moins précise [voir p. 41] ;

    Le capitaine Crochet a eu quelques mésaventures.

➤ le déterminant **interrogatif** indique que la question porte sur le nom [voir p. 50] ;

    Dans quel lieu se cache Peter Pan ?

➤ le déterminant **exclamatif** indique que l'exclamation porte sur le nom [voir p. 50] ;

    Quelle peur il a eue quand le crocodile s'est approché de lui !

➤ le déterminant **relatif** introduit un nom cité précédemment [voir p. 51] ;

    Ils sont montés à bord du vaisseau, lequel vaisseau les a ramenés à la maison.

➤ le déterminant **cardinal** renseigne sur le nombre [voir p. 52].

    Wendy a deux frères.

LOCUTIONS DÉTERMINATIVES

Il existe des expressions qui forment une unité de sens et qui jouent le même rôle qu'un déterminant ; on les appelle les **locutions déterminatives** [voir p. 49].

    Le capitaine Crochet veut capturer Peter Pan à n'importe quel prix. (*n'importe quel* a le même rôle que le déterminant *ce*, par exemple)

SITÔT LU
sitôt su

On dit que les déterminants « s'accordent » en genre et en nombre avec le nom qu'ils déterminent. Cependant, comme à l'oral le genre et le nombre sont plus facilement repérables sur le déterminant que sur le nom (comparez à l'oral *un/une* et *ami/amie*), il vaut mieux penser à l'écrit à « accorder » le nom avec le déterminant.

Reconnaître le déterminant

Le déterminant a souvent une forme identique ou proche de celle du pronom ou de l'adjectif. Il faut savoir le différencier de ces deux autres classes de mots.

PROCHE DU PRONOM

À chaque catégorie de déterminants correspond une catégorie de **pronoms** qui peuvent avoir la même forme, ou une forme proche [voir p. 58].

> *Plusieurs* <u>amis</u> *de Robin l'ont rejoint à Sherwood.* (*plusieurs* : déterminant de *amis*)
>
> **Plusieurs** *l'ont rejoint à Sherwood.* (*plusieurs* : pronom de même forme que le déterminant)
>
> *C'est* **votre** <u>argent</u> *qui intéresse le prince Jean.* (*votre* : déterminant de *argent*)
>
> *C'est* **le vôtre** *qui intéresse le prince Jean.* (*le vôtre* : pronom de forme proche du déterminant)

❓ QUI L'EÛT *cru*

Le déterminant, dans certaines constructions, peut ne pas... déterminer suffisamment, et celui qui écrit devra faire preuve de rigueur pour transmettre correctement une signification ou une information. Par exemple, ne pas écrire : « Estelle a tenu à partir en vacances avec ses chien et chat » si la vérité, compte tenu du nombre respectif de toutous et de matous, impose d'écrire : « avec ses chiens et chats », « avec ses chiens et chat » ou « avec ses chien et chats » !

PROCHE DE L'ADJECTIF

● Certains déterminants indéfinis peuvent s'employer aussi comme simples **adjectifs**.

> *Robin tend ses pièges dans* **différents** <u>endroits</u>. (*différents* : déterminant de *endroits* ; on pourrait le remplacer par le déterminant *plusieurs*)
>
> *Robin tend ses pièges dans des* <u>endroits</u> **différents** *à chaque fois.* (*différents* : adjectif épithète qui qualifie *endroits* ; on pourrait le remplacer par l'adjectif *mystérieux*)

● Il faut bien distinguer les déterminants cardinaux (*un, deux, trois*...) des adjectifs **ordinaux** (*premier, deuxième, troisième*...). Ils n'ont pas le même sens.

> *Les* **deux** *amis ont organisé la résistance.* (*deux*, déterminant, indique une quantité)
>
> *Un* **troisième** *ami est venu les rejoindre dans la forêt de Sherwood.* (*troisième*, adjectif, indique une position, un rang dans un classement)

Pour vérifier que l'on a bien affaire à un déterminant, on s'assure que l'on peut remplacer le mot en question par un autre déterminant tel que l'article *un, une* ou *des*.

> *Leur roi est absent.* (*un roi est absent* → *leur* est déterminant)
>
> *Il leur fait confiance.* (on ne peut pas dire *il des fait confiance* → *leur* n'est pas déterminant, il est pronom)

SITÔT LU

sitôt su

29

Déterminant et pronom personnel

Bien qu'ils aient parfois des formes identiques, les pronoms personnels et les déterminants n'ont pas le même rôle dans la phrase. Il faut savoir les distinguer pour analyser correctement une phrase.

RAPPELS

• Les **déterminants** font partie d'un groupe* nominal. Ils précèdent le **nom** qu'ils déterminent.

> **les** _Gaulois_ et **leur** _potion_ magique

• Les **pronoms personnels** précèdent ou suivent directement le **verbe** dont ils sont compléments [voir p. 68].

> _Les Romains sont fatigués._ <u>Accordez</u>-**leur** _un peu de répit, ils_ **l'**<u>ont</u> _bien_ <u>mérité</u>.

❓ QUI L'EÛT _cru_

« Il est des nô-ô-ôtres ! », chantaient en chœur Aramis, Athos et Porthos en levant _leur_ verre (_leur_, placé devant le nom _verre_, est un déterminant possessif) à la santé de d'Artagnan, qui venait d'être admis dans la compagnie des mousquetaires du roi. _Nôtres_ est un pronom possessif représentant « nous, les mousquetaires ». Et, quand d'Artagnan répliquait : « À la bonne vôtre ! », ce dernier mot était lui aussi un pronom possessif, représentant _votre santé..._

COMMENT LES DISTINGUER ?

• _Le, la, l', les_ sont des articles, donc des déterminants, quand ils précèdent un nom masculin ou féminin, singulier ou pluriel [voir p. 34].

> _Le petit_ <u>village</u> _gaulois est invincible. Il est situé dans_ **les** <u>bois</u>, _non loin de la_ <u>mer</u>.

Le, la, l', les sont des pronoms personnels quand ils sont compléments d'objet directs d'un verbe ou attributs [voir p. 67].

> _Tous les grands chefs romains_ **le** <u>convoitent</u>, _mais aucun n'est parvenu à_ **le** <u>soumettre</u>.

• _Leur, leurs_ sont des déterminants quand ils précèdent un nom pour indiquer un lien de possession [voir p. 38].

> _Le chef des Gaulois s'appelle Abraracourcix et_ **leur** <u>druide</u>, _Panoramix._ **Leurs** <u>relations</u> _avec_ **leurs** <u>voisins</u> _les Romains ne sont pas toujours très bonnes._

Leur est pronom personnel quand il est complément d'objet indirect d'un verbe [voir p. 67]. Même s'il représente un nom pluriel, _leur_ ne prend jamais de _s_.

> _Les Romains se méfient d'Obélix qui_ **leur** _fait peur._ (qui fait peur « à eux »)

❗ SITÔT LU
sitôt su

Si l'on se rappelle que les pronoms _le, la, l', les_ et _leur_ sont toujours compléments et jamais sujets, on évitera les mauvais accords du verbe.

> _Les Romains sont cachés dans la forêt, mais Obélix les voit._ (et non ~~Obélix les voient~~, car le sujet est _Obélix_ et non _les_)

L'absence de déterminant

Le nom doit être précédé d'un déterminant pour être utilisé dans la phrase, notamment s'il est sujet. Mais ce n'est pas toujours le cas.

LES EXPRESSIONS

Le déterminant peut être omis :

➤ dans les **proverbes** et dictons ;
   Chats et chiens, mauvais voisins.

➤ dans des **locutions*** ;
   prendre soin, sans rancune

➤ dans des **compléments du nom** ;
   un chien de compagnie
   une gamelle de croquettes

➤ avec les noms de **mois** et de **jours** ;
   Caroline n'aime pas décembre : elle a trop froid.
   Mercredi est le jour préféré de Boule.

➤ avec un **nom attribut** ;
   Bill et Caroline sont amis.

➤ dans des **titres** d'œuvres, de journaux, dans des légendes, etc.
   Billets de Bill
   Découverte d'un important tas d'os au domicile de Boule

❓ QUI L'EÛT *cru*

L'absence de déterminant peut entraîner de drolatiques contresens et quiproquos si des mots ayant la même orthographe peuvent avoir des significations différentes en changeant de genre. Ce type de bévues peut frapper des journalistes contraints de « faire court » dans les titres, c'est-à-dire obligés, par exemple, de faire tenir en une ligne les mots donnant une information. De quoi parlera donc un article de presse ayant pour titre : *Mousse au frais !* ? De mousse au chocolat qu'on doit protéger de la canicule, de lichen recueilli et gardé à basse température... ou d'un jeune marin qui, s'étant livré à quelques bêtises relativement importantes, a été mis quelques jours en cellule ? Des rédacteurs jouent d'ailleurs de ces ambiguïtés pour attirer l'attention des lecteurs, et les amuser !

LES NOMS PROPRES

● Le nom précédé du déterminant perd son simple statut de mot du dictionnaire (*chien*) et est renvoyé à un élément spécifique (*un chien, son chien*). Or, le **nom propre**, qui par nature renvoie à un élément spécifique, n'a pas besoin de déterminant dans une phrase.
   Le jeune garçon a un chien pour ami. (les noms communs *garçon* et *chien* sont employés avec un déterminant : *le* et *un*)
   Boule a Bill pour ami. (les noms propres *Boule* et *Bill* s'emploient sans déterminant)

● Les noms propres tels que les noms de pays, de régions, de cours d'eau sont généralement précédés de l'article défini.

Si un nom habituellement employé sans déterminant est qualifié par un adjectif épithète ou un complément, le déterminant peut réapparaître.
   Boule a ce bon Bill pour ami.
   Bill et Caroline sont des amis d'enfance.

SITÔT LU
sitôt su

L'article

Parmi l'ensemble des déterminants, l'article est le plus neutre, celui qui n'apporte pas d'informations supplémentaires. Les autres apportent des précisions sur le nombre, l'appartenance, etc.

CATÉGORIES

L'article se présente sous trois formes différentes :

➤ l'article **indéfini** [voir p. 33] ;
  un savant

➤ l'article **défini** [voir p. 34] ;
  le shérif

➤ l'article **partitif** [voir p. 35].
  du courage

❓ QUI L'EÛT *cru*

Les articles, au sein du lexique, sont des... « articles courants », des mots très usités. Ils peuvent être aussi des « agents doubles », mais pas secrets pour autant. Comme il n'est pas question de dire ou d'écrire : « Pendant vingt ans j'ai lu la *La Semaine de Suzette* », il faut ne retenir qu'un des deux articles : celui qui joue un rôle dans la phrase (*la*), ou celui qui fait partie du titre du journal (*La*). Soit : « j'ai lu la *Semaine de Suzette* », ou bien « j'ai lu *La Semaine de Suzette* » (ou *Les Pieds Nickelés* !).

EMPLOIS

● L'article **précède** toujours le nom, mais il peut en être séparé par un ou plusieurs adjectifs.

  *Un deuxième <u>accident</u> a frappé **la** tranquille petite <u>ville</u> d'Amity.*

● L'article peut être employé avec un **autre déterminant**, tel qu'un indéfini (*tout, même, tel*, etc.) ou un cardinal (*deux, trois*, etc.).

  *Le shérif accompagnera **les deux** navigateurs.*

● L'article indéfini ne s'emploie qu'avec les noms comptables* et le partitif qu'avec les noms non comptables. Seul l'article défini peut s'employer aussi bien avec les comptables qu'avec les non-comptables.

  *Brody a vu **un** requin. Il lui a fallu **du** courage pour l'affronter.*

  *Brody a vu **le** requin. Heureusement, **le** courage ne lui a pas manqué.*

  (*requin* est un comptable ; *courage* est un non-comptable)

SITÔT LU
sitôt su

Si l'on hésite à dire de *un* qu'il est article défini ou article indéfini, on peut se rappeler que *un* fait penser par sa prononciation à *in*... C'est donc un article <u>in</u>défini !
Et si l'on sait que *un* est indéfini, on sait que *le* est défini !

L'article indéfini

L'article indéfini est l'une des formes de l'article que l'on emploie avec les noms comptables* dans des contextes particuliers.

SES FORMES

	MASCULIN	FÉMININ
SINGULIER	*un*	*une*
PLURIEL	*des*	

- L'article indéfini a des formes différentes au féminin et au masculin lorsqu'il est employé au singulier. Il a la même forme aux deux genres lorsqu'il est employé au pluriel.

> *un* bœuf, *une* grenouille
> *des* bœufs, *des* grenouilles

- Lorsque le nom pluriel est précédé d'un adjectif ou lorsqu'il est dans une phrase négative, on emploie *de* plutôt que *des*.

> *de* folles envies
> La grenouille n'a pas vu *de* dangers à vouloir enfler.

De s'élide en *d'* devant une voyelle ou un *h* muet*.

> *d'*aimables conseils, *d'*honnêtes avis
> La grenouille n'a pas vu *d'*obstacles à vouloir enfler.

❓ QUI L'EÛT *cru*

L'article indéfini *un(e)* se trouve au... premier rang dans de nombreux titres d'œuvres (livres et films, notamment : *Un dimanche comme les autres, Un Indien dans la ville, Un sac de billes, Un homme d'exception, Un homme se penche sur son passé, Un jour dans la vie...*) Mais il est des cas où l'imprécision du déterminant indéfini est corrigée par un élément postérieur. Ainsi dans le titre du désopilant *Un poisson nommé Wanda*, film interprété en particulier par certains comédiens de la bande des Monty Python. Certes, on ne précise pas si c'est un requin ou une ablette...

SES EMPLOIS

- L'article indéfini s'emploie avec un nom qui désigne un être, une chose dont on n'a **pas encore parlé**, qui ne semble pas être connu.

> *Une* grenouille vit *un* bœuf. (on ne sait ni de quelle grenouille, ni de quel bœuf il s'agit)

- Il peut également s'employer avec un nom qui a une **valeur générale**.

> Elle a la taille d'*un* œuf. (la taille qu'ont les œufs en général)

Il ne faut pas confondre l'article indéfini *des* avec l'article défini contracté *des* (de + les). Pour s'assurer que l'on a bien affaire à l'article indéfini, on vérifie qu'on peut le remplacer par *plusieurs*.

> La grenouille pose *des* questions à son amie. (pose *plusieurs* questions : *des* est l'article indéfini)
> La grenouille tient compte *des* réponses de son amie. (on ne peut pas dire ~~tient compte plusieurs réponses~~ : *des* est ici l'article contracté)

SITÔT LU
sitôt su

L'article défini

L'article défini s'emploie aussi bien avec les noms comptables* qu'avec les non-comptables dans des contextes particuliers.

SES FORMES

	MASCULIN	FÉMININ
SINGULIER	le, l'	la, l'
PLURIEL	les	

- L'article défini a des formes différentes au féminin et au masculin lorsqu'il est employé au singulier. Il a la même forme aux deux genres lorsqu'il est employé au pluriel.

> *le* bœuf, *la* grenouille
> *les* bœufs, *les* grenouilles

Le et *la* s'élident en *l'* devant une voyelle ou un *h* muet*.

> *l'*avis de *l'*amie, *l'*énorme taille, *l'*herculéen bovidé

- Quand *le* et *les* suivent *à* et *de*, on emploie les formes contractées : **au, aux, du, des**.

> La grenouille a dû avoir mal partout : **au** ventre, **aux** épaules... bref, **des** pattes à la tête.

Il n'y a pas de forme contractée avec *la* ni avec *l'*.

> Qui peut aller contre les envies **de la** grenouille ?

SES EMPLOIS

- L'article défini s'emploie avec un nom qui désigne un être, une chose dont on a **déjà parlé**, qui est supposé connu.

> *Le* bœuf plut à *la* grenouille. (cela implique que l'on sait de quel bœuf et de quelle grenouille il s'agit)

- On emploie également l'article défini dans les **vérités générales**.

> *La* grenouille est un batracien. (toutes les grenouilles sont des batraciens)

- L'article défini peut avoir le même sens qu'un **déterminant possessif** [voir p. 40].

> *Le* bœuf la regardait-il *les* mains dans *les* poches ? (ses mains dans ses poches)

❓ QUI L'EÛT *cru*

L'article défini, on le retrouve aussi devant des noms de personnes ou de personnages, devant des prénoms ou des surnoms... Ainsi, par un usage populaire (mais attention, car cela peut prendre une connotation péjorative !) : « *Le* Zéphyrin était encore en retard ! » Ou devant le nom de femmes célèbres – d'après l'italien –, surtout des comédiennes et des cantatrices : *la* Callas, *la* Tebaldi, *la* Mangano, et... *la* Castafiore !

SITÔT LU
sitôt su

Il faut bien distinguer les déterminants des pronoms personnels qui ont la même forme. Si *le, la, les, l'* se rapportent à un nom, il s'agit de déterminants ; s'ils se rapportent à un verbe, il s'agit de pronoms.

> *Les* questions que la grenouille lui pose, son amie *les* écoute avec attention !
> (le premier *les* est un déterminant, le second un pronom)

L'article partitif

L'article partitif s'emploie avec les noms non comptables* dans des contextes particuliers.

SES FORMES

	MASCULIN	FÉMININ
SINGULIER	du, de l'	de la, de l'
PLURIEL	des	

- L'article partitif a des formes différentes au féminin et au masculin lorsqu'il est employé au singulier.

    du gigot, **de la** gourmandise

Il a la même forme aux deux genres lorsqu'il est employé au pluriel.

    des épinards, **des** pâtes

- Au singulier, on emploie la forme élidée **de l'** devant une voyelle ou un h muet*.

    de l'appétit, **de l'**huile

❓ QUI L'EÛT *cru*

Comme l'adjectif l'indique, l'article *partitif* signale que l'on parle d'une partie, d'une fraction, d'un fragment, d'une portion d'un tout. Mais il ne faudrait pas en déduire pour autant qu'il ne s'agirait que de menues quantités ! Ce n'est assurément pas le cas lorsque l'on dit : « Il cultive du blé à grande échelle dans la Beauce », « Ils vendent du champagne partout aux États-Unis » ou « L'Arabie Saoudite va doubler sa production quotidienne de pétrole ».
Les termes *blé, champagne, pétrole* désignent des matières non nombrables, non comptables, qui sont parfois appelées « substances massières » par des grammairiens...

- Dans une phrase négative ou lorsque le partitif détermine un nom pluriel précédé d'un adjectif, on emploie **de** (ou **d'**) au lieu de *du, de, l', de la* ou *des*.

    *Le père de Gargantua ne boit pas **d'**eau, il boit **du** vin et mange **de** bonnes pâtes.*

SES EMPLOIS

- L'article partitif indique que l'on considère une **certaine quantité** d'un tout. Il s'emploie surtout au singulier.

    *Gargantua mange **du** bœuf. (si on écrit Gargantua mange un bœuf ou mange le bœuf, cela suppose qu'il mange l'animal en entier)*

- On l'emploie au pluriel devant des noms qui n'ont pas de singulier ou qui ont une valeur de non-comptables lorsqu'ils sont au pluriel.

    *Sa mère a repris plusieurs fois **des** tripes.*

Il faut bien faire la différence entre le partitif et la préposition *de* suivie de l'article défini *le, la, l', les*. Ils ont la même forme, mais il ne s'agit pas des mêmes mots.

    *Gargantua mange **du** gigot. (on pourrait dire il mange **deux** gigots : du est donc ici article partitif)*

    *La taille **du** gigot ne l'impressionne pas. (on pourrait dire la taille **des deux** gigots : du est donc ici l'article contracté de + le)*

SITÔT LU

sitôt su

Le déterminant démonstratif (1)

Le déterminant démonstratif peut se présenter sous une forme simple ou une forme renforcée.

FORME SIMPLE

	MASCULIN	FÉMININ
SINGULIER	ce, cet	cette
PLURIEL	ces	

● Le démonstratif a des formes différentes au féminin et au masculin lorsqu'il est employé au singulier.

> *ce laboratoire, **cette** soucoupe*

On emploie **cet** au lieu de *ce* devant un mot commençant par une voyelle ou un *h* muet*.

> **cet** *extraterrestre*, **cet** *étrange rayonnement*, **cet** *hallucinant spectacle*

L'oral ne fait pas de distinction entre le féminin *cette* et le masculin *cet*, mais à l'écrit il faut bien faire la différence.

> *La soucoupe doit se poser à **cet** endroit pour que, **cette** fois, E.T. puisse repartir.* (*endroit* est masculin, donc on écrit *cet endroit* ; *fois* est féminin, donc on écrit *cette fois*)

● Le déterminant a la même forme aux deux genres lorsqu'il est employé au pluriel.

> **ces** *laboratoires*, **ces** *soucoupes*, **ces** *extraterrestres*, **ces** *étranges rayonnements*

FORME RENFORCÉE

On peut renforcer *ce, cet, cette* ou *ces* en joignant **ci** ou **là** au nom déterminé. *Ci* et *là* sont reliés au nom par un **trait d'union**.

> *Ce soir-**là**, Elliot eut du mal à s'endormir. – À **cette** heure-**ci**, E.T. doit être arrivé.*

Aujourd'hui, seule la forme renforcée avec *là* reste courante. La forme avec *ci* est d'un emploi plus rare. On retrouve *ci* et *là* dans les pronoms démonstratifs [voir p. 74].

QUI L'EÛT *cru*

Pour refléter de manière réaliste la façon populaire de s'exprimer qu'ont certains de leurs personnages, de bons écrivains, tel Maupassant, ont recours à ce que l'on appelle la *syncope*. Non pas au sens médical, bien sûr, mais au sens linguistique : « retranchement d'une lettre ou d'une syllabe à l'intérieur des mots ». Ce procédé porte notamment sur les déterminants démonstratifs : « C'te femme-là… », « À c'te heure, y z'ont dû arriver au Havre ! »…

SITÔT LU
sitôt su

Il faut bien distinguer le démonstratif *ces* du possessif* *ses*. Ils s'emploient tous les deux comme déterminants du nom, mais ils n'ont pas le même sens.

> *E.T. pense souvent à **ses** amis qu'il a rencontrés sur Terre.* (ses propres amis, les amis de E.T.)
>
> *E.T. pense souvent à **ces** amis qu'il a rencontrés sur Terre.* (des amis précis, ceux-là précisément)

Le déterminant démonstratif (2)

Le déterminant démonstratif se rapporte à un nom et donne une information de localisation. Mais il s'emploie aussi avec d'autres valeurs.

POUR SITUER

● Le démonstratif indique que l'on **désigne** dans l'espace précisément l'être ou la chose dont on parle. On l'emploie à l'oral, en accompagnant souvent ses paroles d'un geste de la main, ou à l'écrit dans les dialogues.

> Regardez **cet** âne chargé de sacs de farine.

● Le démonstratif peut aussi situer un moment dans le temps.

> **Ce** soir, maître Cornille aura à nouveau du blé à moudre.

❓ QUI L'EÛT *cru*

Dans un emploi un peu démodé, les déterminants démonstratifs au pluriel sont utilisés pour s'adresser à la 3ᵉ personne à des personnes présentes : « Ces messieurs-dames ont fait un bon voyage ? », « Est-ce que ces dames prendront du vin chaud à la cannelle ? »...
Les déterminants démonstratifs peuvent aussi se substituer à des articles définis : « Il y avait là ces demoiselles Radicelle » (le *ces* équivaut en quelque sorte à dire : « les fameuses, les bien connues, demoiselles Radicelle »).

AUTRES VALEURS

● On emploie le démonstratif devant un nom qui désigne un être, une chose, une idée, etc. dont on a **déjà parlé**. On peut répéter le même nom ou utiliser un nom différent.

> Le vieux meunier avait un <u>secret</u>. Mais **ce secret**, personne ne le connaissait.
> Depuis que les habitants du village n'apportent plus leur blé à <u>maître Cornille</u>, **ce meunier** se trouve bien désœuvré.

● On l'emploie également pour annoncer ce qui suit.

> Maître Cornille dut se rendre à **cette évidence** : <u>quelqu'un avait découvert son secret</u>.

● Le démonstratif peut également exprimer :

➤ le mépris ;

> **Ce** vieux fou continuait à faire tourner son moulin !

➤ ou au contraire l'affection, l'admiration.

> Ah ! **ce** cher maître Cornille ! Tout le monde l'aimait bien au village.

L'expression *un de ces, une de ces*, qui sert à marquer l'intensité, appartient au registre* familier. On évitera donc de l'employer dans un texte qui ne se prête pas à ce registre.

> Il avait beaucoup de courage. (plutôt que *un de ces courages*)

SITÔT LU
sitôt su

Le déterminant possessif (1)

Le déterminant possessif varie en genre, en nombre et en personne.

DÉFINITION

Le déterminant possessif marque une relation entre le nom qu'il détermine et le nom d'une personne (parfois d'une chose). On appelle cette personne (ou cette chose) le **possesseur** et le nom déterminé l'**objet possédé**.

> La jeune fille traverse la Lorraine avec **ses** jolis sabots. (*ses sabots* : les sabots de la jeune fille ; *sabots* est l'objet possédé et *jeune fille* est le possesseur)

❓ QUI L'EÛT *cru*

Dans les pays où la bigamie (voire plus !) est admise, il faut alors écrire : « Les princes et leurs femmes », alors que c'est le singulier qu'il faut adopter, en principe, en terre de monogamie : « Les ministres des Finances européens et leur femme », puisque chacun d'entre eux n'a qu'une épouse.

FORMES

● La forme du déterminant possessif dépend donc :

➤ du **nombre** de possesseurs ;

> **mes** sabots (un seul possesseur), **nos** sabots (plusieurs possesseurs)

➤ de la **personne** du possesseur ;

> **mes** sabots (à moi, 1re personne), **tes** sabots (à toi, 2e personne)

➤ du **genre** et du **nombre** de l'objet possédé.

> **mon** sabot (masc. sing.), **ma** tong (fém. sing.), **mes** sabots (masc. pl.), **mes** tongs (fém. pl.)

	UN SEUL POSSESSEUR			PLUSIEURS POSSESSEURS	
	singulier		pluriel	singulier	pluriel
	masc.	fém.	masc. et fém.	masc. et fém.	masc. et fém.
1re PERS.	mon	ma, mon	mes	notre	nos
2e PERS.	ton	ta, ton	tes	votre	vos
3e PERS.	son	sa, son	ses	leur	leurs

● Au singulier, on emploie **mon, ton, son** lorsque le déterminant précède un mot commençant par une voyelle ou un *h* muet*, même si le nom déterminé est féminin.

> **mon** _espadrille_, **ton** _ancienne chaussure_, **son** _horrible bottine_

Il ne faut pas confondre les formes du déterminant *notre*, *votre* avec celles du pronom *les nôtres, les vôtres* [voir p. 77].

SITÔT LU

sitôt su

Il faut réfléchir au nombre de l'objet possédé pour savoir s'il faut écrire *leur* (un seul objet possédé) ou *leurs* (plusieurs objets possédés). Mais il n'est jamais possible d'avoir *leur* avec un nom au pluriel ou *leurs* avec un nom au singulier.

> *les trois capitaines et leur impertinence* (l'impertinence des capitaines)
> *les trois capitaines et leurs moqueries* (les moqueries des capitaines)

Le déterminant possessif (2)

Le déterminant possessif marque une relation entre le nom qu'il détermine (l'objet possédé) et le possesseur*.

L'APPARTENANCE

- Le possessif peut exprimer une relation de **réelle appartenance**.

  *Elle a enfilé **son** manteau rouge avant de partir.*

- Le possessif peut marquer **un lien** entre deux ou plusieurs personnes (parenté, hiérarchie, amitié, etc.).

  *Le loup n'est pas vraiment **son** ami.*
  *Elle voulait apporter une galette à **sa** grand-mère.*

- Il peut s'agir d'une simple relation d'**habitude**, d'**intérêt**, de **situation**, etc.

  *Grand-mère n'a pas pensé à acheter du beurre quand elle est allée faire **ses** courses.*

> **❓ QUI L'EÛT *cru***
>
> Pour faire comprendre combien l'avare Harpagon est attaché comme un forcené à son argent (la fameuse cassette qu'on lui a dérobée), Molière lui fait répéter fiévreusement le déterminant possessif dans la célèbre tirade de la scène 7 de l'acte IV de *L'Avare* : « Hélas ! *Mon* pauvre argent, *mon* pauvre argent, *mon* cher ami, on *m'*a privé de toi ! »

AUTRES VALEURS

- Lorsque le nom déterminé exprime une action, le possessif indique :
- ➤ qui fait l'action (soit le **sujet** d'un verbe correspondant) ;

  *Le loup sait que la fillette va venir. Il attend **son** arrivée.* (la fillette arrive)

- ➤ sur qui, sur quoi porte l'action (soit l'**objet** d'un verbe correspondant).

  *La fillette était en danger, mais heureusement, les chasseurs sont venus à **son** secours.*
  (sont venus secourir la fillette)

- On emploie également le possessif, surtout à la 1re personne, pour marquer :
- ➤ l'**affection** ou l'**indignation** ;

  *« Entre vite, **ma** chérie », s'écria le loup en entendant la sonnette.*

- ➤ une certaine **complicité** entre le narrateur et le lecteur.

  *Alors **notre** loup se déguisa en grand-mère.*

Le possessif peut être source d'ambiguïté si le possesseur n'est pas clairement identifié.

  Le loup savait que la fillette irait rendre visite à sa grand-mère. (la grand-mère de la fillette ou celle du loup ?)

On évitera donc d'employer un déterminant possessif dans une phrase où il pourrait renvoyer à deux possesseurs de la 3e personne.

SITÔT LU

sitôt su

39

Possessif ou article ?

Dans certains cas, on peut hésiter entre l'emploi de l'article défini ou celui du déterminant possessif.

ARTICLE

● Lorsque le nom déterminé désigne une **partie du corps** (ou une faculté mentale, une expression, etc.), on emploie de préférence l'article défini.

> « Tirez **la** langue », demanda le docteur Knock à sa patiente. (plutôt que tirez votre langue)

● Avec *avoir,* seul l'article est possible.

> La fermière avait mal **au** dos.

● Si le contexte n'est pas assez précis, on lève l'ambiguïté en employant un pronom personnel qui représente le possesseur*.

> La patiente s'est courbée et Knock **lui** a palpé **le** dos.
> Un médecin soigneux **se** lave toujours **les** mains avant chaque visite.

❓ QUI L'EÛT *cru*

Si l'on dit et écrit : « Sébastien s'est coupé à la main », ou bien : « Églantine a égratigné son pied », que l'on emploie un article ou bien un déterminant possessif, cela ne change rien : la formulation n'est pas précise. La critique est peut-être sévère mais, compte tenu que chacun des deux a, on l'espère, ses deux pieds et ses deux mains, il faudrait dire : « Sébastien s'est coupé à la main gauche (ou droite) » (ce qui est moins grave que de se couper une main), et « Églantine a égratigné son pied droit (ou gauche) » ...

POSSESSIF

● On emploie de préférence le possessif si le nom qui désigne la partie du corps est **sujet** de la proposition.

> Êtes-vous sûr que **votre** cœur bat régulièrement ? (plus courant que *le cœur vous bat régulièrement*)

Seul le possessif est possible quand le verbe est pronominal*, puisqu'on ne peut employer un second pronom.

> Depuis que la fermière est tombée de l'échelle, **son** dos <u>s'</u>est <u>voûté</u> petit à petit.

● Le possessif est également souvent d'usage lorsque le nom est complété par un adjectif épithète ou un complément.

> Inquiet, le patient plissait **son** front <u>dégarni</u>. (alors qu'on dirait *le patient plissait le front*)

SITÔT LU

sitôt su

Il ne faut pas apporter plus de précisions que nécessaire. Si on choisit d'utiliser le possessif, inutile alors de renforcer le verbe par un pronom personnel. Inversement, si on choisit d'employer le pronom, le possessif devient superflu.

> Il **lui** a ausculté **le** cœur. (ou il a ausculté **son** cœur ; mais non il lui a ausculté son cœur)

Le déterminant indéfini (1)

La catégorie des indéfinis comprend, entre autres, les déterminants qui apportent une information de quantité, plus ou moins précise.

FORMES

● Contrairement à la plupart des catégories de déterminants qui se composent chacune d'un déterminant variable (*mon, ma, mes ; ce, ces, cette...*), la catégorie des déterminants indéfinis regroupe **différents termes** qui présentent des formes très variées.

> *Chaque fois que la gitane dansait, maints spectateurs accouraient de toutes parts.*

● Le déterminant indéfini peut également se présenter sous la forme d'une **locution déterminative** [voir p. 49].

> *La plupart des mendiants étaient hostiles à Frollo.*

DÉTERMINANTS SINGULIERS ET DÉTERMINANTS PLURIELS

● Parce qu'ils expriment une quantité nulle ou se limitant à un, *aucun, nul* et *chaque* ne s'emploient qu'au **singulier**. *Aucun* et *nul* prennent les marques du genre du nom qu'ils déterminent. *Chaque* a la même forme au féminin et au masculin.

> *Esméralda pouvait suivre Quasimodo sans **nulle** crainte : il la protégerait.*

Pour *aucun*, voir cependant p. 43.

● Parce qu'ils expriment la pluralité (plusieurs éléments), *plusieurs, divers* et *différents* ne s'emploient qu'au **pluriel**. *Divers* et *différents* prennent les marques du genre du nom qu'ils déterminent. *Plusieurs* a la même forme au féminin et au masculin.

> *Quasimodo a sauvé Esméralda à **différentes** reprises.*

● *Certain, tel, quelque* et *tout* s'emploient au singulier ou au pluriel. *Tel* et *tout* prennent les marques du genre du nom qu'ils déterminent. *Quelque (quelques)* a la même forme au féminin et au masculin.

> *Tous les matins, Quasimodo sonne les cloches à **toute** volée.*

Il faut bien penser au sens du déterminant indéfini qu'on emploie. Un seul mot peut entraîner de nombreux accords en chaîne !

> *Frollo s'est assuré qu'il n'y avait au moment du meurtre **aucun** autre témoin qui aurait été susceptible de révéler la vérité.* (témoin doit être au singulier car il est déterminé par *aucun* ; donc autre, aurait et susceptible sont aussi au singulier)

SITÔT LU

sitôt su

Le déterminant indéfini (2)

On classe les déterminants indéfinis en différentes catégories.

LE SENS DES DÉTERMINANTS INDÉFINIS

ABSENCE (zéro)	aucun nul	*Aucun sportif n'a jamais battu le lièvre.* *Nul doute qu'il garderait son titre de champion.*	voir p. 43
SINGULARITÉ (un)	certain chaque quelque tout	*Une certaine tortue prétend le battre.* *Chaque minute compte.* *Avait-elle quelque chance de gagner ?* *Elle a pour tout avantage une minute d'avance.*	voir p. 44 voir p. 45 voir p. 46 voir p. 47
PLURALITÉ (deux, trois, etc.)	certains quelques différents divers plusieurs	*Certains amis sont venus la soutenir.* *Quelques supporters ont apporté des sifflets.* *Elle rencontre différents obstacles.* *Le lièvre, lui, se livre à divers plaisirs.* *Elle a pensé plusieurs fois abandonner.*	voir p. 44 voir p. 46
TOTALITÉ	tous	*Mais tous ses efforts ont été récompensés.*	voir p. 47

REMARQUES

● *Nul* et *quelque* au singulier appartiennent au registre* soutenu sauf dans quelques **expressions courantes** (*nulle part, nul doute, quelque part, dans quelque temps,* etc.).

● On classe *tel* traditionnellement parmi les indéfinis [voir p. 48]. Mais il n'apporte pas d'informations sur la quantité. Il établit plutôt une **comparaison**.

*Un **tel** succès était vraiment mérité.*

● Certains indéfinis peuvent se **combiner** avec l'article, le possessif* ou le démonstratif*.

***Ces quelques** minutes d'avance lui ont permis de remporter la victoire.*

❓ QUI L'EÛT *cru*

Ordinairement, quand on ne veut pas préciser de qui ou de quoi il s'agit, *certain* s'emploie avec un article indéfini : « un certain jour », « un certain nombre de joueurs de football », « une certaine quantité d'huîtres ». La disparition de l'article donne une touche « littéraire » à un texte, lui confère une... certaine élégance de style : « Certaine lettre de Flaubert à George (oui : pas de *s* au prénom, en ce cas particulier !) Sand révèle que... » ; « Le farceur était certaine secrétaire de rédaction de ma connaissance, qui avait concocté une fausse dépêche d'agence pour ce 1er avril... ».

SITÔT LU
sitôt su

Les déterminants *certain, divers, différents* et *nul* sont issus d'adjectifs qualificatifs qui, même s'ils s'écrivent de façon identique, ont un tout autre emploi et un tout autre sens.

***Différents** supporters l'ont applaudie à tout rompre.* (on peut remplacer *différents* par *des supporters* ; *différents* est ici déterminant)
*Le résultat aurait été **différent** si le lièvre était parti à l'heure.* (on peut remplacer *différent* par *autre, distinct*... ; *différent* est ici adjectif qualificatif)

Aucun, déterminant

Quand *aucun* est un déterminant indéfini, il s'emploie devant un nom [voir p. 41]. Pour son emploi en tant que pronom, voir p. 81.

SON NOMBRE

● On emploie *aucun, aucune* devant un nom pour exprimer une quantité nulle. Le groupe* nominal qu'il détermine est donc au **singulier**.

> *En **aucun** cas, Gaston ne doit être là quand Demesmaeker arrivera.*˙

● Cependant, certains noms ne s'emploient qu'au pluriel. Dans ce cas seulement, *aucun* se met au **pluriel**. Le cas est rare.

> *Fantasio n'accordera **aucunes** vacances supplémentaires à Gaston.*

❓ QUI L'EÛT *cru*

Le 13 juin 1930, le pilote français Henri Guillaumet, qui assure une liaison aérienne au-dessus de la cordillère des Andes, est pris dans une tourmente. Obligé de se poser en catastrophe, il capote... Il devra marcher sans cesse durant plusieurs jours, dans la neige, par 3 000 mètres d'altitude, avant de trouver par miracle une cabane de berger... Cet exploit est l'un des plus grands événements de l'histoire de l'aviation. Retrouvant son collègue et ami Saint-Exupéry, Guillaumet lui dit : « Ce que j'ai fait, jamais *aucune* bête ne l'aurait fait... »

SES VALEURS

● Le plus souvent, *aucun* a une valeur négative. On l'emploie avec *sans* ou avec *ne, n'* (qu'il ne faut pas oublier).

> *Vous pouvez **sans aucune** hésitation confier vos animaux à Gaston.*
> *Gaston **n'a aucune** envie de répondre au courrier.*

● *Aucun* peut également s'employer dans un groupe nominal qui constitue à lui seul une phrase. On l'emploie alors sans *ne*, mais il garde sa valeur négative.

> *Des bruits curieux venaient du bureau de Gaston... Puis, soudain, plus **aucun** bruit.*

● Dans le registre* soutenu, *aucun* peut avoir la **valeur positive** qu'il avait autrefois. Il signifie alors « un quelconque, n'importe quel ».

> *Je doute qu'**aucun** employeur souhaite prendre Gaston à son service.*

Puisque *aucun* est employé le plus souvent au singulier, les mots qui s'accordent avec un nom déterminé par *aucun* sont au singulier.

> ***Aucune** invention de Gaston, aussi géniale soit-elle, ne marche.*
> *(géniale, soit, elle et marche sont au singulier tout comme invention, qui est déterminé par aucune)*

SITÔT LU

sitôt su

Certain, déterminant

Quand *certain* est devant un nom, c'est un déterminant indéfini [voir p. 41]. Pour son emploi en tant que pronom, voir p. 83.

AU SINGULIER

● Quand *certain*, *certaine* est employé comme déterminant au singulier, il est précédé dans l'usage courant de **un, une**.

> *Il lui a fallu **un certain** temps pour comprendre ce que voulait l'enfant.*

● On emploie *certain*, *certaine* au singulier devant un nom pour indiquer qu'on ne veut ou qu'on ne peut apporter davantage de précision sur ce dont on parle.

> *Le renard éprouve une **certaine** méfiance vis-à-vis des hommes.*

❓ QUI L'EÛT *cru*

L'humoriste français Fernand Raynaud a élaboré tout un sketch désopilant autour de *certain* en tant que déterminant... À un sous-officier qui leur demande combien il faut de temps au fût d'un canon pour refroidir après usage, les bidasses fournissent à tour de rôle des réponses très diverses qui ne satisfont pas le gradé. Car celui-ci, s'appuyant sur le texte de son manuel, affirme que l'unique réponse est : « Il faut un certain temps ! »

● On peut également l'employer pour parler de quelque chose de bien défini, bien connu et qu'on n'a pas besoin de définir davantage.

> *Un **certain** soir, le Petit Prince a rencontré l'allumeur de réverbères.*

● Lorsque *certain* est employé devant un **nom propre de personne**, il indique qu'on ne connaît pas la personne dont on parle, qu'on ne la connaît que de nom.

> *L'auteur a adressé sa dédicace à un **certain** Werther.*

AU PLURIEL

● Quand *certains*, *certaines* est employé comme déterminant au pluriel, il n'est **jamais accompagné** d'un autre déterminant.

> *__Certaines__ grandes personnes semblent très étranges au Petit Prince.*

● On l'emploie au pluriel pour indiquer que l'on a affaire à un nombre **restreint** et **indéterminé** d'éléments pris dans un ensemble.

> *Le Petit Prince a fait **certaines** rencontres qui l'ont beaucoup étonné.*

SITÔT LU
sitôt su

Le déterminant *certain* ne doit pas être confondu avec l'adjectif qualificatif dont il est issu, mais qui a un tout autre emploi et un tout autre sens.

> *__Certaines__ fleurs ont des épines.* (= des fleurs ; *certaines* est ici déterminant)
> *Le Petit Prince était pourtant **certain** que sa rose était unique.* (= il était sûr ; *certain* est ici adjectif qualificatif)

Chaque, déterminant

Chaque est un déterminant indéfini ; il s'emploie devant un nom.

LES VALEURS

● *Chaque* s'emploie pour indiquer que l'on considère **un par un** tous les éléments d'un ensemble.

> *Le maîtresse interrogera* **chaque** *élève de la classe.*
>
> *Il faut que* **chaque** *joueur ait le même nombre de billes au début de la partie.*

● *Chaque* peut exprimer aussi la **répétition** d'un même élément.

> *Nicolas joue aux billes avec ses copains* **chaque** *fois qu'il le peut.*

Cependant, quand l'élément répété contient une indication de nombre, on préfère employer ***tous les*** et non *chaque.*

> *La classe est très agitée et la maîtresse doit rappeler les enfants à l'ordre* **toutes les** *cinq minutes.* (plutôt que *chaque cinq minutes*)

❓ QUI L'EÛT *cru*

La langue française est un instrument logique, qui – sauf cas d'espèce volontaires utilisés en littérature, au théâtre, au cinéma... – doit exprimer des notions cohérentes. La logique et la cohérence sont malmenées, ainsi, par ceux qui, faute d'attention, disent et écrivent : « Le long de la nationale, la distance entre chaque arbre est de vingt mètres. » Littéralement, cette phrase est illogique, puisqu'il ne saurait y avoir de distance entre... *une* seule chose ! Il faut dire et écrire : « Le long de la nationale, la distance entre *les* arbres est de vingt mètres. » (Ou : « Le long de la nationale, la distance entre deux arbres est de vingt mètres. »)

CAS OÙ *CHAQUE* N'EST PAS POSSIBLE

On ne peut déterminer un nom par *chaque* si ce nom est sujet d'une phrase négative. Il faut alors employer *aucun* ou reprendre le sujet par *chacun.*

> *Si* ***les joueurs*** *n'ont pas* **chacun** *le même nombre de billes au début de la partie, ce n'est pas juste.* (on ne dira pas *si chaque joueur n'a pas le même nombre de billes*)
>
> *Pour la sortie, la classe a été divisée en quatre groupes. « Et* **aucun groupe** *ne doit se perdre »,* *a rappelé le directeur.* (on ne dira pas *chaque groupe ne doit pas se perdre*)

● *Chaque* s'emploie toujours au singulier, même si le sens est pluriel et que *chaque* a le sens de *tous les.*

> *Quand ils jouent ensemble,* **chaque** *récréation finit par une bagarre.*

● *Chaque* est déterminant et jamais pronom ; il se place donc toujours **devant un nom**. Sinon, il faut employer le pronom *chacun* [voir p. 84].

> *Nicolas a deux sacs de cinquante billes* **chacun.** (et non *de cinquante billes chaque*)

SITÔT LU

sitôt su

Quelque, déterminant

Quand *quelque* est devant un nom, c'est un déterminant indéfini.

SINGULIER, PLURIEL

● *Quelque* peut s'employer avec le sens de « un certain, un quelconque » devant un **nom singulier**. Il s'écrit dans ce sens **sans s**.

> *La louve aperçoit avec **quelque** étonnement Bagheera portant un petit d'homme dans la gueule.*

● Dans son emploi le plus courant, *quelques* détermine un nom **pluriel** et signifie « plusieurs ». Il indique une petite quantité. Dans ce sens, il s'écrit toujours **avec s**.

> *Ils ont fait **quelques** farces à Bagheera.*

QUI L'EÛT *cru*

Dans ce qui est peut-être sa fable la plus connue, *La Cigale et la Fourmi*, l'affable Jean de La Fontaine emploie *quelque* au sens de « un quelconque ». Cela quand l'imprévoyante Cigale quémande auprès de la Fourmi « *quelque* grain pour subsister ». Sa voisine la Fourmi – qui se révèle sentencieuse et peu charitable (elle n'est « pas prêteuse ») – l'enverra promener… et danser : « Vous chantiez ? J'en suis fort aise. / Eh bien ! dansez, maintenant. »
On retrouve cet emploi dans d'autres fables. Ainsi : « *Quelque* diable aussi me poussant ». (*Les Animaux malades de la peste*)

LES AUTRES VALEURS DE *QUELQUE*

● Il ne faut pas confondre *quelque*, déterminant, avec *quelque*, adverbe, qui signifie « environ ». Quand *quelque* est adverbe, il s'emploie devant un déterminant cardinal* (nombre) et est toujours invariable.

> *Mowgli observait les **quelque** trente éléphants qui défilaient.*

Cet emploi appartient au registre* soutenu et, dans l'usage courant, on emploie généralement une autre tournure.

> *Mowgli observait la trentaine d'éléphants qui défilaient.*

● Il ne faut pas confondre non plus *quelque* avec la locution* *quel que* suivie du verbe *être* [voir *Toute l'orthographe*, p. 169].

> ***Quelles que** soient les difficultés, ils réussiront.* (et non ~~quelques soient les difficultés~~)

SITÔT LU
sitôt su

Quand il est employé au pluriel, *quelques* peut être précédé d'un autre déterminant tel que *les, ces, mes,* etc. Cela n'est pas possible avec *quelque* au singulier. Ainsi, pour savoir si l'on a un singulier ou un pluriel, il faut voir si on peut utiliser *les, ces…* devant *quelque*.

> *Il a passé **quelques** années parmi les loups.* (on peut dire *ces quelques années* ; *quelques* détermine donc un nom pluriel)
> *Bagheera a eu **quelque** peine à le convaincre.* (on ne peut pas dire ~~a eu cette quelque peine~~ ; *quelque* détermine donc un nom singulier)

Tout, déterminant

Il faut savoir reconnaître les emplois de *tout* en tant que déterminant.

LE DÉTERMINANT

● *Tout* est déterminant quand il est employé **seul**, sans autre déterminant, **devant un nom** singulier ou pluriel. Il peut signifier :

➤ « n'importe quel » (au singulier seulement) ; on peut souvent le remplacer par *chaque* ;

> *Tout* excès de vitesse sera puni.

➤ que l'on considère les éléments d'un ensemble dans leur globalité (singulier) ou dans leur totalité (pluriel).

> De **toute** façon, il est interdit de rouler **tous** feux éteints.

Au pluriel, on peut généralement remplacer *tous, toutes* par *tous les, toutes les*.

> Les sirènes de la gendarmerie retentissaient de **tous** côtés. (= de tous les côtés)

● *Tout* est également déterminant quand il précède un **autre déterminant** : article défini ou indéfini, déterminant démonstratif ou possessif.

> Le général était en sueur durant **tout** <u>le</u> trajet. **Tous** <u>ces</u> virages lui donnaient la nausée.

● *Tout* employé seul peut également déterminer un **pronom**.

> **Tout** ce qui compte, c'est d'arriver à temps à la maternité.

QUAND *TOUT* N'EST PAS DÉTERMINANT

● *Tout* peut être **pronom** [voir p. 91].

> Émilien fait **tout** pour avoir son permis.

● *Tout* peut être adverbe et signifier « entièrement, très ». Il est alors **invariable**, sauf s'il précède un adjectif féminin commençant par une consonne ou un *h* aspiré*.

> La France **tout** <u>entière</u> a pu admirer les exploits de Daniel et Lily en est **toute** <u>fière</u>.

❓ QUI L'EÛT *cru*

Il est bien naturel d'hésiter entre la graphie au singulier (*tout, toute*) et la graphie au pluriel (*tous, toutes*). En effet, on peut très souvent comprendre soit *n'importe quel(le)*, soit *les uns et les autres, sans exception*. Mais la logique impose des choix, aussi (*rouler tous feux éteints*), et l'on doit respecter les expressions figées (*de toute façon*). Enfin, des nuances peuvent être conférées par le choix du nombre : *tout compte fait* (*tout bien pesé*, au sens figuré) ; *tous comptes faits* (*tous les comptes ayant été faits*, au sens propre).

Pour savoir comment écrire *tout*, il faut chercher à quel mot il se rapporte. Si c'est à un nom ou à un pronom, il s'agit du déterminant, qui s'accorde. Si c'est à un adjectif, un adverbe ou à une préposition (on peut alors le remplacer par *totalement, tout à fait*), il s'agit de l'adverbe invariable.

> Ils sont partis **tous** <u>les deux</u> à la poursuite des Japonais. (pronom)
> Nos deux héros sont **tout** <u>contents</u> d'avoir pu éviter le pire. (adjectif)

SITÔT LU

sitôt su

Tel, déterminant ou adjectif ?

Quand *tel* se rapporte à un nom, il peut être déterminant indéfini [voir p. 41] ou adjectif indéfini [voir p. 56].

QUELLE CLASSE ?

● *Tel* est **déterminant** quand il est employé seul devant le nom qu'il détermine. Il indique que l'on ne donne pas de précisions sur l'être ou l'objet dont on parle.

> *Telle* ou **telle** <u>bague</u>, peu importe ! Il y en a tant dans la caverne !

● *Tel* s'emploie plus couramment comme **adjectif** épithète*. – avec un nom déterminé par *un, une* ou *de* – ou comme attribut*. Il peut signifier :

➤ « semblable, de cette sorte ». Dans ce cas, *tel* se place avant le nom ;

> Un **tel** <u>secret</u> ne doit pas être divulgué. (*tel* est adjectif épithète)
> Ali Baba n'avait jamais vu <u>de</u> **telles** <u>merveilles</u>. (*telles* est adjectif épithète)
> Si **tel** est le <u>désir</u> d'Ali, Murjane l'épousera. (*tel* est attribut de *désir*)

➤ « si grand, si intense ». Dans ce cas, il se place avant ou après le nom et il est le plus souvent accompagné d'une proposition qui exprime la conséquence.

> Qasim était d'une **telle** cupidité <u>qu'il voulut s'emparer de tout le trésor.</u>
> La reconnaissance d'Ali Baba envers son esclave fut **telle** <u>qu'il l'épousa.</u>

L'ACCORD DE *TEL*

Qu'il soit déterminant ou adjectif, *tel* prend les marques de **genre** et de **nombre** du nom auquel il se rapporte. Pour plus de détails, voir *Toute l'orthographe*, p. 172.

> une **telle** <u>audace</u>, un **tel** <u>courage</u>

? QUI L'EÛT *cru*

Tel Tell (Guillaume), le fameux (mais peut-être légendaire ?) archer et – ou – arbalétrier suisse, contraint par le bailli autrichien Gessler de tirer sur une pomme placée sur la tête de son propre fils, ce jeune Helvète ne supporte pas de *telles* avanies venant de *tel* ou *tel* m'as-tu-vu ! Aussi, *tel* un vengeur masqué, leur réserve-t-il *telle* ou *telle* redoutable plaisanterie de sa façon...

SITÔT LU
sitôt su

L'adjectif *tel* s'emploie dans deux expressions différentes qu'il ne faut pas confondre :

– *tel que*, qui signifie « comme », et qui annonce un exemple, une énumération ;

> Il rapporta de la caverne des bijoux **tels que** des bagues, des colliers.

– *tel quel*, qui signifie « sans changement, sans rien modifier ».

> Le bûcheron entendit la formule et la répéta **telle quelle**. (et non ~~la répéta telle que~~)

Les locutions déterminatives

De nombreuses expressions jouent le même rôle qu'un déterminant indéfini [voir p. 41-42]. On les appelle des locutions déterminatives.

LES ADVERBES

● Une location déterminative peut être composée d'un **adverbe de quantité** [voir p. 126] suivi de la préposition *de* : *assez de, beaucoup de, plus de, moins de, autant de, trop de, (un) peu de, davantage de, tellement de, suffisamment de,* etc.

> Jean Valjean a **beaucoup de** problèmes.

● L'adverbe *bien* suivi de l'article partitif *du, de la, des* a également la valeur d'un déterminant indéfini.

> Elle lui causait **bien du** chagrin.
> Il ne l'a pas vu depuis **bien des** années.

❓ QUI L'EÛT *cru*

Un *tas de* locutions sont à classer parmi les locutions déterminatives, notamment les fameux *plus d'un* et *moins de deux*, qui suscitent souvent l'interrogation quant à l'accord du verbe qui suit... La logique pure devrait conduire à adopter le pluriel pour le premier, le singulier pour le second. Il n'en est rien, et l'accord est entraîné uniquement par *un* (« Plus d'un partira dès la fin du discours ») et par *deux* (« Moins de deux enfants étaient présents »). Mais, quand le verbe employé avec *plus d'un* exprime une action réciproque, il se met au pluriel : « Plus d'une cliente se sont arraché les articles en soldes ».

LES NOMS COLLECTIFS

● Un **nom collectif** accompagné d'un complément peut être considéré comme une locution déterminative [voir p. 26].

> Il lui reste **une foule** de choses à faire. (plusieurs choses)

Ces noms retrouvent leur sens premier et ne sont plus déterminants s'ils sont précédés par un autre déterminant que l'article indéfini ou s'ils sont employés avec un adjectif épithète.

> Jean Valjean dut déplacer un <u>gros</u> **tas** de cailloux posé devant la maison.
> Jean Valjean dut déplacer <u>le</u> **tas** de cailloux posé devant la maison.

● *(Bon) nombre de, quantité de* et *la plupart de* s'emploient aussi comme déterminants.

> **Quantité de** détails lui avaient échappé. (= des détails)

Comment faire les accords si un adverbe exprimant une grande quantité détermine un nom singulier ? Il faut se rappeler que l'adverbe étant un mot invariable qui n'a ni genre ni nombre, il ne peut commander l'accord. On accordera donc avec le nom.

> Beaucoup de monde parle du départ du maire. (et non ~~beaucoup de monde parlent~~)

SITÔT LU
sitôt su

49

Le déterminant interrogatif et exclamatif

Le déterminant *quel* s'emploie dans l'interrogation et dans l'exclamation.

FORMES

● À l'écrit, le masculin se distingue toujours du féminin et le singulier du pluriel. À l'oral, ces quatre formes se confondent.

	MASCULIN	FÉMININ
SINGULIER	*quel*	*quelle*
PLURIEL	*quels*	*quelles*

● *Quel* s'accorde en **genre** et en **nombre** avec le nom auquel il se rapporte.

Quelle <u>découverte</u> *intéressante !*
Quel *fin* <u>détective</u> *ce Sherlock Holmes !*
Quels <u>indices</u> *le détective a-t-il trouvés ?*
Quelles <u>conclusions</u> *peut-il en tirer ?*

❓ QUI L'EÛT *cru*

Le règne de l'empereur romain Néron (37-68 ap. J.-C., empereur à partir de 54 ap. J.-C.) fut marqué par des extravagances, des cruautés et des crimes (il assassine sa mère, empoisonne Britannicus, contraint Sénèque au suicide...). Ce tyran mégalomane, mais réellement cultivé et sans doute doté de dons artistiques, exigeait qu'on l'admire, notamment en raison des immenses qualités de poète et de musicien... qu'il s'attribuait ! S'étant attiré la haine de tous, il se suicida alors qu'il allait être renversé et capturé. Ses derniers mots furent : « *Quel* artiste meurt avec moi ! »

EMPLOIS

● Quand il est déterminant interrogatif, *quel* se place devant le nom sur lequel porte la **question**. On l'emploie dans l'interrogation directe et dans l'interrogation indirecte.

*Pour **quelle** raison le meurtrier est-il revenu sur les lieux du crime ?*
*Sherlock Holmes doit découvrir pour **quelle** raison le meurtrier a agi ainsi.*

● Quand il est déterminant exclamatif, *quel* se place devant le nom sur lequel porte l'**exclamation**. Il marque un sentiment tel que la surprise, l'admiration, la joie, etc.

***Quelle** étrange affaire !*

● Qu'il soit interrogatif ou exclamatif, *quel* peut s'employer comme attribut. Il faut alors bien penser à l'**accorder** avec le nom ou le pronom dont il est attribut.

***Quelle** ne fut pas sa <u>surprise</u> lorsqu'il découvrit l'arme du crime !*

! SITÔT LU *sitôt su*

Quel s'emploie aussi couramment dans les locutions* *n'importe quel, on ne sait quel* et *quel que*. Il ne marque plus l'interrogation ni l'exclamation, mais ces locutions se rapportent toujours à un nom avec lequel il faut accorder *quel* en genre et en nombre.

*Sherlok Holmes trouve toujours la solution, **quelles que** soient les <u>énigmes</u> qu'il a à résoudre.*

Le déterminant relatif

Quand il est déterminant relatif, *lequel* détermine un nom. Pour son emploi en tant que pronom relatif, voir p. 106.

FORMES

• Le **déterminant relatif** est un mot composé, formé de *quel* que l'on joint à l'article défini *le*.

	MASCULIN	FÉMININ
SINGULIER	lequel	laquelle
PLURIEL	lesquels	lesquelles

• Il se **contracte** avec les prépositions *à* et *de* au masculin singulier et au pluriel.
> *auquel, auxquels, auxquelles*
> *duquel, desquels, desquelles*

EMPLOI

• *Lequel* détermine un nom **déjà cité** que l'on reprend dans la proposition qu'il introduit.
> *L'affaire a fait l'objet d'un <u>jugement</u>, **lequel** <u>jugement</u> a été rendu public.*

Le nom déterminé par *lequel* peut ne pas avoir été cité, mais il se réfère à quelque chose dont on a déjà parlé.
> *Il recevra <u>cinq cents euros</u>, **laquelle** <u>somme</u> sera versée sur son compte.*

• Son emploi est réservé aux langues juridique, administrative ou littéraire. Il n'est courant que dans l'expression ***auquel cas***.
> *Il est possible qu'il vienne demain, **auquel cas** je vous préviendrai.*

• *Lequel* et le nom qu'il détermine pourraient être remplacés par un **pronom relatif**.
> *L'affaire a fait l'objet d'un jugement **qui** a été rendu public.*
> *Il recevra cinq cents euros **qui** seront versés sur son compte.*

Q QUI L'EÛT *cru*

Il existe chez beaucoup d'écrivains, et aussi au sein des rédactions de journaux, une phobie des pronoms relatifs – d'où également une chasse aux déterminants relatifs. Cela parce que ces termes sont considérés comme « lourds », « pesants », et parce que leur emploi répété peut rendre difficile la compréhension d'une longue phrase. Cette condamnation est sans doute abusive, mais il est en revanche louable de vouloir éviter les cascades de *lequel, duquel, auquel...* Ainsi, une phrase comme : « Je me suis disputé à cause de l'équipe de France de football avec mon voisin, *lequel* voisin affirmait que les avants des Bleus seraient battus, à la course, par une tortue ! » peut être facilement allégée en : « Je me suis disputé à cause de l'équipe de France de football avec mon voisin, qui affirmait [...]. »

Pas de *s* sans *x* ni de *x* sans *s* : *auquel* fait partie des quelques mots composés soudés de la langue française dont chacun des composants prend la marque du pluriel.
> On écrit *auxquels* et *auxquelles* mais *auquel*.

SITÔT LU
sitôt su

51

Le déterminant cardinal (1)

Les cardinaux (*un, deux, trois,* etc.) sont des déterminants qui apportent une information de quantité.

FORMES

Les déterminants cardinaux s'écrivent sous la forme d'un **mot simple** ou sous la forme d'un **mot composé**. Dans ce cas, le trait d'union se place entre les mots exprimant les dizaines et les unités, s'ils ne sont pas reliés par *et*.

> Formes simples : *deux, dix, cinquante, mille*
> Formes composées : *dix-sept, vingt et un, cent quarante-huit, vingt-deux mille*

Afin de rendre l'écriture des nombres plus cohérente, les *Rectifications de l'orthographe* permettent que l'on mette un trait d'union entre **tous** les termes [voir p. 234 et *Toute l'orthographe*, p. 178].

❓ QUI L'EÛT *cru*

S'agissant des *points cardinaux*, on s'arrête au chiffre quatre... Mais les *déterminants cardinaux*, eux, n'ont pas de limite ! Ils sont parfois trompeurs : les *trois mousquetaires* d'Alexandre Dumas sont... quatre, d'Artagnan inclus. Lequel devient le héros unique – et censé être chétif – dans le titre du film de l'acteur comique et réalisateur français Max Linder : *L'Étroit Mousquetaire* !

INVARIABILITÉ

● Contrairement à la plupart des déterminants, les déterminants cardinaux (sauf *un, vingt* et *cent*) sont **invariables**. Ils ne prennent jamais le *s* du pluriel.

> ***Deux*** *veaux,* ***trois*** *poussins,* ***quatre*** *poulets,* ***cinq*** *cochons : Perrette se voit riche.*
> *les* ***mille*** *projets de Perrette*

Un varie en genre et s'écrit ***une*** s'il détermine un nom féminin. Il ne prend jamais de *s*.

> *un bœuf, une vache, les mille et* ***une*** *pensées de Perrette*

Vingt prend un *s* dans ***quatre-vingts*** s'il n'est complété par aucun autre nombre.

> *quatre-****vingts*** *cochons, deux mille quatre-****vingts*** *euros*
> *quatre-****vingt****-quatorze cochons, quatre-****vingt*** *mille euros*

Cent prend un *s* quand il est **multiplié** et s'il n'est complété par aucun autre nombre.

> *trois* ***cents*** *poules, deux* ***cent*** *quatre canards*

● S'ils ont la valeur d'un adjectif ordinal*, ils restent également invariables, même *cent* et *vingt*.

> *La fable se trouve à la page deux* ***cent****.*

SITÔT LU

sitôt su

Millier, million et *milliard* ne sont pas des déterminants cardinaux, mais des noms. Ils s'emploient donc avec un déterminant et peuvent se mettre au pluriel.

> *Perrette se voyait déjà avec deux milliers de poussins qui lui rapporteraient des millions d'euros.*

Le déterminant cardinal (2)

Les cardinaux servent avant tout à déterminer des noms en apportant une information de quantité. Mais ils ont aussi d'autres emplois.

EMPLOIS

● On emploie le déterminant cardinal pour donner une **information précise** sur la quantité.

> *Perrette achètera **cent** œufs.*

● Parfois, le déterminant cardinal exprime une **quantité approximative**, qui ne correspond pas au nombre qu'il représente réellement.

> *Son mari aura **deux** mots à lui dire !*

● Les cardinaux peuvent s'employer **seuls** comme déterminants ou **en combinaison** avec un autre déterminant tel que l'article défini, le possessif* ou le démonstratif*.

> *Perrette et **ses cent** œufs*
> ***les mille** projets de la laitière*

LE CARDINAL COMME ADJECTIF, PRONOM OU NOM

● Lorsqu'il suit le nom, le cardinal perd sa valeur de déterminant et devient **adjectif**. Il ne sert plus alors à indiquer une quantité, mais il donne le rang occupé dans un classement [voir p. 57]. On l'écrit généralement en chiffres.
Cet emploi est fréquent avec les noms de rois (*Louis XIV* : Louis le quatorzième), les numéros de pages (*page un* : la première page) et les années (*l'année 2005* : la deux mille cinquième année).

● Le cardinal peut également s'employer comme **pronom** [voir p. 107].

> *Perrette a quelques cochons. Elle espère en vendre au moins **quatre**.*
> *Elle a aussi des poules, mais **dix** ont été mangées par le renard.*

● On emploie les cardinaux comme **noms** pour désigner les nombres eux-mêmes.

> *Notre laitière devra mettre un **zéro** dans la colonne des recettes.*

Un, une peut être déterminant cardinal ou article indéfini [voir p. 33]. Souvent, c'est le contexte qui permet de les distinguer.

> ***Un** jour, Perrette est allée au marché.* (ici, *un* est l'article indéfini)
> *Perrette a trois poules et **un** cochon.* (ici, *un* est le cardinal)
> *Elle a posé **un** pot sur sa tête.* (ici, *un* peut être l'article ou le cardinal)

SITÔT LU

sitôt su

53

L'adjectif : généralités

Les adjectifs partagent entre eux un certain nombre de points communs.

LA VARIATION

Les adjectifs sont présentés au masculin singulier dans les dictionnaires, mais la plupart peuvent s'écrire jusque sous **quatre formes** différentes.

La forme de l'adjectif dépend du genre et du nombre du nom ou du pronom auquel il se rapporte.

> _un_ roi **cruel**, _une_ reine **cruelle**
> _des_ rois **cruels**, _des_ reines **cruelles**
> _Il_ est **joyeux**. _Elle_ est **joyeuse**.
> _Ils_ sont **joyeux**. _Elles_ sont **joyeuses**.

> **❓ QUI L'EÛT _cru_**
>
> L'adjectif qualificatif donne une « qualité » à l'être ou à l'objet auquel il se rapporte... Mais il ne faut pas se méprendre sur la signification, ici, du mot _qualité_, lequel n'a pas obligatoirement une connotation positive puisqu'il peut s'agir de souligner un vice, un travers, un défaut (moral ou physique), etc. : Pascaline est _menteuse_ ; un politicien _fourbe_ ; un _sot_ personnage ; la _prétentieuse_ vedette de cinéma ; le _repoussant_ grand-duc ; un cygne _hargneux_ ; un caporal-chef _inculte_...

LE RÔLE DANS LA PHRASE

● L'adjectif exprime une qualité, un état, une propriété, etc. de ce qui est désigné par le nom ou le pronom auquel il se rapporte.

> _de la_ neige **blanche**, _des_ nains **serviables** – _Il_ est **grincheux**.

● S'il fait partie d'un groupe* nominal, l'adjectif est **épithète** [voir p. 183]. S'il fait partie d'un groupe verbal, il est **attribut** [voir p. 173].

> _Un_ **charmant** prince _viendra l'embrasser._ (_charmant_ est adjectif épithète)
> _Le prince est_ **charmant**. (_charmant_ est attribut du sujet _prince_)

● Si un nom a déjà été exprimé, l'adjectif peut, avec un déterminant, constituer un groupe nominal. Mais même employé seul, l'adjectif se rapporte au nom sous-entendu.

> _Il y avait sept nains. Le plus_ **naïf** _s'appelait Simplet._ (le nain le plus naïf)

● L'adjectif modifie un nom ou un pronom en apportant une précision, en le qualifiant, mais il peut lui-même **être modifié** par un adverbe ou un complément.

> _Les nains sont_ très **contents** d'aller travailler. (_très_ modifie l'adjectif _contents_ ; _d'aller travailler_ modifie _contents_ en le complétant)

❗ SITÔT LU
sitôt su

Impossible de savoir comment écrire un adjectif si on n'a pas repéré le nom ou le pronom auquel il se rapporte !
Les sept **petits** nains _aiment les_ **jolies** lèvres **rouges** _de leur amie._

Les différents types d'adjectifs

On peut classer les adjectifs en différentes catégories selon le type d'informations qu'ils apportent ou selon leur origine. Ces différentes catégories n'offrent pas les mêmes possibilités d'emploi dans la phrase.

LES QUALIFICATIFS

Parmi les qualificatifs, on distingue :
➤ les adjectifs **simples** qui s'emploient aussi bien comme épithètes* que comme attributs* ;

> *une eau **claire**, un cœur **gai***
> *L'eau est **claire**. Son cœur est **gai**.*

➤ les adjectifs **de relation**. Ils sont le plus souvent dérivés d'un nom ou ils équivalent à un complément du nom. Ils ne peuvent s'employer que comme épithètes.

> *la crème **solaire** (la crème pour le soleil ;*
> *on ne dira pas la crème est solaire)*

❓ QUI L'EÛT *cru*

« C'est en se *fatiguant* qu'on trouve que c'est *fatigant* ! » : cette remarque de bon sens fait ressortir que l'adjectif verbal ne s'écrit pas toujours comme le participe présent du verbe dont il est issu. Ainsi : Une partie du personnel *navigant* de la compagnie aérienne est au repos à terre, aujourd'hui, tandis que d'autres s'en vont *naviguant* en plein ciel ! *Idem* pour : « C'est en *intriguant* que ces *intrigants* entendent arriver à leurs fins » et « *Provoquant* des manifestations par leurs propos *provocants*, ces boutefeux n'avaient pas pris conscience des conséquences possibles de leur attitude ».

LES AUTRES ADJECTIFS

● L'**adjectif ordinal** indique le rang, la place qu'occupe dans un classement, une série, l'être ou la chose désigné par le nom auquel il se rapporte [voir p. 57].
> *la **quatrième** branche (la branche qui porte le numéro 4, qui se place après la troisième et avant la cinquième)*

● Les **adjectifs indéfinis** *autre, même, quelconque* sont, par leur sens, proches des déterminants indéfinis – ce qui fait qu'on les rangeait autrefois dans cette classe grammaticale [voir p. 41]. Mais ce sont de **véritables adjectifs** [voir p. 56].
> *Un **autre** rossignol chantera.*

● L'**adjectif verbal** est issu du participe passé ou du participe présent d'un verbe.
> *un bouquet de roses **refusé** (participe passé de refuser), un cœur **aimant** (participe présent d'aimer)*

Pour reconnaître un adjectif verbal, on remplace l'adjectif par une proposition relative* qui contient le verbe.
> *un bouquet de roses refusé* → *un bouquet de roses qu'il a refusé*
> *un cœur aimant* → *un cœur qui aime*

SITÔT LU
sitôt su

L'adjectif indéfini

Parmi les adjectifs, *autre*, *même* et *quelconque* ont un sens qui les rapproche des déterminants indéfinis. On les appelle des adjectifs indéfinis. *Tel* peut être adjectif indéfini ou déterminant [voir p. 48].

POINTS COMMUNS AVEC LES ADJECTIFS

• L'adjectif indéfini s'emploie, comme les autres adjectifs, dans un groupe* nominal avec **un nom** dont il est épi-thète* **et un déterminant**.

> un **autre** homme, la **même** vie
> dans un **quelconque** endroit

• Il **s'accorde** en genre et en nombre avec le nom auquel il se rapporte.

> les autre**s** hommes, les même**s** vies

❓ QUI L'EÛT *cru*

Autres peut être employé sans déterminant, mais précédé de *et*, devant un nom au pluriel. Lequel substantif, en toute rigueur, doit être un terme dit *générique*, c'est-à-dire qui englobe les noms qui le précèdent. Par exemple : « Au zoo, Johanna s'est émerveillée devant les ânes, les poneys, les poulains, et autres équi-dés ». En revanche, on s'abstiendra de dire et écrire : « Participaient à la cérémonie : Lance Armstrong, Jan Ulrich, Axel Merckx et autres footballeurs » !

PARTICULARITÉS

• *Autre* précède toujours le nom et se place après le ou les déterminants.

> une **autre** fois, ses **autres** amis, ces quelques **autres** explorateurs

Autre s'emploie fréquemment pour **renforcer** *nous* ou *vous*.

> **Nous** **autres**, habitants de la forêt, connaissons les animaux.

• Devant un nom, *même* signifie « identique » ; s'il suit un nom ou un pronom, il le renforce.

> C'est une évidence **même** : Tarzan ne mènerait pas la **même** vie s'il habitait en ville.

On relie *même* par un **trait d'union** au pronom personnel qu'il renforce.

> Il ne savait pas lui-**même** qu'il existait d'autres êtres humains sur Terre.

• *Quelconque* peut précéder ou suivre le nom ; il signifie « quel qu'il soit ».

> Tarzan n'a-t-il jamais éprouvé un **quelconque** sentiment de solitude ?

Il peut également s'employer avec le sens de « banal » lorsqu'il suit le nom. Mais dans ce cas, il devient adjectif qualificatif.

> Chita n'est pas un chimpanzé **quelconque**.

SITÔT LU
sitôt su

Si l'on se rappelle que *autre*, *même* et *quelconque* peuvent toujours être remplacés par un adjectif qualificatif, on n'hésitera plus sur leur nature.

> une **même** vie (une **semblable** vie → *même* est adjectif)

L'adjectif ordinal

Les adjectifs ordinaux ont un sens qui les rapproche des déterminants cardinaux [voir p. 52] ; ils sont cependant adjectifs et non déterminants.

FORMES

● On forme les adjectifs ordinaux en ajoutant le suffixe* **-ième** au déterminant cardinal* correspondant.

> six   → sixi**ème**
> trente   → trenti**ème**
> trente et un → trente et uni**ème**
> trente-cinq → trente-cinqui**ème**

● *Unième* sert pour les ordinaux composés ; l'ordinal correspondant à **un** est **premier**.

> La **première** fois que la Coccinelle a parlé, Jim a été très surpris.

● On emploie le plus souvent indifféremment **deuxième** ou **second**, sauf dans quelques expressions : *en seconde classe, dans un état second*, etc.

> Il s'est fait doubler au **deuxième** tour de piste. (ou au **second** tour de piste)

● En tant qu'adjectif, l'ordinal s'**accorde** avec le nom ou le pronom auquel il se rapporte.

> La course est organisée tous les **troisièmes** <u>dimanches</u> du mois.

EMPLOIS

● En tant qu'**adjectif**, l'ordinal indique le **numéro**, la place qu'occupe dans une série la chose ou l'être désigné par le nom. Il s'emploie comme épithète ou attribut.

> la **troisième** course (épithète) – Jim et Choupette sont arrivés **premiers**. (attribut)

Le nom peut être sous-entendu : l'ordinal s'emploie alors seul avec un déterminant.

> La **quatrième** ne passe plus. (vitesse)

● L'ordinal s'emploie comme **nom** dans l'expression des **fractions**. Il correspond au dénominateur (chiffre en dessous de la barre de fraction) et est précédé d'un déterminant cardinal qui correspond au numérateur (chiffre au-dessus de la barre).

> neuf **dixièmes** (9/10 ; *neuf* est déterminant, *dixième* est nom)

Pour savoir comment écrire un ordinal, il faut chercher s'il est un adjectif (il exprime un numéro) ou un nom (il exprime une fraction).

> Il est le vingt-cinquième candidat de la course.
> (25ᵉ candidat → vingt-cinquième est au singulier comme candidat)
> Ils ont parcouru les trois cinquièmes de la distance.
> (3/5 → cinquième se met au pluriel car il est précédé du déterminant trois)

SITÔT LU

sitôt su

Le pronom : généralités

Les pronoms partagent entre eux plusieurs points communs.

POINTS COMMUNS

● Le pronom peut **occuper** « la place d'un nom », mais il ne remplace pas toujours un nom [voir p. 61]. On l'emploie pour éviter les répétitions et il occupe toutes les fonctions du nom [voir p. 62].

> *Les Schtroumpfs n'aiment pas le chat de Gargamel.* **Ils** *le craignent.* **Cela** *amuse Gargamel.* (ils *et* le *remplacent des noms,* cela *remplace une phrase*)

● La plupart des pronoms varient :

➤ en **genre** (*il/elle, chacun/chacune*) ;

➤ en **nombre** (*celui/ceux, tout/tous*) ;

➤ parfois selon **leur fonction** (*tu/te*) ;

➤ parfois en **personne** (*le mien/le tien*).

● Le pronom peut avoir des **compléments**.

> **Celui** *qui donne des conseils à tout le monde s'appelle le Schtroumpf à lunettes.* (la proposition relative *qui donne des conseils à tout le monde* est complément du pronom *celui*)

❓ QUI L'EÛT *cru*

Le pronom ne peut pas toujours remplacer un nom (commun ou propre). Cela apparaît notamment dans certains cas particuliers...

Au début de septembre 1814, le roi Louis XVIII ne va pas bien, il s'est alité. Un jour, M. Portal, son médecin, croyant que le roi est assoupi ou inconscient, commande à ses assistants : « Enlevez-lui sa chemise ! » Mais l'on entendit alors la voix du souverain répliquer : « Monsieur Portal, je m'appelle Louis XVIII. Vous devriez donc dire : "Qu'on enlève la chemise de Sa Majesté !"... »

Louis XVIII fit preuve d'esprit jusqu'à ses derniers instants, lançant notamment à ses médecins : « Finissons-en, Charles [le futur Charles X] attend ! », trait où l'on décèle un sarcastique « charlatans ».

LES DIFFÉRENTS TYPES DE PRONOMS

les pronoms personnels	*je, tu, me, lui, en, y...*	voir p. 63
les pronoms démonstratifs	*celui-ci, celle-là, cela...*	voir p. 74
les pronoms possessifs	*le mien, les nôtres...*	voir p. 77
les pronoms indéfinis	*aucun, chacun, tout...*	voir p. 79
les pronoms interrogatifs	*qui, lequel...*	voir p. 94
les pronoms relatifs	*qui, que, quoi...*	voir p. 97
les pronoms numéraux	*deux, le deuxième...*	voir p. 107

SITÔT LU

sitôt su

À chaque catégorie de pronoms correspond une catégorie de déterminants (sauf pour les articles). Il suffit donc de connaître les différentes catégories de l'une des deux classes pour connaître celles de l'autre.

déterminant démonstratif → pronom démonstratif
déterminant interrogatif → pronom interrogatif
etc.

Reconnaître un pronom

Savoir reconnaître les pronoms est important pour pouvoir analyser et comprendre une phrase ou la construire correctement.

PRONOMS ET NOMS

● Contrairement aux noms, les pronoms **n'ont pas de sens** en eux-mêmes. Ils prennent le sens du terme qu'ils remplacent [voir p. 60] ou bien ils désignent directement quelqu'un ou quelque chose [voir p. 61].

> *Il doit dompter **celui-ci**.*

Cette phrase n'a pas de sens hors contexte, mais elle devient tout à fait compréhensible si l'on sait que *il* représente Hercule et que *celui-ci* représente le sanglier d'Érymanthe. Elle a un autre sens si *celui-ci* représente le Minotaure.

❓ QUI L'EÛT *cru*

Il faut éviter de dire ou d'écrire des phrases ambiguës où un pronom sème le trouble. Prenons une phrase comme : « En voyant Marie-Jo Pérec, sa principale concurrente sut qu'elle allait perdre. » Elle peut être comprise de deux façons :

a) ou bien *elle* représente l'adversaire de Marie-Jo Pérec, et cette concurrente pense qu'elle sera battue par la coureuse française tant celle-ci affiche une forme éclatante ;

b) ou bien *elle* représente Marie-Jo Pérec, qui semble, aux yeux de sa rivale, fatiguée et hors de forme.

● Les pronoms ont parfois un **emploi différent** de celui des noms ou des groupes* nominaux (place différente, emploi sans préposition...).

> *Hercule <u>a étranglé</u> **le lion de Némée**. Il **l'**<u>a étranglé</u>.*
> *Les Thébains apportent leur aide **à Hercule**. Les Thébains **lui** apportent leur aide.*

PRONOMS ET DÉTERMINANTS

Les pronoms entretiennent avec les déterminants des relations étroites quant à leur forme et au type d'informations qu'ils apportent. Mais leur rôle est tout à fait différent :

➤ le déterminant accompagne toujours un nom, tandis que le pronom s'emploie souvent **seul** ;

> *Plusieurs dieux éprouvaient une **certaine** <u>haine</u> pour Hercule. **Certains** étaient jaloux.*

➤ le déterminant n'a une fonction que par rapport au nom qu'il détermine alors que le pronom a une **fonction** au **sein de la proposition**.

> *Cerbère, **qui** est un chien à trois têtes, garde les Enfers.* (qui, pronom relatif, est sujet de *est*)
> *Hercule est sûr de **lui**.* (lui, pronom personnel, est complément de l'adjectif *sûr*)

Pour s'assurer qu'un mot est un pronom, on vérifie que l'on peut le remplacer par un autre pronom (*quelque chose* ou *quelqu'un*).

> *Les écuries sont très sales. Hercule doit **les** nettoyer en une nuit.*

On ne peut pas dire ~~quelque chose écuries~~. Le premier *les* n'est donc pas un pronom. Mais on peut dire *Hercule doit nettoyer quelque chose*. Le second *les* est donc un pronom.

SITÔT LU
sitôt su

59

Les pronoms représentants

Quand le pronom remplace un mot ou un groupe de mots (appelé antécédent), on dit que le pronom est représentant.

QUELS ANTÉCÉDENTS ?

L'antécédent d'un pronom peut être :

➤ un **nom** ou un groupe* nominal ;
  *Alice voit une porte devant **elle**.*

➤ un autre **pronom** ;
  *Y a-t-il <u>quelque chose</u> **qui** fasse grandir ?*

➤ un **adjectif** ;
  *<u>Surprise</u>, Alice **l'**a été plus d'une fois.*

➤ un **adverbe** ;
  *C'est <u>là</u> **où** Alice a bu le thé.*

➤ un **verbe** ;
  *<u>Grandir</u>, **cela** serait une solution.*

➤ une **proposition**.
  *<u>Le lapin est en retard</u> et il **le** regrette.*

❓ QUI L'EÛT *cru*

Avoir des antécédents est une expression que l'on emploie au sujet de personnes dont on n'a pas une bonne opinion. C'est un raccourci pour *avoir de mauvais antécédents* : « Leurs antécédents étant connus, les Pieds Nickelés n'arrivaient pas à trouver un emploi. » En revanche, quand les actes d'une personne sont respectables, on précise toujours *bons antécédents*. Grammaticalement, un pronom a toujours de bons antécédents, à savoir un mot ou un groupe de mots qu'il remplace : « Filochard et Ribouldingue, qui étaient passés par la cheminée, étaient noirs de suie. » (*Filochard* et *Ribouldingue* sont les antécédents de *qui*.)

LIENS ENTRE L'ANTÉCÉDENT ET LE PRONOM

● Le plus souvent, l'antécédent a déjà été mentionné : il **précède** le pronom.
  *<u>Alice</u> **qui** a vu <u>le lapin</u> courir voudrait **le** rejoindre.*

Mais il arrive que l'antécédent **suive** le pronom.
  *Si **elle** continue à écouter le chat, <u>Alice</u> craint de devenir folle.*

● Le pronom prend toujours le **genre** du nom ou du pronom qui est son antécédent, mais il ne prend pas toujours son **nombre**.
  *Alice prit le thé avec deux <u>personnes</u> : **l'une** était un chapelier, **l'autre** un lièvre.*

Le genre et le nombre ne se voient pas toujours dans la forme du pronom, mais le pronom communique son genre et son nombre aux termes qui s'accordent avec lui.
  *<u>Alice</u> **qui** est arriv**ée** là par hasard rencontre des <u>personnages</u> **qui** sont plutôt bizarres.*

SITÔT LU
sitôt su

On peut toujours s'assurer que le pronom que l'on utilise correspond bien à son antécédent en remplaçant le pronom par cet antécédent. La phrase ne sera pas très heureuse, mais elle aura du sens.
  Alice <u>qui</u> a vu le lapin courir voudrait <u>le</u> rejoindre.
  → ***Alice** a vu le lapin courir. Alice voudrait rejoindre **le lapin**.*

Les pronoms nominaux

Parfois, les pronoms n'ont pas d'antécédent*. Dans ce cas, il s'agit de pronoms nominaux et non de pronoms représentants [voir p. 60].

PRONOMS PERSONNELS

● Les pronoms des 1re et 2e personnes (*je, me, tu, te, nous, vous,* etc.) n'ont jamais d'antécédent. Ils **désignent directement** des personnes (parfois des êtres animés*) qui participent à la communication.

> *J'entends l'orage.*
> ***Nous** devons nous mettre à l'abri.*
> ***Je vous** présente mon amie la bergère.*

● En situation de communication, le pronom de la 3e personne (*il(s), elle(s), eux,* etc.) peut être également nominal.

> *Regardez-**la** comme **elle** est belle.* (*la* et *elle* désignent la bergère qui est présente au moment de la communication, et que le jeune homme présente à sa famille)
> *Voici mon amie, **elle** est bergère.* (*elle* est ici pronom représentant et a *amie* pour antécédent)

❓ QUI L'EÛT *cru*

Le fort de Malakoff constituait une clé de la défense de Sébastopol, tenue par les Russes et assiégée par les Français et les Britanniques, lors de la guerre de Crimée... Le général de Mac-Mahon (futur maréchal et futur président de la République française) fut chargé de s'en emparer, ce qu'il fit en trois jours, à la tête de sa division. Les Russes auraient alors songé à faire sauter tout ensemble le fort et les troupes françaises, ce dont on prévint Mac-Mahon, en le pressant d'évacuer le fort... Soit qu'il prît la menace peu au sérieux, soit qu'il méprisât le danger pour lui-même... et pour les autres, Mac-Mahon répondit : « J'y suis, j'y reste ! ». Plus tard, il devait démentir : « Je ne crois pas avoir donné à ma pensée ce propos lapidaire : je ne fais jamais de "mot" ».

AUTRES PRONOMS

● La plupart des autres pronoms peuvent être soit représentants, soit nominaux.

> *En cas d'orage, **chacun** doit rester prudent.* (nominal)
> *Ils se sécheront **chacun** à leur tour.* (représentant ayant pour antécédent *ils*)
> ***Qui** veut rester sec doit se mettre à l'abri de la pluie.* (nominal)
> *Voici venir sa <u>sœur</u> **qui** va ouvrir l'étable.* (représentant ayant pour antécédent *sœur*)

● *Personne, tout, rien* et *quiconque* sont **toujours nominaux**.

> ***Rien** n'est plus terrible que l'orage qui gronde.*

Pour se souvenir des termes *représentant* et *nominal,* il suffit de penser que le représentant « représente » son antécédent et que le nominal « nomme » directement comme un nom.

SITÔT LU

sitôt su

Les fonctions du pronom

Le pronom occupe toutes les fonctions que le nom peut occuper.

RAPPELS

- Très souvent, le pronom s'emploie **seul**.
  Il dort.

- Mais le pronom peut être **complété** par d'autres mots. Il fait alors partie d'un groupe* pronominal dont il est le noyau*.
  Celui <u>qui dort</u> est jeune. (celui qui dort est un groupe pronominal)

❓ QUI L'EÛT *cru*

Dans *L'Odyssée*, d'Homère, Ulysse blesse le Cyclope Polyphème, qui veut le dévorer, lui et ses compagnons. Le Grec s'étant présenté sous le nom de *Personne*, c'est donc par ce patronyme que Polyphème désigne aux autres Cyclopes celui qui lui a percé l'œil... Mais puisque c'est « personne » qui a aveuglé Polyphème, les autres comprennent que « personne n'a blessé » le Cyclope, qu'il s'est blessé lui-même !

LES FONCTIONS

- Le plus souvent, le pronom est :
  ➤ **sujet** [voir p. 165] ;
     Il sourit.
  ➤ **complément d'objet** [voir p. 169] ;
     La nature le berce. (COD)
     À qui sourit-il ? (COI)
     Le soleil lui apporte un peu de chaleur. (COS)
  ➤ **attribut** [voir p. 173] ;
     S'il est mort, depuis combien de temps l'est-il ? (attribut du sujet)
  ➤ **complément** d'un autre mot [voir p. 178].
     *Il n'est sans doute <u>connu</u> de **personne**.* (*personne* est complément de l'adjectif *connu*)

On trouve également le pronom dans les fonctions de :
  ➤ **complément circonstanciel** [voir p. 175] ;
     *L'endroit **où** il s'est endormi est très verdoyant.*
  ➤ **complément d'agent** [voir p. 177] ;
     *Il dort tranquillement et n'est dérangé par **personne**.*
  ➤ **apposition** [voir p. 185] ;
     *Pendant ce temps, la rivière, **elle**, chante.*
  ➤ **apostrophe** [voir p. 186].
     ***Vous** <u>autres</u>, savez-vous ce qui lui est arrivé ?*

! SITÔT LU
sitôt su

Quand on a affaire à un grand groupe nominal, il peut être utile de le remplacer par un pronom pour trouver sa fonction.
<u>La rivière qui accroche aux herbes des haillons d'argent</u> chante.
(→ **elle** *chante* ; *elle* est sujet, donc le groupe nominal est sujet)

Le pronom personnel

Les pronoms personnels constituent la catégorie des pronoms la plus neutre, si ce n'est qu'ils apportent une information sur la personne.

LES PERSONNES

● Le pronom personnel porte les indications de la personne grammaticale :

➤ la personne qui parle : **1ʳᵉ personne** ;
   Je n'irai pas plus loin et *nous* resterons là.

➤ la personne à qui on parle : **2ᵉ personne** ;
   Tu voulais voir Vesoul.
   Vous vous êtes vues ta mère et *toi*.

➤ la personne, la chose dont on parle : **3ᵉ personne**.
   Elle est partie dans le Cantal.
Pour plus de détails, voir p. 15.

> **❓ QUI L'EÛT *cru***
>
> En un emploi familier, populaire, régionaliste aussi, ou bien tenant à l'embarras du locuteur – qui hésite entre le *tu* et le *vous* –, certains utilisent le *il* ou le *elle*, ou bien le *nous* en s'adressant directement à un ou à plusieurs interlocuteurs : « Il a fait bon voyage ? », « Elle veut un autre oreiller ? », « Comment allons-nous, ce matin ? ».

FORMES ET RÔLES

● Les pronoms personnels se présentent sous des **formes différentes** qui dépendent de la personne, du nombre, de la fonction, et, à la 3ᵉ personne, du genre. On distingue :

➤ les formes **conjointes** (dites aussi *atones*) [voir p. 64] ;
   Je te le redis, mais *tu* ne *m'*écoutes pas.

➤ et les formes **disjointes** (dites aussi *toniques*) [voir p. 65].
   Moi, en tout cas, je n'irai pas à Paris.
On classe traditionnellement *en* et *y* [voir p. 71] ainsi que *on* [voir p. 73] parmi les pronoms personnels, mais ils ont des emplois qui leur sont propres.

● Les pronoms des deux premières personnes sont toujours **nominaux** car ils désignent directement les personnes participant à la communication [voir p. 61].
   Tu as insisté et *nous* sommes partis.
Ceux de la 3ᵉ personne sont soit **nominaux**, soit **représentants** [voir p. 60].
   Regarde-*le*, *il* fait le fier devant son amie. (*le* est nominal, *il* est représentant)

À chaque personne du verbe correspond un pronom personnel (d'où la dénomination *personnel*). Ainsi, lorsque le sujet est long, il peut être utile de le remplacer par un pronom personnel pour savoir à quelle personne on doit conjuguer le verbe.

SITÔT LU
sitôt su

63

Le pronom personnel conjoint

Le pronom personnel conjoint se présente sous différentes formes selon sa personne et son nombre, parfois selon son genre et sa fonction.

FORMES

		SUJET		AUTRE		RÉFLÉCHI	
		masc.	fém.	masc.	fém.	masc.	fém.
SING.	1	je		me			
	2	tu		te			
	3	il	elle	le / lui	la / lui	se	
PLUR.	1	nous					
	2	vous					
	3	ils	elles	les, leur		se	

QUI L'EÛT cru

Le pronom personnel conjoint peut figurer dans une tournure... impersonnelle.
Nous (pluriel de modestie !) citerons, ainsi : « Il me vint à l'esprit... », qui équivaut à « Il vint à mon esprit que... ».
Dans certains contextes, cette phrase peut n'être point impersonnelle ; par exemple, si la signification est : « [Ce projet, ce plan] me vint à l'esprit. »

Je, me, te, le, la et *se* **s'élident** lorsqu'ils précèdent *en* et *y* ou un verbe commençant par une voyelle ou un *h* muet*.

J'<u>a</u>ttends l'oiseau. Si je l'<u>e</u>ffraie, il s'<u>e</u>n ira.

VARIATIONS

● Aux deux premières personnes du singulier, le pronom varie uniquement selon sa **fonction**. On emploie *je* et *tu* pour la fonction sujet, *me* et *te* pour les autres fonctions.

*Je dois **me** taire en attendant l'oiseau.*

● Aux deux premières personnes du pluriel, on utilise la **même forme** aux deux genres et pour toutes les fonctions.

***Vous vous** cacherez derrière un arbre.*

● À la 3e personne, en plus de varier en nombre, le pronom conjoint varie :

➤ en **genre** ;

peindre <u>la cage</u> → ***la** peindre*
peindre <u>un arbre</u> → ***le** peindre*

➤ selon sa **fonction** ;

*Je **le** vois. Il entre dans la cage.*

On utilise un pronom différent selon qu'il est **réfléchi*** ou non (*se/le*).

*Je ne dois pas **le** décourager.*
*Il ne doit pas **se** décourager.*

SITÔT LU

sitôt su

Pour connaître le genre d'un pronom de la 1re ou 2e personne, il faut chercher le sexe de la personne qu'il désigne. C'est important pour les accords.

*Jacques, **tu** es <u>un grand artiste</u>.*
*Jacqueline, **tu** es <u>une grande artiste</u>.*

Le pronom personnel disjoint (1)

Le pronom personnel disjoint se présente sous différentes formes selon sa personne et son nombre, parfois selon son genre.

FORMES

		NON RÉFLÉCHI		RÉFLÉCHI
		masc.	fém.	masc. et fém.
SING.	1	moi		
	2	toi		
	3	lui	elle	soi
PLUR.	1	nous		
	2	vous		
	3	eux	elles	soi

QUI L'EÛT *cru*

« Cette femme se disant doctoresse », « Ces hommes se disant professeurs de dessin »... Pour exprimer la même chose, on peut recourir à l'adjectif invariable *soi-disant*, dont un des éléments est le pronom personnel disjoint *soi*. Ce qui donne : « une soi-disant doctoresse », « de soi-disant professeurs de dessin ». Par-là, on affirme que ces personnes s'attribuent respectivement elles-mêmes les qualités de médecin et d'enseignants. Si ce sont d'autres personnes qui leur prêtent ces professions, on emploie *prétendu(e)*.

VARIATIONS

- Aux deux premières personnes, le pronom disjoint ne varie que selon la **personne** et le **nombre**. Au pluriel, il a la même forme que le pronom conjoint [voir p. 64].

  *Cette chanson n'est pas pour **moi**, elle est pour **toi**.*

  *Je <u>vous</u> dédie cette chanson, à **vous** trois qui m'avez apporté réconfort.*

- À la 3ᵉ personne, en plus de varier en personne et en nombre, le pronom disjoint varie en **genre** et selon qu'il est **réfléchi*** ou non.

  *C'est **lui** qui m'a souri et c'est **elle** qui m'a nourri. Les autres, **eux**, se moquaient de moi.*

  *« Chacun pour **soi** » n'est certainement pas la devise de l'Auvergnat.*

- Quelle que soit sa fonction, le pronom disjoint garde la **même forme**.

  ***Toi** aussi mérites qu'on pense à **toi**.*

Pour s'assurer que l'on a bien affaire à un pronom disjoint et non conjoint, on vérifie que l'on peut le remplacer par *moi, toi* ou *eux* qui sont toujours disjoints.

  Je lui dédie cette chanson. (on ne peut pas dire ~~Je eux dédie cette chanson~~ → *lui* est pronom conjoint)

  Je penserai toujours à lui. (on peut dire *Je penserai toujours à eux.* → *lui* est pronom disjoint)

SITÔT LU

sitôt su

65

Le pronom personnel sujet

Le pronom personnel conjoint sujet se place juste avant (parfois juste après) le verbe. Il ne peut en être séparé que dans quelques cas.

INVERSION

● Le plus souvent, le pronom sujet **précède** le verbe.

> *Je pars. **Tu** reviens.*

● Il **suit** le verbe dans :

➤ les interrogatives* et les incises* ;

> *« Quand pars-**tu** ? – Demain », répondit-**il**.*

➤ les phrases commençant par *à peine, peut-être, sans doute, tout au plus.*

> *Peut-être viendrons-**nous** plus tôt.*

❓ QUI L'EÛT *cru*

Les humoristes se régalent de constructions grammaticales étonnantes et drolatiques où interviennent des pronoms personnels. Mais le burlesque n'est pas toujours de mise, et on s'abstiendra de dire : « Mais où cours-je ? », construction qui permet d'avoir une rime riche à *courge* ; « Quelle harpe ai-je ? », certes bien en situation avec *arpège*, et où certains entendront peut-être : « Quel art paie-je » !

Ainsi et *aussi* peuvent entraîner l'inversion du pronom, mais c'est moins systématique.

> *Ainsi me <u>verras</u>-**tu*** (ou *ainsi **tu** me <u>verras</u>*)

Si *il(s)* ou *elle(s)* suit un verbe qui ne se termine pas par *d* ou *t,* on ajoute *-t-* pour avoir une liaison en [t]. C'est notamment le cas quand la terminaison est *e* ou *a.*

> *Quand viend<u>ra</u>-t-**il** ?*

UN PRONOM PROCHE DU VERBE

● Le pronom personnel ne peut être séparé du verbe que par :

➤ l'élément de la négation ***ne*** (ou ***n'***) ;

> *Je <u>n'</u>achète rien. **Il** <u>ne</u> vend rien.*

➤ les **pronoms conjoints** compléments [voir p. 67] tels que *me, le, lui, leur,* etc. ;

> *Il <u>le</u> prend. **Je** <u>te</u> <u>le</u> donne. **Vous** <u>les</u> <u>leur</u> rendrez.*

➤ les pronoms adverbiaux ***en*** et ***y*** [voir p. 71].

> ***Nous*** <u>en</u> prendrons plusieurs. ***Elle*** <u>y</u> tient.

● Dans les autres cas, il faut utiliser le pronom disjoint [voir p. 69].

> *Il veut cela. – **Lui** <u>aussi</u> veut cela.*

❗

SITÔT LU

sitôt su

Rien ne peut séparer un pronom personnel sujet inversé du verbe. Ils sont si étroitement liés qu'on les relie toujours par un trait d'union !

> *Viens-tu ? Sans doute est-il déjà là.*

Le pronom personnel complément

Les pronoms compléments conjoints sont le plus souvent compléments d'objet* du verbe qu'ils précèdent ou suivent immédiatement [voir p. 68].

COMPLÉMENT D'OBJET

- Les pronoms des deux premières personnes (*me, te, nous, vous*) sont aussi bien compléments d'objet directs (COD) que compléments d'objet indirects (COI).

    *La fourmi n'a rien voulu **me** prêter et elle ne veut même plus **me** voir.*

- À la 3ᵉ personne, on emploie *le, la, les* pour le COD ; *lui, leur* pour le COI.

    *La fourmi ne veut plus **la** voir. Elle n'a rien voulu **lui** prêter.*

- Il est possible d'avoir **deux pronoms conjoints** : l'un COD, l'autre COI.

    *La cigale voulait quelques grains de vermisseau. La fourmi **les lui** a refusés.*

Mais si le COD est de la 1ʳᵉ ou 2ᵉ personne et que le COI désigne une personne, on doit recourir au pronom disjoint.

    *Ma chère voisine, jamais je ne **te** présenterai **à lui**.* (COD de la 2ᵉ personne → impossible d'avoir ~~jamais je ne te lui présenterai~~)

AUTRES EMPLOIS

- Le pronom conjoint peut être l'équivalent d'un complément introduit par *pour* ou complément d'un adjectif attribut* du sujet. À la 3ᵉ personne, on emploie alors *lui, leur*.

    *Elle voulait **lui** interpréter une de ses chansons.* (*lui* est équivalent de *pour elle*)
    ***Vous** serait-il possible de me dépanner ?* (*vous* est complément de l'adjectif *possible*)

- *Le* s'emploie en tant que COD pour représenter autre chose qu'un groupe* nominal.

    *Je vous **le** promets, vous serez remboursée intégralement.* (*le* représente *vous serez remboursée intégralement*)

- *Le* peut remplacer un adjectif attribut. Dans ce cas, il n'y a pas d'accord.

    *Dépensière, la cigale **le** restera toujours.* (*le* représente *dépensière*)

Pour retrouver la fonction d'un pronom conjoint, on peut le remplacer par le pronom disjoint. Si la préposition *à* est nécessaire, il s'agit d'un COI.

    *Elle **me** méprise et ne **me** fait pas confiance.* (elle méprise « **moi** » et ne fait pas confiance « **à moi** » → le premier me est COD, le second COI)

SITÔT LU
sitôt su

Place du pronom personnel complément

Les règles qui fixent la place du pronom personnel complément sont beaucoup moins souples que pour les autres types de compléments.

RAPPELS

● Quand deux pronoms conjoints sont compléments d'un même verbe, l'un au moins est de la 3ᵉ personne : on ne peut jamais avoir des suites du type ~~il me te subordonne, il vous me présente~~ [voir p. 67].

● On distingue deux cas :

➤ les pronoms compléments **précèdent le verbe** s'ils sont employés dans une phrase non impérative* ou impérative négative ;

> Vous travaillerez avec John. Il **le** <u>sait</u> déjà. Ne **le** <u>décevez</u> pas.

➤ les pronoms compléments **suivent le verbe** quand ils sont employés dans une phrase impérative non négative. *Me* et *te* sont alors remplacés par *moi* et *toi*.

> <u>Ligotez</u>-**la** et <u>suivez</u>-**moi**. (à la forme négative : *ne* **la** <u>ligotez</u> *pas et ne* **me** <u>suivez</u> *pas*)

● Le pronom conjoint est complément d'objet* direct (complément construit sans préposition) ou indirect (complément introduit par *à*).

> John offrira <u>cette rose</u> <u>à Emma</u>. → Il **la lui** offrira. (*la* est COD, *lui* est COI)

RÈGLES

● S'il y a deux pronoms dont l'un est à la 1ʳᵉ ou 2ᵉ personne et l'autre à la 3ᵉ personne, c'est **toujours** celui de la **3ᵉ personne** qui est le **plus proche** du verbe.

> L'espion est parti avec le microfilm. Je doute qu'il **nous le** rende.
> « J'ai des preuves. Veux-tu que je **te les** donne ? – Oui, donne-**les-moi**. »

● Si les deux pronoms sont à la 3ᵉ personne, on les place **toujours** dans l'ordre **COD - COI**.

> L'espion est parti avec le microfilm et elle doute qu'il **le lui** rende.
> « J'ai des preuves. Veux-tu que je **les lui** donne ? – Oui, donne-**les-lui**. »

❓ QUI L'EÛT *cru*

Formulation que l'on verrait bien dans la bouche des personnages d'Alphonse Daudet, ou, mieux, de Marcel Pagnol (et cela n'a rien de péjoratif) : « Cette bouillabaisse, je me la suis mangée à minuit ! ». Seul un nouveau M. Jourdain (*cf. Le Bourgeois gentilhomme*, de Molière) s'exclamerait : « Je la me suis mangée... » !

SITÔT LU
sitôt su

Rappelez-vous : normalement, les petites personnes (1ʳᵉ et 2ᵉ) viennent avant les grandes personnes (3ᵉ). Mais à l'impératif elles viennent après !

> Tu **nous le** dis. → Dis-**le-nous**.

Quand elles sont ensemble, les grandes personnes, elles, restent toujours dans le même ordre !

> Tu **le leur** dis. → Dis-**le-leur**.

Le pronom personnel disjoint (2)

On emploie le pronom personnel disjoint quand le pronom personnel conjoint n'est pas possible [voir p. 66].

FONCTIONS

- On emploie le pronom sujet disjoint :

➤ si le pronom est **coordonné** à un autre sujet ;

> *Son neveu et **lui** ne sont pas d'accord.*

➤ si le **sujet est séparé** du verbe par un autre mot que la négation ou un pronom conjoint.

> ***Lui** <u>seul</u> connaît le montant de sa fortune.*

- On emploie le pronom disjoint quand le pronom de la 1re ou 2e personne est COD ou COI d'un verbe à l'**impératif non négatif**. À la 3e personne ou avec un impératif négatif, on utilise le pronom conjoint.

> *Aide-**moi**, Donald, à porter cette valise pleine d'or.* (à la 3e personne, on dirait aide-**le** ; avec un impératif négatif *ne **m'**aide pas*)

Quand deux pronoms conjoints ne peuvent se combiner, on utilise le pronom disjoint.

> *Daisy te plaît et tu t'es attaché à **elle**.* (on ne peut dire ~~tu te lui es attaché~~)

- Si le complément est introduit par une **préposition**, on emploie le pronom disjoint.

> *Pour **lui**, une pièce est ce qu'il y a de plus précieux.*

PARTICULARITÉS

- On emploie le pronom disjoint quand il est sujet ou complément dans une proposition sans verbe. Il constitue souvent à lui seul une réponse.

> *Pourquoi **elle** et pas **moi** ? – Picsou est plus riche que **moi**. – « Qui veut cette pièce ? – **Moi** ! »*

- Le pronom disjoint sert également à **renforcer** un sujet ou un complément.

> <u>*Oncle Picsou*</u>*, **lui**, sait tenir ses comptes.*

On l'utilise notamment dans les présentatifs ***c'est... qui, c'est... que***.

> *C'est **moi** qui ai trouvé la pièce. – Ce n'est pas pour **eux** que Picsou garde cet argent.*

Les reprises telles que *moi, je..., toi, tu...* sont très fréquentes à l'oral, dans la conversation courante. On les évite dans les écrits qui ne se prêtent pas au registre* familier, notamment dans les dissertations, les rapports...

> *Je pense que Picsou est un curieux personnage.* (plutôt que *moi je pense...*)

SITÔT LU

sitôt su

Le pronom personnel réfléchi

Quand le pronom complément désigne la même personne que le sujet, on l'appelle pronom réfléchi. Pour les formes, voir p. 64.

FONCTIONS

● Le pronom réfléchi conjoint (*me, se,* etc.) est **complément d'objet* direct** (COD) ou **indirect** (COI). Il faut repérer cette fonction pour bien accorder le participe passé [voir *Toute l'orthographe*, p. 137].

> *Ils ne **se** sont pas vus, mais ils **se** sont télé- phoné.* (le 1er *se* est COD, le 2nd est COI)

● Le pronom réfléchi disjoint (*moi, toi, soi,* etc.) a les **mêmes fonctions** que le pronom personnel complément [voir p. 69]. Il est souvent renforcé par *même*.

> *Je le fais malgré **moi**. – Réveille-**toi**. – Enfin j'étais redevenue **moi-même**.*

> **❓ QUI L'EÛT** *CRU*
>
> « Nous nous écrirons », se promettaient ces nou-nous à la fin des vacances d'été. « Pourquoi te tus-tu ? Est-ce parce que tu te stressais trop ? », demandait-on à cette danseuse en tutu. *Écrire* et *taire* peuvent prendre couramment une forme pronominale par l'emploi d'un pronom person-nel réfléchi. *Idem* pour *stresser*, avec une nuance de signification : dans *se stresser*, on fait porter la responsabilité de la pression sur la personne elle-même, tandis que dans *stresser*, la personne su-bit malgré elle une angoisse.

SOI OU LUI, ELLE, EUX

● Bien que l'on ait affaire à la même personne que le sujet, on emploie aujourd'hui *lui, elle* ou *eux* (renforcé ou non par *même*) à la place de *soi* :

➤ si le nom ou pronom sujet désigne une **personne bien déterminée** ;
> *Natacha est sûre d'**elle**.*

➤ si le nom ou pronom sujet désigne un **non-animé***, qu'il soit déterminé ou non ;
> *La voile s'est repliée sur **elle-même**. – Tout paradoxe renferme en **lui** une solution.*

➤ si le sujet est **pluriel**.
> *Les égoïstes ne pensent qu'à **eux**.*

● On emploie *soi* ou *soi-même* si le nom ou pronom sujet désigne une **personne indéterminée** ou si le sujet n'est **pas exprimé**.
> *On est toujours bien chez **soi**. – Il ne faut pas être trop sûr de **soi**.*

SITÔT LU
sitôt su

Pour retrouver la fonction d'un pronom réfléchi, on regarde ce qui se passe si on le renforce par le pronom disjoint avec *même*. Si la pré-position *à* est nécessaire, il s'agit d'un COI.
> *Ils **se** voient.* (ils se voient **eux-mêmes** → *se* est COD)
> *Ils **se** téléphonent.* (ils se téléphonent **à eux-mêmes** → *se* est COI)

En et *y* : emplois

En et *y*, que l'on classe souvent avec les pronoms personnels, ont des emplois bien spécifiques. Pour leur place, voir p. 72.

VALEURS

• *En* et *y* sont toujours **compléments**. Ils correspondent le plus souvent à des noms ou des groupes* nominaux introduits par *de* pour *en* et par *à* pour *y*.

> *J'aime Rio. J'**en** reviens mais j'**y** serais bien resté.* (je reviens **de Rio** mais je serais bien resté **à Rio**)

• Aujourd'hui, *y* représente des non-animés* ou des animaux.

> *À Rio, applaudis les danseuses, mais prends garde <u>à elles</u>.* (et non ~~prends y garde~~)

Quand *y* est complément de lieu, il peut représenter un adverbe ou un groupe nominal introduit par une autre préposition que *à*.

> *Si tu vas à Rio, monte là-haut dans ce petit village. Tu **y** verras des fleurs sauvages.*

• *En* représente le plus souvent des **non-animés**, mais il peut avoir également des noms de **personnes** pour antécédents*. Il est complément d'objet* direct s'il désigne une partie d'un tout ou un nombre indéterminé.

> *J'ai rencontré de nombreux Cariocas. J'**en** garde un merveilleux souvenir.*
> *J'ai cueilli des fleurs à Madureira. **En** veux-tu ?*
> *Des danseuses, j'**en** ai vu beaucoup.*

• *En* et *y* s'emploient dans différentes expressions. Ils n'ont alors pas de véritable fonction et n'ont pas d'antécédent : *s'en aller, y être pour quelque chose*….

> *Les jeunes filles s'**en** vont à la fête.*

LE PRONOM OU L'ANTÉCÉDENT

Puisque *en* et *y* représentent un mot ou un groupe de mots, il est **inutile** d'employer dans une même proposition **le pronom et son antécédent**.

> *J'aime Rio, cette ville <u>où</u> la vie est animée. Je m'**en** souviendrai toujours.* (et non ~~cette ville où la vie y est animée ; je m'en souviendrai toujours de cette ville~~)

Il est plus facile de retrouver la fonction de *en* ou *y* si on les remplace dans la phrase par leur antécédent.

> *Je connais Rio et j'**en** garde un bon souvenir.* (je garde un bon souvenir **de Rio**)
> → *en* est complément du nom *souvenir*)

SITÔT LU
sitôt su

En et *y* : place

En et *y* entretiennent des relations étroites avec le verbe. Leur place au sein de la proposition répond ainsi à des règles précises.

CAS GÉNÉRAL

● Le plus souvent, *en* et *y* se placent **juste devant le verbe.**

> *En lisant le journal, Tintin **y** <u>découvre</u> le terrible accident.*
> *C'est le yéti, j'**en** <u>suis</u> sûr !*

● Aux temps composés*, les pronoms se placent **devant l'auxiliaire*.**

> *Le yéti s'**en** <u>est</u> retourné dans sa grotte.*
> *Il **y** <u>a</u> été heureux avec Tchang.*

❓ QUI L'EÛT *cru*

« Attendez-y-vous » et « mènes-y-nous » ne sont pas des formulations correctes : il faut que *y* soit placé après le pronom complément : *attendez-vous-y, mène-nous-y*... En dehors du parti pris de vouloir user du langage populaire ou comique, il ne faut pas dire ni écrire : « Colle-toi-z'y « (ou : « Colle-toi-z-y ») ou « Mène-moi-z'y » !

● Lorsqu'ils sont employés avec d'autres pronoms, *en* et **y** sont toujours les plus **proches** du verbe. Les pronoms *me*, *te* et *se* s'élident devant *en* et *y*.

> *Si je vois Tintin, il faudra que je **lui en** <u>parle</u>.*
> *Le yéti est dangereux, ne **vous en** <u>approchez</u> pas.*
> *Nous avons pris notre décision et nous **nous y** <u>tiendrons</u>.*
> *Je ne veux pas aller dans la montagne, j'ai peur. Ne **m'y** <u>obligez</u> pas !*

À L'IMPÉRATIF NON NÉGATIF

● Quand ils sont employés dans une phrase impérative* sans négation, *en* et *y* se placent **juste après le verbe**. Le pronom est relié au verbe par un trait d'union.

> *C'est le yéti, <u>sois</u>-**en** sûr !*
> *Nous avons oublié l'écharpe là-haut. <u>Retournons</u>-**y**.*

● Employés avec d'autres pronoms, *en* et **y** sont toujours les plus **éloignés** du verbe.

> *Si tu vois Tintin, <u>parle</u>-**lui-en.***
> *Le yéti est dangereux : <u>approchez</u>-**vous-en**, et c'est le pire qui vous attend.*

● Là encore, les pronoms *me* et *te* **s'élident** devant *en* et *y*.

> *Toi qui as du courage, donne-**m'en** !*
> *Milou, si tu sais où se trouve la grotte, conduis-**m'y**.*

❗ SITÔT LU
sitôt su

Quand vous passez à l'impératif, pensez à la fonction « couper-coller » de l'ordinateur : sélectionnez les pronoms qui se trouvent devant le verbe, coupez-les et collez-les après le verbe. Il ne vous reste plus alors qu'à mettre les traits d'union.

> *Je lui en parle.*
> *Parle lui en . → Parle-lui-en.*

On, pronom personnel

Le pronom *on* s'emploie avec la valeur d'un pronom personnel. Cela explique pourquoi certaines grammaires le classent dans cette catégorie de pronoms. Pour son emploi en tant que pronom indéfini, voir p. 86.

QUELLE PERSONNE ?

● Le pronom *on* s'emploie couramment dans la conversation, dans le registre* familier à la place de **nous**.

> – *Qu'est-ce que vous avez fait à Avignon ?*
> – **On** *a dansé bien sûr !*

L'emploi de *on* n'est possible à l'écrit que si l'on retranscrit une conversation ou si le texte nécessite l'emploi du registre familier. Dans les autres cas, il vaut mieux utiliser *nous*.

On emploie les possessifs de la 1re personne du pluriel : **notre, nos** quand ils se rapportent à *on* mis pour *nous*.

> **On** *a ôté <u>nos</u> chapeaux pour les saluer.*

> **❓ QUI L'EÛT *cru***
>
> S'il est clair que le pronom *on* représente plusieurs personnes, l'accord des participes et des adjectifs au pluriel peut se justifier, et l'on constate que ce raisonnement a été suivi par d'excellents écrivains : « On ne s'est jamais tant vues » (Colette) ; « On dort enlassés dans une niche » (Pierre Loti) ; « On était perdus dans une espèce de ville » (H. Barbusse)... Et le pluriel avec *on* semble être encore plus une nécessité avec un verbe comme *séparer* : « On ne s'était jamais séparés » !

● L'auteur d'un texte emploie *on* à la place de **je** par souci de discrétion, de modestie.

> **On** *rappellera tout d'abord les aspects historiques du pont.* (je rappellerai...)

● Dans la conversation, *on* remplace **tu** ou **vous** pour marquer la familiarité, la complicité...

> **On** *ne salue plus les belles dames ?* (tu ne salues plus ? *ou* vous ne saluez plus ?)
> **On** *remarquera que j'ai fait des progrès en danse !* (vous remarquerez...)

COMMENT ACCORDER ?

Quand *on* a la valeur d'un pronom personnel, les adjectifs et les participes peuvent prendre le **genre** et le **nombre** de la ou des **personnes qu'il désigne**.

> *Ma sœur et moi,* **on** *s'est bien <u>amusées</u> sur le pont.*
> *Et alors* **on** *n'est plus <u>polies</u> avec les beaux messieurs ?*

!

Mieux vaut éviter d'employer à la fois *on* et *nous* dans un même texte.

> *Nous sommes allés à Avignon et nous avons dansé sur le pont.* (éventuellement *On est allés à Avignon et on a dansé sur le pont*, mais pas ~~nous sommes allés à Avignon et on a dansé sur le pont~~)

SITÔT LU
sitôt su

Le pronom démonstratif

Le pronom démonstratif a des formes proches de celles du déterminant démonstratif qui lui correspond [voir p. 36].

FORMES

● Les **formes simples** sont :

	MASC.	FÉM.	NEUTRE
SING.	*celui*	*celle*	*ce*
PLUR.	*ceux*	*celles*	

Le pronom neutre* *ce* **s'élide** quand il est sujet et qu'il précède *en* ou une forme du verbe *être* commençant par *e*.

> *Les Shadocks pompaient et **c'**en devenait inquiétant pour les Gibis.*
>
> ***Ce** n'est pas le problème des Gibis, **c'**est celui des Shadocks.*

Il s'élide également devant les formes de *avoir* commençant par *a*, mais dans ce cas (rare par ailleurs), il s'écrit avec une **cédille**.

> ***Ç'**aurait été plus simple si ce n'avait pas été aussi compliqué.*

● Le **pronom composé** est formé du pronom simple auquel on joint l'adverbe *ci* ou *là* : *celui-ci, celle-là*.... Au masculin et au féminin, l'adverbe est relié au pronom par un trait d'union. Au neutre, l'adverbe est soudé et *là* perd son accent : *cela*.

GENRE ET NOMBRE

● Pour l'emploi des pronoms neutres, voir p. 76.

● Le pronom démonstratif est du **même genre** que son antécédent*. S'il n'a pas d'antécédent, le genre du pronom dépend du sexe de l'être qu'il désigne.

> *Nos passoires n'ont rien à voir avec **celles** des Shadocks.*
>
> *Il y a **ceux** qui comprennent la logique Shadock et **ceux** qui ne la comprennent pas.*

● Il est au singulier s'il désigne un seul être ou une seule chose. Il est au pluriel s'il en désigne plusieurs. Son nombre est donc indépendant de son antécédent.

> *Il y a deux types de casseroles : **celles** qui ont un manche du côté droit et **celles** qui ont un manche du côté gauche. Parmi ces casseroles, as-tu besoin de **celle-là** ou de **celle-ci** ?*

? QUI L'EÛT *cru*

Ça ne peut pas remplacer *ce* dans des « sous-phrases incidentes » comme « ce me semble », qui est d'un niveau de langage littéraire, voire un rien précieux ! On écrit et l'on dit donc : « Cette cravate mauve à pois jaunes s'accorde on ne peut mieux, ce me semble, avec votre chemise beurre frais ! »

! SITÔT LU *sitôt su*

Ça est la forme contractée de *cela*. On l'emploie surtout à l'oral dans le registre familier. Si on l'emploie à l'écrit, il faut se rappeler qu'il s'écrit sans accent, tout comme *cela*.

Celui, celle... : emplois

Celui ne s'emploie jamais seul. Il est soit suivi d'un complément, soit joint à l'adverbe *ci* ou *là*. Pour les différentes formes de *celui*, voir p. 74.

SES COMPLÉMENTS

- *Celui* suivi d'un complément sert moins à « montrer » qu'à **représenter** un nom ou un groupe* nominal déjà mentionné.

  > *La planète des Gibis est plate,* **celle** *des Shadocks change de forme.*

- *Celui* est le plus souvent suivi d'un **complément** introduit par la préposition *de* ou d'une **proposition relative***.

  > *Notre langue compte des milliers de mots.* **Celle** *des Shadocks n'en compte que quatre.*
  > **Ceux** *qui ne me croient pas peuvent leur demander.*

> **? QUI L'EÛT** *cru*
>
> Une mode récente consiste à adopter comme titres de livres, de films ou de spectacles des dénominations commençant par *celui qui* ou par *celle qui*. On a donc droit à : *Celui qui a dit « non », Celui qui dérangeait, Celle qui aurait perdu sa chaussure...* Des intitulés qui rejoignent donc en masse une chanson de Georges Brassens : *Celui qui a mal tourné* !

- On emploie également *celui* suivi d'un complément introduit par une autre préposition que *de* ou par un participe lui-même complété. Cette construction est parfois encore condamnée par certains, mais elle est fréquente et se trouve chez de nombreux auteurs. Elle présente l'avantage d'être concise et permet d'alléger son style.

  > *les deux granges,* **celle** *pour l'avoine,* **celle** *pour le blé* (Émile Zola)
  > *Et cette image n'est autre que* **celle** *imprimée sur le linge.* (Paul Claudel)

CELUI-CI, CELUI-LÀ

- Les formes composées servent davantage à **situer** dans l'espace ou dans le temps.
  > *Ici, c'est l'escalier qui sert à monter. Pour descendre, il faut prendre* **celui-là**.

- On emploie généralement **celui-ci** pour désigner ce qui est le plus **proche** et **celui-là** pour ce qui est le plus **éloigné** (dans le texte ou dans la réalité).
  > *Tout oppose les* Shadocks *aux* Gibis. **Ceux-ci** *sont intelligents et* **ceux-là** *sont bêtes.* (ceux-ci désigne les Gibis alors que *ceux-là* désigne les Shadoks)

On se rappelle la différence entre *celui-ci* et *celui-là*, en pensant à *ici* et *là-bas* : *celui-ci* est proche comme *ici* et *celui-là* éloigné comme *là-bas*.

SITÔT LU
sitôt su

Ce, cela, ça, ceci : emplois

Ce, cela, ça et ceci sont des pronoms démonstratifs neutres*.

VALEURS

Ce, cela, ça et *ceci* représentent des groupes de mots qui n'ont pas de genre : une proposition, un infinitif, etc.

> *Faire comprendre quelque chose à Rantanplan,* **ce** *n'est pas si simple.* **Cela** *demande beaucoup d'énergie.*

EMPLOIS

- **Ce** s'emploie le plus souvent seul comme sujet du verbe *être* ou complété par une proposition relative*.

  > C'est le chien le plus idiot du Far West. S'il comprenait un jour un ordre, **ce** serait un miracle !
  > On ne sait jamais **ce** qu'il a compris. Il fait toujours le contraire de **ce** qu'on lui demande.

- **Cela** s'emploie :
- ➤ comme sujet d'un autre verbe que *être* ;

  > **Cela** ne sert à rien de lui donner un ordre.

  Quand *cela* est sujet du verbe *être*, il marque l'insistance (*c'est* est plus neutre).

  > Il est bête et **cela** est irrémédiable. (plus fort que si l'on avait écrit *c'est irrémédiable*)

- ➤ pour représenter ce dont on a déjà parlé.

  > Il ne fait que des gaffes. C'est pour **cela** que je préfère ne rien lui demander.

- **Ça**, forme contractée de *cela*, est courant à l'oral, mais on l'évite encore à l'écrit. Il peut avoir toutes les valeurs de *cela*, sauf en tant que sujet précédant directement *être*.

  > **Ça** ne sert à rien… – C'est pour **ça**…

- **Ceci** est plus rare. Il s'emploie essentiellement pour annoncer ce qu'on va dire.

  > Rantanplan, écoute bien **ceci** : il faut que tu retrouves les Dalton.

  Ceci annonçant ce qui n'a pas encore été dit et *cela* reprenant ce qui a déjà été dit, *cela dit* est plus correct que *ceci dit*.

❓ QUI L'EÛT *cru*

Le Père Noël est une ordure fait partie des comédies cultes du théâtre et du cinéma, et chacun a certainement en tête les scènes les plus drolatiques ainsi que les répliques les plus burlesques. Parmi ces dernières émerge l'inoubliable « C'est cela, oui… », exprimant l'extraordinaire détachement, l'indifférence totale de Pierre, le maniaque et méticuleux patron de SOS Détresse.

SITÔT LU

sitôt su

Pour retrouver la fonction de *ce* complété par une relative, il est plus facile de remplacer l'ensemble *ce* + relative par *cela*.

> *On ne sait jamais* **ce** qu'il a compris.
> (*on ne sait jamais cela* → *ce* est complément d'objet direct de *sait*)
> *Il fait le contraire de* **ce** qu'on lui demande.
> (*il fait le contraire de cela* → *ce* est complément du nom *contraire*)

Le pronom possessif (1)

Le pronom possessif varie en genre, en nombre et en personne.

VARIATION

● Le pronom possessif représente un être ou une chose qui est en relation (appartenance, parenté, etc.) avec une personne que l'on appelle **possesseur**.

> *les sabots d'Hélène* → *ses sabots* → *les siens*
> (*Hélène* est le possesseur ; *les siens* représente l'objet possédé)

La forme du pronom dépend :

➤ du **nombre** de possesseurs ;
> *le mien* (un seul possesseur)
> *le nôtre* (plusieurs possesseurs)

➤ de la **personne** du possesseur ;
> *le mien* (= « de moi », 1ʳᵉ personne) – *le tien* (= « de toi », 2ᵉ personne)

➤ du **genre** et du **nombre** de l'objet possédé.
> *le mien* (masc. sing.), *la mienne* (fém. sing.), *les miens* (masc. plur.), *les miennes* (fém. plur.)

❓ QUI L'EÛT *cru*

Attention à ne pas commettre d'erreur dans l'orthographe du proverbe signifiant que ce que l'on possède est préférable à tout ce qu'on peut espérer ! En effet, bon nombre de personnes pensent qu'il faut écrire : « Un bon *tien* [au sens de *à toi*] vaut mieux... », alors que la forme orthodoxe est : « Un bon *tiens* [forme verbale au présent du verbe *tenir*] vaut mieux que deux *tu l'auras* [autre forme verbale] ».

FORMES

		SINGULIER		PLURIEL	
		MASC.	FÉM.	MASC.	FÉM.
UN POSSESSEUR	**1ʳᵉ PERS.**	*le mien*	*la mienne*	*les miens*	*les miennes*
	2ᵉ PERS.	*le tien*	*la tienne*	*les tiens*	*les tiennes*
	3ᵉ PERS.	*le sien*	*la sienne*	*les siens*	*les siennes*
PLUSIEURS POSSESSEURS	**1ʳᵉ PERS.**	*le nôtre*	*la nôtre*	*les nôtres*	
	2ᵉ PERS.	*le vôtre*	*la vôtre*	*les vôtres*	
	3ᵉ PERS.	*le leur*	*la leur*	*les leurs*	

Le et *les* se **contractent** avec les prépositions *à* et *de*.
> *au* mien, *aux* tiens, *du* vôtre, *des* nôtres

Lorsqu'ils sont précédés de l'article, *vôtre* et *nôtre* sont toujours pronoms : il faut donc bien les écrire avec un accent circonflexe et ne pas les confondre avec les déterminants *notre, votre*.
> « *Notre capitaine est passé par la Lorraine.*
> – *Le nôtre passera par la Picardie.* »

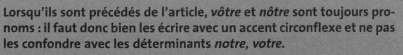

SITÔT LU

sitôt su

Le pronom possessif (2)

Le plus souvent, le pronom possessif est représentant : il est l'équivalent d'un groupe* nominal constitué de son antécédent et du déterminant possessif correspondant (*les siennes* → *ses dents*).

LE REPRÉSENTANT

Le pronom possessif représentant a les mêmes valeurs que le déterminant possessif correspondant [voir p. 39] :

➤ **appartenance** ou **lien** ;
   Le loup n'est pas son ami ni le mien.

➤ **sujet** ou **objet** de l'action.
   les préoccupations du loup et les miennes
   (ce qui <u>me</u> préoccupe)

❓ QUI L'EÛT *cru*

« À la tienne, Étienne ! » : l'auteur des paroles de cette chanson folklorique populaire et bon enfant a immédiatement situé le propos ; le tutoiement entre parents et – ou – amis est mis en évidence par le pronom possessif *tienne*, qui remplace *ta santé*. Un pronom de la 2ᵉ personne du singulier qui rime richement avec le prénom *Étienne* ! (Attention à ne pas confondre les deux mots *pronom* et *prénom*...)

LE NOMINAL

Le pronom possessif s'emploie parfois sans antécédent. Il ne représente aucun mot ni groupe de mots, mais désigne directement des êtres.

● On emploie le pronom possessif au masculin pluriel à toutes les personnes (***les miens, les leurs,*** etc.) pour désigner ceux qui sont **proches** (famille, amis, collègues...).
   *Nous veillerons à ce que le loup ne s'attaque plus **aux nôtres**.*

● On l'emploie également au masculin singulier à toutes les personnes dans l'expression ***y mettre du sien*** qui signifie « faire des efforts ».
   *Il faut que j'y mette **du mien** pour faire plaisir à Mère-Grand.*

● ***Faire des siennes*** (au féminin pluriel) s'emploie surtout aux 2ᵉ et 3ᵉ personnes et signifie « commettre des maladresses, des bêtises ».
   *Si le loup cherche encore à faire **des siennes**, les chasseurs le rappelleront à l'ordre.*

● Enfin, dans le registre* familier, ***à la vôtre*** s'emploie pour « à votre santé » lorsqu'on porte un toast. On dit également parfois *à la bonne vôtre*.

❗ SITÔT LU
sitôt su

L'indication de personne est déjà contenue dans *mien, tien,* etc. Inutile de la répéter dans le déterminant. On emploiera donc bien *le, la, les* et non un déterminant possessif tel que *mon, ton, son,* etc.
   Le loup a ses soucis, j'ai les miens. (et non ~~j'ai mes miens~~)

Le pronom indéfini (1)

Tout comme la catégorie des déterminants indéfinis, celle des pronoms indéfinis regroupe différents termes qui ont des formes très variées.

FORMES

Parmi les pronoms, on distingue ceux :

➤ dont la forme est **identique** à celle du déterminant correspondant : *aucun, nul, tel, certains, plusieurs* et *tout* ;

    *Parmi les singes, **certains** sont soldats.*

➤ dont la forme est **proche** de celle du déterminant correspondant : *chacun* (*cf. chaque*) et *quelqu'un* (*cf. quelque*) ;

    ***Chacun** voulait connaître la vérité.*

➤ qui ne correspondent à **aucun déterminant** : *on, personne* et *rien*.

    ***Personne** ne doit pénétrer la zone interdite.*

> ### ❓ QUI L'EÛT *cru*
>
> « Nul n'est censé ignorer la loi » est un principe fondamental du droit républicain, nécessaire au fonctionnement de l'ordre juridique. On notera qu'il s'agit bien ici de *censé*, synonyme de « supposé », « considéré comme », et non de son homonyme *sensé* (« doué de raison », « qui a du bon sens »).

Peu de pronoms varient à la fois en genre et en nombre (*l'un, l'une, les uns, les unes*). Certains ne n'emploient qu'au singulier (*aucun, on, rien...*) et d'autres ne s'emploient qu'au pluriel (*plusieurs, certains...*).

LES AUTRES MOTS EMPLOYÉS COMME PRONOMS

Certains mots appartenant à d'autres classes grammaticales peuvent être employés comme pronoms indéfinis. Ainsi, on trouve :

➤ de nombreux **adverbes de quantité** [voir p. 129]. Ce sont généralement les mêmes adverbes qui servent à former les locutions déterminatives ;

    *Parmi les singes, **beaucoup** méprisent leurs esclaves hommes.* (à comparer avec *beaucoup de singes*, où *beaucoup de* joue le rôle d'un déterminant)

➤ les **adjectifs indéfinis** *autre* et *même* lorsqu'ils sont employés avec l'article ;

    *Depuis qu'il a découvert la vérité, Taylor n'est plus **le même**.*

➤ certaines expressions figées qu'on appelle alors **locutions pronominales indéfinies**. Pour plus de détails, voir p. 93.

    *S'il arrive **quelque chose** à Taylor, prévenez les chimpanzés.*

Pour ne pas confondre les déterminants et les pronoms, il faut se rappeler que *pronom* veut dire « à la place du nom ». Un pronom ne peut donc jamais déterminer un nom.

    ***Tous** les singes se méfient des hommes. **Tous** sont du même avis.* (le premier *tous* est déterminant : il détermine *singes* ; le second est pronom : il est mis à la place de *tous les singes*)

SITÔT LU
sitôt su

Le pronom indéfini (2)

Les pronoms indéfinis représentants ou nominaux s'emploient pour indiquer que ce qu'ils désignent se présente de façon indéterminée.

LES REPRÉSENTANTS

● Le plus souvent, le pronom indéfini représentant a un **antécédent*** qui le précède.

> *La peste frappe les __animaux__ et n'en épargne* **aucun**.

● Lorsque l'antécédent n'est mentionné qu'après le pronom, il se présente le plus souvent sous la forme d'un **complément introduit** par **de**.

> **Chacun** *des animaux devait se présenter devant le lion.*

● Le pronom représentant est du **même genre** que son **antécédent**. Il est au singulier s'il désigne un seul être ou une seule chose, au pluriel s'il en désigne plusieurs.

> *Le __mal__ était terrible. Espérons que nous ne connaîtrons jamais **le même**.*
> *La __maladie__ était terrible. Espérons que nous ne connaîtrons jamais **la même**.*

LES NOMINAUX

● Le pronom indéfini nominal n'a pas d'antécédent. Il **renvoie directement** à un ensemble d'êtres ou de choses dont la quantité ou l'identité reste indéterminée.

> **Personne** *ne savait pourquoi le mal frappait les animaux.*

● La plupart des pronoms représentants peuvent s'employer comme nominaux.

> *Quand il faut trouver un coupable, on pense d'abord à __l'autre__. (autre est ici nominal)*
> *Si ce n'est pas lui le coupable, il faut en trouver **un autre**. (autre est ici représentant)*

● *Nul, on, personne* et *rien* sont toujours nominaux.

> *Tous cherchaient une raison, mais **rien** n'expliquait ce fléau.*

❗

SITÔT LU

sitôt su

Les pronoms indéfinis sont tous et toujours de la 3ᵉ personne, même s'ils ont un antécédent de la 1ʳᵉ ou 2ᵉ personne. Le verbe qui a pour sujet un pronom indéfini est donc à la 3ᵉ personne.

> **Chacun** *d'entre nous __doit__ avouer ses fautes. (et non ~~chacun d'entre nous devons avouer nos fautes~~)*

Aucun, pronom

Si *aucun* (*aucune* au féminin) désigne à lui seul un être ou une chose, il est pronom indéfini. Pour son emploi en tant que déterminant, voir p. 43.

VALEURS

● Dans son emploi le plus courant, *aucun* indique que l'être ou la chose qu'il désigne est en **quantité nulle**.

> On présenta Argan à divers médecins. ***Aucun*** ne sut le guérir.
>
> De toutes ces potions, je n'en ai trouvé ***aucune*** qui m'ait soulagé.

● Ainsi, dans cet emploi, *aucun* est toujours au **singulier**. Il faut donc bien penser à mettre au singulier les mots qui s'accordent avec *aucun*, et notamment le verbe dont il est sujet.

> ***Aucun*** des médecins n'<u>était</u> d'accord avec son confrère.
>
> Béline voudrait qu'***aucune*** de ses belles-filles ne <u>soit</u> <u>héritière</u>.

● Généralement, *aucun* a une valeur négative. Il s'emploie avec ***ne***, parfois avec ***sans***.

> Des efforts ? Angélique ***n'***en fera ***aucun*** pour être aimable avec les Diafoirus.
>
> Il prenait toutes ces potions sans en trouver ***aucune*** efficace.

● *Aucun* peut s'employer **seul** dans une phrase sans verbe. On l'emploie alors sans *ne*, mais il garde sa valeur négative et signifie « pas un ».

> « Sentez-vous une amélioration de votre état de santé ? – ***Aucune*** ! »

AUTRES EMPLOIS

Le registre* soutenu utilise parfois *aucun* avec la **valeur positive** qu'il avait autrefois : il s'emploie alors sans *ne* ni *sans*. Le cas se présente :

➤ dans *d'aucuns* (toujours au pluriel) qui signifie « certaines personnes, plusieurs » ;

> ***D'aucuns*** vous <u>diront</u> que vous souffrez du foie ou de la rate, mais c'est faux.

➤ quand il signifie « quelqu'un, une quelconque personne ».

> Je doute qu'***aucun*** sache que vous souffrez des poumons.

❓ QUI L'EÛT *cru*

D'aucuns est assurément une expression pronominale très correcte. Mais elle est un tantinet – un peu – affectée, et ressortit principalement à la langue littéraire, ou au langage des prétoires, voire aux discours politiques. Ceux qui usent du procédé – de la figure de rhétorique – de l'anticipation emploient souvent *d'aucuns* : « D'aucuns seront tentés d'objecter que [...]. Il n'en est rien, car [...] ! ».

Puisque *pas* doit toujours être accompagné de *ne*, *aucun* dans le sens de « pas un » doit lui aussi être accompagné de *ne* (ou de *n'* qu'on n'entend pas toujours !). Vérifiez systématiquement que vous l'avez écrit ; le cas est fréquent !

> Quels ignorants ! ***Aucun*** <u>n'</u>a su voir qu'il fallait vous couper le bras.

SITÔT LU
sitôt su

Autre, pronom

Si *autre* désigne à lui seul une ou des personnes, il est pronom indéfini. Pour son emploi avec *l'un*, voir p. 92.

VALEURS

• *Autre* est un véritable **pronom indéfini** quand on l'emploie pour désigner une ou des personnes et qu'il n'a pas d'anté-cédent*.

> *Amélie veut rendre **les autres** heureux.*

Il peut désigner des choses, mais seule-ment sous la forme ***d'autres***.

> *Amélie en a vu **d'autres** !*

• Comme la plupart des adjectifs, *autre* peut s'employer **seul** avec un détermi-nant si le **nom** auquel il se rapporte est **sous-entendu**. Il s'emploie comme pro-nom, mais reste adjectif.

> *Le nain a fait un voyage en Inde. Il en fera bientôt un **autre** au Canada.* (un autre voyage ; on aurait pu dire *il en fera un plus beau*, ce qui montre le statut d'adjectif de *autre*)

EMPLOIS

• Le plus souvent, *autre* s'emploie **précédé** d'un déterminant, notamment **l'article**.

> *Georgette ne s'intéresse qu'à elle-même. **Les autres** ne comptent pas.*
> *Jamais la concierge ne pourra en aimer **un autre**.*
> *Amélie aime penser **aux autres**.*

• On trouve également **d'autres déterminants** devant le pronom, mais c'est plus rare.

> *Je n'en connais <u>aucun</u> **autre** qui ait autant d'imagination.*
> *Amélie découvrait peu à peu <u>cette</u> **autre** qui était en elle.*

SITÔT LU

sitôt su

Le pronom *autre* peut occuper toutes les fonctions propres aux pro-noms (sujet, complément d'objet...) alors que son équivalent litté-raire *autrui* ne s'emploie qu'en tant que complément.

> *Amélie agit toujours par amour d'**autrui**.*

Certains, pronom

Le pronom *certains* s'emploie toujours au pluriel. Pour son emploi en tant que déterminant, voir p. 44.

VALEURS

• Quand il est **représentant**, *certains* désigne des êtres animés* ou des non-animés pris en nombre restreint et indéterminé dans un ensemble. Cet ensemble est désigné par l'antécédent*.

> *Difficile de filmer ces <u>insectes</u>.* **Certains** *leur ont demandé des heures de tournage.*

Souvent, l'antécédent apparaît comme complément de *certains* introduit par *de*, *d'entre* ou *parmi*.

> *Ils ont équipé* **certaines** <u>*de leurs caméras*</u> *d'un robot commandé à distance.*

Le pronom est masculin ou féminin selon le **genre** de son **antécédent**.

> *Chaque <u>insecte</u> a une fonction et il revient à* **certains** *de transporter la nourriture.*
> *Chaque <u>fourmi</u> a une fonction et il revient à* **certaines** *de transporter la nourriture.*

• Quand il est **nominal**, *certains* désigne des personnes (jamais des choses) en nombre indéterminé. On peut le remplacer par *certaines personnes*.

> *Pour* **certains**, *la vie des insectes est sans intérêt.*

Bien qu'il ne soit pas impossible, le féminin est rare.

> *La grossesse va si bien à* **certaines** *!*

QUELQUES REMARQUES

• *Certains* est un pronom de la **3e personne**. Même s'il est complété par un pronom de la 1re ou de la 2e personne, le verbe dont il est sujet se met à la 3e personne du pluriel.

> **Certains** *d'entre nous <u>ont</u> été éblouis.* (et non ~~certains d'entre nous avons été...~~)

• Si *certains* est complément d'objet* direct ou sujet réel*, il s'accompagne de *en*.

> *Leurs caméras étaient très sophistiquées. Ils <u>en</u> ont équipé* **certaines** *d'un robot.*

❓ QUI L'EÛT *cru*

Aucun cinéphile ne peut s'abstenir de voir au moins une fois *Certains l'aiment chaud*, une savoureuse comédie de Billy Wilder, avec Marilyn Monroe, Tony Curtis et Jack Lemmon... Ce film s'achève sur la réplique culte « Personne n'est parfait ! » qui est, par ailleurs, le titre d'une comédie dramatique de Joel Schumacher, avec Robert De Niro. On voit là que les pronoms indéfinis reviennent assez souvent dans les titres des... « bandes des cinés » !

Puisqu'il désigne plusieurs êtres ou plusieurs choses, *certains* s'emploie toujours au pluriel. Tous les mots qui s'accordent avec lui doivent donc se mettre également au pluriel.

> **Certains** *des insectes que nous fait découvrir ce film rest<u>ent</u> inconnu<u>s</u> du grand public.*

SITÔT LU
sitôt su

Chacun, pronom

Chacun (*chacune* au féminin) s'emploie comme pronom pour désigner un être animé* ou une chose.

EMPLOIS

● On emploie *chacun* pour indiquer que l'on prend **un par un** tous les éléments d'un ensemble. Il est donc toujours au **singulier**.

> D'Artagnan est l'ami de ***chacun*** *des trois mousquetaires.*

Ainsi, un verbe qui a pour sujet *chacun* se met au singulier, même si *chacun* est suivi d'un complément au pluriel.

> ***Chacun*** *des quatre amis* <u>devait</u> *se méfier des gens de Richelieu.*

● On emploie *chacun* avec son antécédent dans la même phrase de deux façons :

➤ soit l'antécédent est un **complément**, le plus souvent introduit par *de*, qui suit *chacun* ;

> *Combien vaut* ***chacun*** <u>*des diamants*</u> *de la parure d'Anne d'Autriche ?*

➤ soit *chacun* sert à **renforcer** son antécédent.

> *Les* <u>*diamants*</u> *de la parure valent* ***chacun*** *une fortune !*

CHACUN ET LA PERSONNE

● Quand *chacun* est **suivi de son antécédent**, on utilise le possessif* ou le pronom personnel correspondant à *chacun* (donc de la 3ᵉ personne).

> ***Chacun*** <u>*de nous*</u> *doit rester sur* <u>*ses*</u> *gardes. –* ***Chacun*** <u>*de nous*</u> *sait ce qu'il doit faire.*

● Quand *chacun* sert seulement de **renforcement**, on utilise le possessif ou le pronom personnel correspondant à l'antécédent (qui peut donc être à la 1ʳᵉ, 2ᵉ ou 3ᵉ personne).

> <u>*Nous*</u> *resterons* ***chacun*** *sur* <u>*nos*</u> *gardes. –* <u>*Vous*</u> *savez* ***chacun*** *ce que* <u>*vous*</u> *avez à faire.*

!

SITÔT LU
sitôt su

C'est le premier arrivé qui gagne : si *chacun* est placé avant son antécédent, on prend la personne qui correspond à *chacun*. Si l'antécédent est placé avant *chacun*, on prend la personne qui correspond à l'antécédent !

Le même, pronom

Le pronom *le même* s'emploie pour désigner une chose ou un être animé* identique à un autre.

LES FORMES

● *Le même* prend le **genre** de son **antécédent**. Il est au singulier quand il désigne un seul être ou une seule chose.

> *J'ai pris un <u>menu</u>. Félicie a choisi le **même**.*
> *Il y avait plusieurs <u>formules</u>. Elle a choisi la **même** que moi.*

Il est au pluriel quand il en désigne plusieurs.

> *Félicie a connu quelques <u>aventures</u>. Il m'est arrivé les **mêmes**.*

● *Le* et *les* se contractent avec *à* et *de* : *au même, aux mêmes, du même, des mêmes.*

> *Cela revient au **même**.*

LES COMPLÉMENTS

● *Le même* peut se construire avec un **complément** introduit par ***que*** :

➤ le plus souvent constitué du pronom démonstratif *celui* suivi d'un complément ;

> *Il ne faudrait pas penser que le parfum de Félicie est le **même** que <u>celui de la gibelotte</u> !*

➤ constitué d'un pronom possessif.

> *Mon avis est le **même** que <u>le sien</u>.*

● Mais lorsqu'il n'y a pas d'ambiguïté, on préfère utiliser une tournure elliptique sans le démonstratif, ce qui permet d'alléger l'expression.

> *Il y avait plusieurs plats. Elle a pris les **mêmes** que <u>moi</u>.* (plutôt que *elle a pris les mêmes que ceux que j'ai pris*)

Il faut bien se rappeler que le complément de *le même* est introduit par *que* et non pas par *comme*.

> *Après avoir bu son petit verre d'aramon, elle n'était plus la **même** qu'avant.*
> (et non ~~la même comme avant~~)

SITÔT LU

sitôt su

On, pronom indéfini

Le pronom indéfini *on* a différentes valeurs qu'il faut connaître pour bien comprendre son emploi. Pour *on*, pronom personnel, voir p. 73.

VALEURS

En tant que pronom indéfini, *on* est toujours nominal*. Il peut désigner :

➤ l'**être humain** d'une façon générale ;
  On veut toujours ce que l'on n'a pas.

Cette valeur explique son emploi courant dans les proverbes et les maximes.
  On reconnaît l'arbre à ses fruits.

➤ plusieurs **personnes indéterminées** ;
  C'est ce qu'on dit.

➤ une **personne en particulier**, mais non déterminée.
  On m'a dit qu'il était là. (quelqu'un m'a dit)

> **Q QUI L'EÛT *cru***
>
> Pour atteindre un objectif, pour obtenir un résultat... *on* doit souvent consentir de grands efforts, voire des sacrifices : « On ne fait pas d'omelette sans casser des œufs » ! La même sagesse populaire a remarqué qu'« on ne prête qu'aux riches » : cela est vrai au sens propre, certes ! Au sens élargi, figuré, ce proverbe signifie soit que l'on attribue naturellement certains actes aux personnes qui ont l'habitude de les accomplir, soit qu'on ne rend des services qu'à ceux qui sont susceptibles de les rendre au centuple !

PARTICULARITÉS D'EMPLOI

● *On* ne peut occuper que la fonction de sujet*. Pour les compléments, on emploie :

➤ ***vous*** que l'on utilise alors avec une valeur générale ;
  On n'oublie jamais ceux qui vous sont chers.

➤ ***se*** ou ***soi*** si on a besoin du pronom réfléchi.
  On s'attend toujours au pire.
  On ne doit jamais être trop sûr de soi.

● On emploie les possessifs de la 3ᵉ personne du singulier ***son, sa, ses*** quand ils se rapportent à *on* indéfini.
  C'est dans le besoin qu'on reconnaît ses vrais amis.

● Quand *on* est pronom indéfini, les accords se font toujours au **masculin singulier**. Pour plus de détails, voir *Toute l'orthographe,* p. 163.
  On n'est jamais si bien servi que par soi-même.

SITÔT LU
sitôt su

Le pronom *on* a la même étymologie que le nom *homme* : ils viennent tous les deux du latin *homo.* Son emploi en tant qu'indéfini (pour désigner l'homme en général ou un homme en particulier) est donc tout à fait correct, ce qui n'est pas toujours le cas quand il a la valeur d'un pronom personnel.
Pour la même raison, il peut être précédé de l'article *l'*.
  C'est ce que l'on m'a dit.

Personne, pronom

Personne est un pronom indéfini qui désigne toujours... une personne.
Il est nominal* et n'a donc jamais d'antécédent.

VALEURS

• *Personne* s'emploie aujourd'hui le plus souvent avec une valeur **négative** dans le sens de « aucune personne, pas une personne ». Il est donc accompagné de *ne* ou de *sans*.

> *Personne* n'osait affronter le Sphinx.
> *Œdipe a su trouver la solution sans l'aide de **personne**.*

• *Personne* peut s'employer **seul** dans une phrase sans verbe. On l'emploie alors sans *ne*, mais il garde sa valeur négative.

> *Qui connaissait les prédictions de l'oracle hormis le père d'Œdipe ? **Personne**.*

• Le registre* soutenu utilise parfois *personne* avec la **valeur positive** liée à son étymologie. Il signifie alors « quelqu'un, quiconque » et s'emploie sans *ne* ni *sans*.

> *Je doute que **personne** sache un jour résoudre l'énigme.* (que quelqu'un sache)

❓ QUI L'EÛT *cru*

Des phrases classiques comme « Je ne crois pas que personne ait jamais dit cela » ou « Avant que personne eût pensé à donner l'alarme » semblent insolites, de nos jours. Voire carrément absurdes... puisque *personne* est compris au sens négatif d'« aucune personne ». La seconde phrase serait surréaliste, étant donné qu'elle signifierait : « Avant que nulle personne eût pensé... » !

EMPLOIS

• *Personne* peut s'employer avec des compléments. Le plus souvent, on trouve un **adjectif épithète** introduit par *de*, une **proposition relative*** ou un **complément** introduit par *de* ou *parmi*.

> *Il n'y avait **personne** d'assez sagace pour résoudre l'énigme.*
> *N'y avait-il **personne** qui aurait pu avertir Jocaste ?*
> ***Personne** parmi les Thébains n'avait reconnu le fils de Jocaste et de Laïos.*

• Même s'il ne porte aucune marque de genre, le pronom *personne* est **masculin singulier**. Les accords se font donc au masculin singulier.

> *Le Sphinx pensait que **personne** d'assez intelligent ne pourrait résoudre son énigme.*

On peut se rappeler qu'en changeant de classe, *personne* change de genre. S'il est nom, *personne* est féminin ; s'il est pronom, il est masculin.

SITÔT LU
sitôt su

Plusieurs, pronom

Plusieurs, pronom indéfini, désigne à lui seul différents êtres ou différentes choses. Pour son emploi en tant que déterminant, voir p. 41.

EMPLOIS

• Quand il est **représentant***, *plusieurs* désigne des êtres animés* ou des non-animés pris en nombre plus ou moins important, mais toujours inclus dans un nombre plus grand, dans un ensemble. Cet ensemble est désigné par l'antécédent* de *plusieurs*.

> *Le colonel voulait revoir <u>ses amis</u>. Mais **plusieurs** ne l'ont pas reconnu.*

Bien qu'il ne change pas de forme, le pronom est masculin ou féminin selon le **genre** de son **antécédent**.

> *Parmi tous ces <u>arguments</u>, **plusieurs** sont convaincant<u>s</u>.*
> *Parmi toutes ces <u>preuves</u>, **plusieurs** sont convaincant<u>es</u>.*

L'antécédent peut apparaître comme **complément** introduit par *de, d'entre* ou *parmi*.

> *Chabert n'aurait jamais pensé que **plusieurs** <u>de ces hommes de loi</u> ne le croiraient pas.*

• Quand il est **nominal**, *plusieurs* désigne des personnes en nombre indéterminé (jamais des choses). On peut le remplacer par *plusieurs personnes, quelques-uns*.

> *Aucun de ses amis ne le croyait. **Plusieurs** lui ont même ri au nez.*

PARTICULARITÉS

• *Plusieurs* est un pronom de la **3e personne**. Même s'il est complété par un pronom de la 1re ou de la 2e personne, le verbe dont il est sujet est à la 3e personne du pluriel.

> ***Personne** d'entre nous <u>ont</u> été blessés.* (et non ~~plusieurs d'entre nous avons été~~)

• Si *plusieurs* est complément d'objet* direct ou sujet réel*, il s'accompagne de **en**.

> *Une seule preuve ne suffira pas, il <u>en</u> faudra **plusieurs**.*

! SITÔT LU *sitôt su*

S'il y en a plusieurs, il y a pluriel. Tous les mots qui s'accordent avec *plusieurs* doivent donc se mettre également au pluriel.

> ***Plusieurs** de ces détails se révél<u>aient</u> particulièrement justes.*

Quelqu'un, pronom

Selon qu'il est singulier ou pluriel, *quelqu'un* n'a pas le même sens.

SINGULIER

- *Quelqu'un* au **singulier** s'emploie le plus souvent sans antécédent*. Il désigne **une personne** (jamais une chose) indéterminée.

  > *Maigret soupçonne **quelqu'un**.*

  Dans ce sens, il s'emploie au **masculin**.

  > ***Quelqu'un** vous demande au téléphone. C'est une femme, mais elle ne veut pas laisser son nom.*

- Il peut être qualifié par un **adjectif épithète** masculin introduit par *de*.

  > *Cet inspecteur, c'est vraiment **quelqu'un** de <u>compétent</u>.*

- Dans le registre* soutenu, on emploie parfois ***quelqu'un, quelqu'une*** avec un antécédent qui désigne aussi bien un être animé* qu'un non-animé.

  > *Et si **quelqu'une** de ces <u>hypothèses</u> se révélait juste ?*

PLURIEL

- Employé au **pluriel**, *quelques-uns* est le plus souvent représentant.

  > *Maigret a interrogé les <u>témoins</u>. **Quelques-uns** lui apprirent des choses intéressantes.*

  L'antécédent peut aussi se présenter sous la forme d'un **complément**.

  > ***Quelques-uns** <u>des témoins</u> lui apprirent des choses intéressantes.*

- *Quelques-uns* représentant désigne aussi bien des **êtres animés** que des **non-animés**. Il indique que ces êtres et ces choses se trouvent en nombre restreint.

  > *Parmi ces <u>témoignages</u>, **quelques-uns** lui parurent suspects.*

- Quand il est représentant, *quelques-uns* prend le **genre** de son **antécédent**.

  > *L'inspecteur ressassait toutes ces <u>pensées</u>. **Quelques-unes** le préoccupaient.*

Quelqu'<u>un</u> au singulier n'a qu'<u>un</u> genre : masculin.

> *Cette femme, c'est **quelqu'un** de suspect.* (et non ~~quelqu'un de suspecte~~)

SITÔT LU

sitôt su

Rien, pronom

Rien est un pronom indéfini qui ne s'emploie qu'à propos de non-animés*. Il est nominal* et n'a donc jamais d'antécédent. Pour l'emploi de la restriction *rien que*, voir p. 201.

LES VALEURS DU PRONOM

● *Rien* s'emploie aujourd'hui le plus souvent avec une valeur **négative** dans le sens de « aucune chose, pas une chose ». Il est donc accompagné de *ne* ou de *sans*.

> *Personne* <u>ne</u> *comprend* **rien** *à l'art d'Assurancetourix.*
> *Il est parti* <u>sans</u> **rien**, *même pas sa lyre.*

● *Rien* peut s'employer **seul**, sans *ne*, mais en gardant sa valeur négative :

➤ dans une phrase ou une proposition sans verbe ;

> « *Que nous chanteras-tu ce soir, Assurancetourix ? –* **Rien** ».
> *C'est mieux que* **rien.**

➤ après une préposition (*de, pour, à...*).

> *Le barde compose* <u>pour</u> **rien** : *personne ne veut écouter ses œuvres.*

● Le registre* soutenu utilise parfois *rien* avec une **valeur positive**. Il signifie alors « quelque chose » et s'emploie sans *ne* ni *sans*.

> *Avez-vous jamais* **rien** *entendu de plus beau ?* (quelque chose de plus beau)

❓ QUI L'EÛT *cru*

Député du tiers état sous la Révolution, Sieyès se fit connaître par une brochure : *Qu'est-ce que le tiers état ?* (1790). Le propos de l'auteur frappa les esprits : « *Qu'est-ce que le tiers état ? Tout. – Qu'a-t-il été jusqu'à présent dans l'ordre public ? Rien. – Que demande-t-il ? À être quelque chose.* »
Sieyès, lui, ne fut pas « rien » dans la vie politique française des années 1790-1800...

LES COMPLÉMENTS DE *RIEN*

Le pronom *rien* peut s'employer avec des compléments. Le plus souvent, on trouve :

➤ un **adjectif épithète** masculin introduit par *de* ;

> *Assurancetourix arrive avec sa lyre : cela ne présage* **rien** <u>de bon</u>.
> *Les Romains n'avaient jamais* **rien** *entendu* <u>de plus horrible</u>.

➤ une **proposition relative***.

> *N'y a-t-il* **rien** <u>qui puisse le faire taire</u> ?

SITÔT LU
sitôt su

Deux négations s'annulent ! Attention donc aux différences de sens lorsque *rien* est employé dans une phrase sans négation et lorsqu'il est employé dans une phrase avec négation.

> *Assurancetourix est boudeur : il se fâche pour* **rien.** (il se fâche tout le temps)
> *Astérix est un sage : il ne se fâche pas pour* **rien.** (il ne se fâche pas s'il n'y a pas de raison)

Tout : emplois

Selon qu'il est au singulier (*tout*) ou au pluriel (*tous, toutes*), le pronom indéfini n'a pas le même sens ni les mêmes emplois. Pour son emploi en tant que déterminant, voir p. 47.

TOUT AU SINGULIER

● *Tout* ne s'emploie qu'à propos de **choses**, de non-animés*. Il indique que l'on considère quelque chose dans son ensemble, dans son intégralité.

> *Folcoche veut toujours **tout** savoir.*

● Même s'il reprend l'idée exprimée par un ou plusieurs mots qui précèdent, *tout* n'a pas à proprement parler d'antécédent. Il est nominal* et s'emploie toujours au **masculin**.

> *Sa voix, son visage, son allure, **tout** chez sa mère respirait la méchanceté.*

> **❓ QUI L'EÛT *cru***
>
> En français de Belgique, il est usuel d'employer *tout qui* au sens de *quiconque* : « Tout qui a visité Namur garde le souvenir de sa forteresse. » En français de France, cette tournure est complètement inusitée, et l'on dit : « Quiconque a visité Namur » (ou « Tous ceux qui ont visité... »).

TOUS, TOUTES AU PLURIEL

● Le pronom indéfini s'emploie au **masculin pluriel** (*tous*) ou au **féminin pluriel** (*toutes*) pour désigner aussi bien des êtres animés que des non-animés. Il est le plus souvent représentant et prend le **genre** de son **antécédent**.

> *Folcoche ne supportait aucun des <u>employés</u> de la maison. **Tous** ont été renvoyés.*
> *Il avait de nombreuses <u>corvées</u> à faire, **toutes** plus pénibles les unes que les autres.*

● Il peut également servir de **renforcement** à un nom ou à un pronom présent dans la phrase.

> *<u>Les punitions</u> étaient **toutes** guidées par la méchanceté de Folcoche.*
> *<u>Elles</u> sont **toutes** particulièrement vicieuses et injustes.*

● Le pronom s'emploie également parfois au pluriel comme **nominal**. Il n'a alors pas d'antécédent et est le plus souvent au masculin.

> *« **Tous** pour un, un pour **tous** », telle aurait pu être la devise des enfants Rezeau.*

Toutes peut être pronom, mais aussi adverbe. Mettre au masculin peut aider à lever les ambiguïtés.

> *Nos mères auraient été **toutes** honteuses de ressembler à Folcoche.*
> → *toutes nos mères* ou *nos mères auraient été particulièrement honteuses ?*
> Au masculin, on aura : *nos pères auraient été **tous** honteux* [tus] pour le pronom ou ***tout** honteux* [tu] pour l'adverbe.

SITÔT LU
sitôt su

91

Un : emplois

Un est un pronom indéfini que l'on emploie seul ou avec *autre*.

UN EMPLOYÉ SEUL

• *Un* est généralement employé comme représentant*. Il désigne un être animé* ou un non-animé que l'on distingue en tant qu'**élément unique** dans un ensemble.

> *Elle a interrogé ses voisins. L'un lui a répondu avoir vu son chat.*

Le plus souvent, cet ensemble est mentionné comme **complément** de *un* introduit par *de, d'entre* ou *parmi*.

> *L'un d'entre vous a-t-il vu mon chat ?*

• L'emploi de l'article *l'* est fréquent, mais pas obligatoire.

> *La mère Michèle a perdu un de ses chats. (ou l'un de ses chats)*

❓ QUI L'EÛT *cru*

Dans le milieu journalistique anglo-saxon, il est usuel de désigner un confrère par « C'est l'un des nôtres » (« *It's one of ours* »). Cet *ours* anglais, qui signifie « nôtres », est très certainement à l'origine du terme de jargon professionnel désignant en presse l'encadré (*l'ours*) où figurent les noms des responsables de la publication. Certains ont cru y voir, trompés par la prononciation à la française, une référence au plantigrade amateur de miel et auquel on comparait les typographes de l'imprimerie, allant de la casse au « marbre » comme un ours en cage !

• S'il n'est pas suivi de son complément, *un* doit être accompagné de *en* quand il est complément d'objet*, attribut* ou sujet réel*. Il n'est alors jamais précédé de *l'*.

> *Pour une révélation, c'en était une ! – Il y en aura bien un qui aura vu mon chat.*

• *Un* prend le **genre** de son **antécédent** et s'emploie toujours au **singulier**.

> *un de ses voisins, une de ses voisines*

L'UN... L'AUTRE...

• *Un* s'emploie avec *autre* pour marquer une **opposition**. Les deux pronoms sont représentants et s'emploient aussi bien à propos d'êtres animés que de non-animés.

> *Les deux voisins ne sont pas du même avis. L'un aime les chats, l'autre pas.*

• *Un* et *autre* prennent le **genre** de leur **antécédent** et s'emploient au **singulier** ou au **pluriel** selon le contexte. *Autre* a la même forme, qu'il soit masculin ou féminin.

> *La mère Michel lui proposait un baiser ou un sourire, mais il n'a voulu ni l'un ni l'autre.*
> *Ces récompenses ne valaient pas plus les unes que les autres.*

SITÔT LU

sitôt su

Le seul pluriel de *un* lorsqu'il est pronom est *uns* ; il n'y en a pas d'autres, en tout cas pas *des* ! Quand on veut parler de plusieurs personnes, il faut trouver une autre tournure.

> *J'en connais une qui va être contente.* → *J'en connais certaines (plusieurs, quelques-unes...) qui vont être contentes (et non ~~j'en connais des qui vont être contentes~~)*

Les locutions pronominales

De nombreuses expressions jouent le même rôle qu'un pronom indéfini [voir p. 79]. On les appelle des locutions pronominales indéfinies.

CHOSE

• *Chose* sert à former les locutions **autre chose** et **quelque chose** qui s'emploient comme pronoms nominaux : elles n'ont pas d'antécédent et renvoient directement à ce qu'elles désignent.

> *Don Quichotte veut faire **quelque chose** pour sauver les malheureux.*
> *Il avait **autre chose** en tête.*

• Elles ne s'emploient jamais à propos d'êtres animés*, mais toujours à propos de **non-animés**.

> *Le chevalier dit voir quelqu'un bouger. Sancho pense qu'il s'agit plutôt de **quelque chose**.*

• *Chose* a totalement perdu sa valeur de nom dans ces locutions qui sont toujours au **masculin singulier**. Les accords se font donc toujours au masculin singulier.

> *Le chevalier aperçut **quelque chose** au loin et <u>le</u> montra du doigt à Sancho.*
> *C'était **quelque chose** que le fidèle serviteur n'avait encore jamais <u>entendu</u>.*
> *Sancho trouvera **autre chose** de plus <u>convaincant</u>, mais son maître ne changera pas d'avis.*

SAVOIR ET IMPORTER

• Les locutions construites avec **savoir**, telles que *je ne sais qui, quoi, lequel* (ainsi que *on ne sait qui* et *Dieu sait qui*), ont également la valeur d'un pronom indéfini.

> *Don Quichotte a vu **je ne sais quoi**.*
> *Il partirait avec **Dieu sait qui** pour venir en aide aux malheureux.*

• Il en va de même pour les locutions avec **importer** : *n'importe qui, n'importe quoi, n'importe lequel.*

> *Sancho cherchait des arguments, **n'importe lesquels**, pour convaincre Don Quichotte.*

❓ QUI L'EÛT *CRU*

« Je ne distingue pas grand-chose sans mes lorgnons ! » avouait le professeur Tournesol à Tintin… *Grand-chose* (où le trait d'union remplace le *e* final disparu dans *grand*) est utilisé comme locution pronominale indéfinie. Mais quand le capitaine Haddock, en colère, lance que la Castafiore est « une pas-grand-chose », là nous avons un nom composé invariable ! C'est… autre chose.

On peut se rappeler qu'en changeant de classe, *chose* change de genre. S'il est nom, *chose* est féminin ; s'il est pronom, il est masculin.

> *une **chose** important<u>e</u>*
> *quelque **chose** d'importan<u>t</u>*

SITÔT LU
sitôt su

Le pronom interrogatif

Selon qu'il a un antécédent* ou non, le pronom interrogatif se présente sous la forme composée ou sous la forme simple.

FORME SIMPLE

- Les formes simples *qui, que, quoi* n'ont pas d'antécédent et sont **invariables**.

    À **quoi** Colombo pense-t-il ?

- On emploie *qu'* à la place de *que* devant une voyelle ou un *h* muet*.

    Qu'a-t-il vu ? – **Qu'**honorerez-vous ?

Dans l'interrogation indirecte, on garde **qui** et **quoi**, mais on fait précéder **que** de **ce**.

    Colombo découvrira <u>ce</u> **que** sait le témoin et il finira par trouver **qui** est le meurtrier. Je me demande à **quoi** il pense.

FORME COMPOSÉE

	MASCULIN	FÉMININ
SINGULIER	lequel	laquelle
PLURIEL	lesquels	lesquelles

- Le pronom interrogatif se **contracte** avec les prépositions *à* et *de* au masculin singulier et au pluriel : *auquel, auxquels, auxquelles* et *duquel, desquels, desquelles*.

    Le service de l'inspecteur est divisé en deux départements. **Duquel** dépendez-vous ?

- Le pronom composé est du **même genre** que son **antécédent**. Il est au singulier s'il désigne un seul être ou une seule chose ; il est au pluriel s'il en désigne plusieurs.

    « Parmi ces <u>indices</u>, **lequel** est le plus important ? – Il y en a deux. – Alors **lesquels** ? »

❗ SITÔT LU
sitôt su

Où, quand, pourquoi, comment et combien s'utilisent pour poser des questions sur les circonstances. Ils appellent une réponse que l'on donne sous forme de complément circonstanciel*. C'est pourquoi on les range parmi les adverbes qui occupent principalement la fonction de compléments circonstanciels et non parmi les pronoms, qui eux sont plutôt sujets ou compléments d'objet.

Comment se déplace Colombo ? <u>Avec sa célèbre 203 !</u>

Qui, que, quoi : emplois

On emploie les pronoms *qui*, *que*, *quoi* lorsqu'il n'y a pas d'antécédent.

QUI ET QUE

● On emploie *qui* lorsqu'on attend pour réponse un nom de **personne** et *que* lorsqu'on attend pour réponse un nom d'**animal** ou de **chose**.

> « ***Qui*** l'ogre a-t-il mangé ? – <u>Ses sept filles</u>. »
> « ***Que*** mange l'ogre ? – <u>De la chair fraîche</u>. »
> L'ogre ignore ***qui*** il a égorgé.
> Il se demande ce ***qu'***il va manger.

● On emploie couramment *qui* et *que* dans ***qui est-ce qui, qu'est-ce qui*...** [voir p. 192].

> ***Qu'***est-ce qui préoccupe ces pauvres bûcherons ?

● ***Que*** peut désigner une personne s'il est **attribut***.

> « ***Qu'***est devenu le Petit Poucet ? – Il est aujourd'hui messager du roi. »

● ***Qui*** s'emploie seul ou avec une préposition* dans toutes **les fonctions** du pronom.

> ***Qui*** frappe à la porte ? (sujet)
> ***Qui*** êtes-vous ? (attribut)
> ***Qui*** voulez-vous voir ? (COD)
> Les enfants ne savent pas chez ***qui*** ils sont arrivés. (CCL)

QUE ET QUOI

● On emploie *que* et *quoi* lorsqu'on attend un nom d'animal ou de chose pour réponse. ***Que*** s'emploie toujours **seul** ; ***quoi*** est généralement précédé d'une **préposition**.

> ***Que*** voulez-vous pour votre dîner ? <u>Par ***quoi***</u> voulez-vous commencer ?

On peut employer *quoi* sans préposition seulement s'il est complément d'un verbe à l'infinitif dans l'interrogation indirecte [voir p. 195]. *Que* reste cependant plus « élégant ».

> Les pauvres bûcherons ne savaient plus ***quoi*** faire. (ou ne savaient plus ***que*** faire)

● ***Que*** est le plus souvent **complément d'objet* direct**. Il peut être aussi attribut ou sujet **réel*** d'un verbe impersonnel.

> ***Que*** se serait-il passé s'il n'avait semé ses cailloux ? ***Que*** seraient-ils devenus ?

Il faut se souvenir que, dans l'interrogation directe, *quoi* doit toujours être employé avec une préposition, à moins que l'on ne soit dans le registre familier.

> ***Que*** veux-tu ? (et non ~~tu veux quoi ?~~)

SITÔT LU

sitôt su

Lequel : emplois

Lequel représente toujours un nom, un groupe* nominal ou un pronom. Il varie en genre et en nombre [voir p. 94].

EMPLOIS

• *Lequel* s'emploie seul lorsqu'il représente un nom ou un pronom qui a **déjà** été **mentionné**.

> *« Crésus était roi d'un <u>pays</u>, mais je ne sais plus **duquel**. Il a conquis de nombreuses <u>cités</u> d'Asie Mineure. – **Lesquelles** ? »*

• L'antécédent de *lequel* peut n'être mentionné qu'après le pronom. Dans ce cas, l'antécédent se présente sous la forme d'un **complément** de *lequel* et il est **introduit** le plus souvent par *de*, *d'entre* ou *parmi*.

> ***Lequel*** <u>*des rois de Perse*</u> *voulut conquérir la Lydie ?*
> ***Lequel*** <u>*parmi eux*</u> *voulut se rendre maître du pays ?*
> *Deux légendes s'affrontent quant au sort de Crésus.* ***Laquelle*** <u>*des deux*</u> *est vraie ?*

❓ QUI L'EÛT *cru*

Descendant de Chateaubriand (1768-1848), Geoffroy de La Tour du Pin est l'auteur d'un essai sur l'écrivain et homme politique qui repose sur l'îlot du Grand Bé, à Saint-Malo… Ce livre est intitulé : *Chateaubriand, lequel ?* Lequel « des François René de Chateaubriand » faut-il mettre en évidence ou prendre en considération : l'écrivain, le poète, le Breton, le légitimiste, le défenseur de l'ordre moral, le chrétien, l'ambassadeur… ? Sans doute la plupart d'entre nous répondront : « l'homme de lettres », mais « les autres Chateaubriand », les autres facettes de l'écrivain, auront leurs partisans ! Car – parodiant l'auteur italien Pirandello – nous dirons que « chacun a sa vérité »…

PARTICULARITÉS

• Contrairement à *qui* (utilisé pour les animés*) et *que* ou *quoi* (utilisés pour les non-animés), *lequel* s'emploie indifféremment pour représenter des **animés** ou des **non-animés**.

> *Du riche soumis ou du pauvre libre,* ***lequel*** *est le plus heureux ?*
> ***Laquelle*** *des deux conditions te conviendrait le mieux ?*

• *Lequel* est un pronom de la **3ᵉ personne**. Même s'il représente des pronoms des 1ʳᵉ et 2ᵉ personnes, le verbe dont il est sujet est à la 3ᵉ personne.

> *De toi ou moi,* ***lequel*** <u>*est*</u> *le plus riche ?*
> ***Lesquels*** *d'entre vous* <u>*peuvent*</u> *se prétendre aussi riches que lui ?*

SITÔT LU

sitôt su

Lequel est un pronom ; *quel* est le déterminant qui lui correspond. Il faut donc employer *lequel* en tant que pronom et non pas à la place du déterminant.

> ***Laquelle*** *des deux fins est la vraie ?* ou ***Quelle*** *fin est-elle la vraie ?* (et non ~~*laquelle fin*~~ ; seul *quel* peut déterminer le nom *fin*)

Le pronom relatif (1)

Le pronom relatif introduit des propositions relatives [voir p. 153].
On distingue les pronoms invariables et les formes composées.

PRONOMS INVARIABLES

● Les formes simples du pronom relatif sont *qui, que, quoi, dont* et *où*. Elles sont invariables.

> *C'est un ancien camarade **qui** lui a conseillé de devenir journaliste et c'est la femme de ce camarade **qui** l'a aidé.*

Que s'écrit *qu'* devant une voyelle ou un *h* muet*.

> *Il n'a pas écrit les articles **qu'**il signe.*

● Le pronom relatif *quiconque* n'a jamais d'antécédent*. Il est également invariable.

> *Duroy n'hésitait pas à ruiner la réputation de **quiconque** s'opposait à son ascension.*

❓ QUI L'EÛT *cru*

« Le plus grand humoriste du monde », « Balzac du gag et du calembour, virtuose de la bouffon-nerie », selon Charlie Chaplin, l'écrivain et illus-trateur français Cami (1884-1958) s'est fait une spécialité des noms de personnages à ral-longes... qui peuvent comporter des pronoms relatifs, comme « le Monsieur-aux-moustaches-qui-tombent », par exemple. L'effet drolatique obtenu par la multiplication de ces dénomina-tions insolites a contribué au succès de Cami.

LEQUEL, PRONOM VARIABLE

	MASCULIN	FÉMININ
SINGULIER	lequel	laquelle
PLURIEL	lesquels	lesquelles

● Le pronom composé est formé de *quel* que l'on joint à l'article défini *le*. Il se **contracte** avec les prépositions *à* et *de* au masculin singulier et au pluriel : *auquel, auxquels, auxquelles* et *duquel, desquels, desquelles.*

> *Forestier, grâce **auquel** Duroy a été embauché, était un ancien camarade.*

● *Lequel* est du **même genre** et du **même nombre** que son **antécédent**.

> *Charles Forestier sans **lequel** Bel-Ami n'au-rait jamais été journaliste.*
> *Madeleine Forestier sans **laquelle** Bel-Ami n'aurait jamais pu écrire ses articles.*
> *Toutes ces femmes sans **lesquelles** Bel-Ami n'aurait rien pu faire.*

Les pronoms relatifs ressemblent étrangement aux pronoms interro-gatifs*. Mais ils ont des rôles bien différents. Pour ne pas les confondre, il faut se rappeler que le relatif « met en relation » deux propositions. Il est donc toujours possible de faire deux phrases.

> *Je connais son ami qui l'a conseillé.*
> (Je connais son ami. Son ami l'a conseillé. → *qui* est pronom relatif)
> *Je sais qui l'a conseillé.*
> (on ne peut pas faire deux phrases → *qui* est pronom interrogatif)

SITÔT LU
sitôt su

Le pronom relatif (2)

Le choix du pronom relatif se fait selon son antécédent* et selon la fonction qu'il a dans la relative.

FORMES SIMPLES

● *Qui* peut avoir pour antécédent un animé* ou un non-animé. Il est le plus souvent **sujet** ou complément s'il est précédé d'une préposition [voir p. 99].

> *le mystère **qui** trouble la vie de l'abbaye*

● *Que* a pour antécédent un animé ou un non-animé. Il est le plus souvent **complément d'objet* direct** [voir p. 100].

> *Les moines **que** Guillaume voulait interroger se sont montrés peu bavards.*

❓ QUI L'EÛT *cru*

Qui peut être répété, pour répartir les personnes d'un ensemble, soit par groupes, soit de façon individuelle : « Et les mousquetaires étaient partis, qui avec un chapon rôti, qui avec un flacon de brouilly, qui avec un gros pâté en croûte »... Comme il ne s'agit pas forcément des trois (ou quatre, avec d'Artagnan !) mousquetaires chers à Dumas, chacun des *qui* peut représenter ici plusieurs personnes !

● *Quoi* ne peut avoir pour antécédent qu'un non-animé. Il est toujours précédé d'une préposition et s'emploie comme **complément** [voir p. 101].

> *Les cadavres se succèdent à l'abbaye : il y a de **quoi** s'inquiéter.*

● *Dont* peut avoir pour antécédent un animé ou un non-animé. Il est l'équivalent d'un **complément** introduit par *de* [voir p. 102].

> *Adso suit fidèlement l'enseignement de Guillaume **dont** il est l'élève.*

● *Où* ne peut avoir pour antécédent qu'un non-animé. Il est **complément circonstanciel** de lieu ou de temps [voir p. 104].

> *Le moine décide de retourner dans la bibliothèque **où** il est sûr de trouver la solution.*

● *Quiconque* n'a jamais d'antécédent ; il est toujours **sujet** [voir p. 105].

> *Le vieux moine pensait que **quiconque** lirait ce livre serait une âme perdue.*

LEQUEL

Lequel peut avoir pour antécédent un animé ou un non-animé. Il est le plus souvent précédé d'une préposition et s'emploie comme **complément** [voir p. 106].

> *La jeune inconnue à **laquelle** s'est attaché Adso a été condamnée pour sorcellerie.*

SITÔT LU

sitôt su

Il est plus facile de retrouver la fonction du pronom relatif dans la proposition relative quand on le remplace par son antécédent.

> *la bibliothèque **dont** l'accès est interdit (l'accès **de la bibliothèque** est interdit → **dont** est complément du nom accès)*

Qui

Selon qu'il a pour antécédent un nom d'être animé* ou de non-animé, *qui* occupe des fonctions différentes dans la proposition relative.

SES ANTÉCÉDENTS

- *Qui* a le plus souvent pour antécédent :

➤ un **nom** ou un groupe* nominal ;
  *Harfleur **qui** est sa destination*
  *un père malheureux **qui** voyage*

➤ un **pronom**.
  *celle à **qui** il pense sans cesse*
  *lui **qui** voyage pour la retrouver*

- *Qui* est toujours de la même **personne**, du même **nombre** et du même **genre** que son **antécédent**.
  *celle **qui** est aujourd'hui disparue*

> ### ❓ QUI L'EÛT *CrU*
>
> « J'en vois certains qui sont absents ! » : qu'elle soit due à un adjudant de semaine vérifiant les effectifs d'une compagnie ou bien à un chef scout vérifiant le nombre de ses louveteaux, cette phrase est intrinsèquement naïve. Comment pourrait-on « voir » des... absents !? Le *qui* représente son antécédent *certains*, mais lesdits certains, eux, ne sont pas réellement représentés dans la chambrée de la caserne ni sur le terrain de jeux !

LES FONCTIONS DE *QUI*

- Quand il est sujet, *qui* peut représenter des noms d'êtres **animés** ou de **non-animés**.
  *Il veut retrouver celle **qui** l'attend.*
  *Il est trop triste pour s'intéresser aux couleurs du soir **qui** tombe.*

Il faut bien chercher la **personne** de l'antécédent pour accorder correctement le verbe.
  *C'est moi **qui** ai posé ces fleurs.* (*ai posé* est à la 1re personne du singulier comme *moi*)

- *Qui* précédé d'une préposition peut être **complément** d'un des termes de la relative. Mais dans ce cas, il ne peut représenter que des **noms de personnes**.
  *sa fille **à qui** il pense souvent* (mais on ne pourra pas dire *la mort à qui il pense souvent*)
  *toi auprès **de qui** je veux rester*

Quand *qui* est précédé d'une préposition, il peut être remplacé par ***lequel*** si l'antécédent n'est pas un pronom de la 1re ou 2e personne.
  *sa fille à **laquelle** il pense souvent*
  (on ne dira pas *toi auprès de laquelle je veux rester*)

« Qui est qui ? » : c'est la question qu'il faut se poser quand *qui* est sujet dans la relative. Si *qui* est « moi », « toi », « nous » ou « vous », il faudra alors mettre le verbe à la 1re ou 2e personne et non à la 3e personne.

SITÔT LU
sitôt su

Que

Il faut savoir reconnaître les différents emplois de *que* pour construire correctement ses phrases et faire les bons accords.

SES ANTÉCÉDENTS

- *Que* peut représenter soit un nom d'être **animé***, soit **un non-animé**. Son antécédent peut être :

➤ un **nom** ou un groupe* nominal ;
  *Fanfan gardera toujours la <u>broche</u> **que** lui a offerte la fille du roi.*

➤ un **pronom**.
  *C'est <u>elle</u> **que** Fanfan veut épouser.*

- *Que* est toujours du même **nombre** et du même **genre** que son **antécédent**. Cela est important pour accorder le participe passé.
  *la <u>troupe</u> **que** Fanfan a combattu<u>e</u> (combattre s'accorde avec le COD que, qui est au féminin singulier, comme troupe)*
  *les <u>soldats</u> **que** Fanfan a combattu<u>s</u> (combattre s'accorde avec le COD que, qui est au masculin pluriel, comme soldats)*

LES FONCTIONS DE *QUE*

- *Que* est le plus souvent **complément d'objet*** **direct** (COD).
  *Il est sorti vainqueur du combat **qu'**il a mené contre les soldats du roi. (il a mené le combat)*

- Quand il est **attribut***, *que* a pour antécédent un adjectif, un nom ou un pronom.
  *Il se mit à chanter, tout <u>heureux</u> **qu'**il était d'avoir retrouvé la liberté. (il était heureux)*

- *Que* peut être **sujet réel** lorsque le verbe de la relative est en tournure impersonnelle*.
  *le <u>courage</u> **qu'**il faut en de pareilles occasions (il faut du courage)*

- Enfin, *que* peut être également **complément circonstanciel***, notamment pour exprimer une mesure (poids, prix, durée...).
  *les <u>mille écus</u> **que** coûterait sa libération (sa libération coûterait mille écus)*

SITÔT LU
sitôt su

Pour savoir si *que* est COD ou complément circonstanciel, il faut imaginer la question que l'on poserait : *qu'est-ce que... ?* annonce un COD, *combien... ?* annonce un complément circonstanciel.
  *la broche qu'elle lui a offerte (**qu'est-ce qu'**elle lui a offert ? → qu' est COD)*
  *les mille écus qu'aurait coûté sa libération (**combien** aurait coûté sa libération ? → qu' est complément circonstanciel)*

Quoi

Quoi est un pronom relatif aux emplois plus restreints que *qui* et *que*.

SES ANTÉCÉDENTS

● Contrairement à *qui* et à *que, quoi* représente uniquement des **non-animés***. Il a le plus souvent pour antécédent un pronom ou une locution pronominale neutre*, **non déterminé** tel que *ce, quelque chose, rien...*

> *Voici ce à **quoi** je pense.* (je pense à quelque chose ; on dira : *voici celle à qui je pense*)

> *La grande taille du chêne est <u>quelque chose</u> sur **quoi** on peut compter pour résister au vent.*

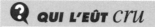

QUI L'EÛT cru

Dans « pour quoi faire ? », il faut séparer *pour* et *quoi*, car *quoi* est un complément d'objet direct : « pour faire quoi ? » Pour que l'orthographe *pourquoi* (adverbe) soit licite, il faudrait avoir un verbe intransitif (« pourquoi planer ? »), ou bien un verbe transitif ayant un COD : « Pourquoi faire toutes ces démarches ? »

Lorsque l'antécédent n'est pas neutre, qu'il est bien déterminé, on emploie dans le registre* courant ***lequel*** et non *quoi*.

> *Le roseau est trop faible : il n'y a aucun <u>vent</u> **auquel** il puisse résister.*

> *<u>La grande taille du chêne</u>, sur **laquelle** on peut compter pour résister au vent, est un avantage indéniable.*

● *Quoi* présente la particularité de pouvoir avoir comme antécédent toute une **proposition**. Le cas est fréquent dans les locutions* que l'on emploie couramment pour marquer un lien logique avec ce qui précède : *faute de quoi, sans quoi, moyennant quoi, après quoi...*

> *Le roseau est une plante fragile, **moyennant quoi** il souffre du moindre coup de vent.*

● *Quoi* s'emploie sans antécédent dans l'expression *de quoi* précédant un infinitif, qui signifie « ce qu'il faut pour ».

> *Il n'y a pas **de quoi** s'inquiéter pour le roseau : il est résistant.*

QUOI PRÉCÉDÉ D'UNE PRÉPOSITION

● *Quoi* est toujours précédé d'une **préposition**.

> *Il est arrivé ce <u>à</u> **quoi** s'attendait le roseau.*

● Lorsque la préposition demandée est *de*, on préfère utiliser ***dont*** plutôt que *de quoi*.

> *Le roseau montre ce **dont** il est capable.* (*ce de quoi il est capable* est moins élégant)

Pour s'assurer que la préposition utilisée avec *quoi* est la bonne, il faut penser à la construction du terme dont est complément *quoi*.

> *Voici ce à **quoi** vous auriez pu vous raccrocher.* (et non ~~ce sur quoi~~, car on dit *s'accrocher à quelque chose*)

SITÔT LU

sitôt su

Dont : valeurs

Dont est un pronom relatif équivalant à un complément introduit par *de*.

SES ANTÉCÉDENTS

Dont a toujours un antécédent qui peut représenter aussi bien des noms d'êtres **animés*** que des **non-animés**. Cet antécédent est le plus souvent :

➤ un **nom** ou un groupe* nominal ;
  *Bassa **dont** Peppone est maire*
  *le village **dont** Peppone est maire*

➤ un **pronom**.
  *C'est quelque chose **dont** tu ne devrais pas te vanter, Don Camillo.*
  *Il a au fond de lui beaucoup d'estime pour celui **dont** il ne dit que du mal.*

SES VALEURS

● *Dont* a toujours pour équivalent « *de* + antécédent ». Il est complément d'un terme qui se construit avec *de* dans la relative. *Dont* peut être ainsi complément :

➤ d'un **verbe** ou d'une locution* verbale ;
  *les mésaventures du maire **dont** il se réjouit* (il se réjouit **des mésaventures**)
  *La mauvaise foi **dont** fait preuve parfois Don Camillo ne lui échappe pas.* (il fait preuve **de mauvaise foi**)

➤ d'un **adjectif** ;
  *Don Camillo, tu dois me dire ce **dont** tu n'es pas fier.* (tu n'es pas fier **de cela**)

➤ d'un **nom**.
  *Il n'est pas près d'oublier ce mauvais coup **dont** il a été la victime.* (il a été la victime **de ce mauvais coup**)

● Si le terme dont dépend le pronom relatif se construit directement, sans la préposition *de*, on ne peut utiliser *dont*.
  *Je ne peux cautionner l'usage **que** tu veux faire de cet argent.* (faire l'usage de cet argent, et non ~~faire de l'usage~~ ; on ne peut donc pas dire ~~l'usage dont tu veux faire~~)

SITÔT LU
sitôt su

Jamais deux *d* : il faut se souvenir que *de* est déjà contenu dans *dont*. On ne peut donc utiliser à la fois *de* et *dont* dans la même construction.
  *C'est ce **dont** il s'agit ou c'est **de** cela qu'il s'agit.* (et non ~~c'est de cela dont il s'agit~~)

Dont : emplois

La valeur du pronom relatif *dont* fait que son emploi présente quelques particularités qu'il faut connaître.

DOUBLE EMPLOI

● *Dont* peut être complément d'un nom et avoir dans ce cas la même valeur qu'un déterminant **possessif***.

> *le maire **dont** il est l'ennemi* (il est l'ennemi du maire → il est son ennemi)

Ainsi, quand dans une relative, un nom a pour complément *dont,* ce nom ne peut pas être déterminé par un possessif : cela ferait double emploi.

> On ne dira donc pas : ~~le maire dont il est son ennemi~~.

● Le pronom *en* équivaut, comme *dont*, à un complément introduit par *de* [voir p. 71]. On ne peut donc l'utiliser dans une relative s'il renvoie au même antécédent que *dont*.

> *Personne ne pouvait ignorer la querelle **dont** tout le village parle.* (et non ~~dont tout le village en parle~~)

❓ QUI L'EÛT *cru*

Dans le langage administratif et juridique, on use couramment de la formule figée *dont acte*, pour conclure une énumération de faits, d'actions, etc. Elle équivaut à « ce dont je [nous] vous donne [donnons] acte », et est censée mettre un terme définitif à un conflit, à une affaire. En principe, personne ne devra plus remettre la question « sur le tapis » !

CAS IMPOSSIBLES

Parfois, l'emploi de *dont* est impossible. Il faut alors utiliser les pronoms ***duquel*** [voir p. 106] ou ***de qui*** (si l'antécédent est une personne) [voir p. 99]. Le cas se présente :

➤ quand le pronom est complément d'un nom qui est déjà introduit par une préposition ;

> *Il s'attendait à la défaite du maire.*
> → *le maire à la défaite **duquel** (ou **de qui**) il s'attendait*

➤ quand le pronom est précédé d'une locution* prépositive contenant *de*.

> *Don Camillo se renseigne auprès de ses paroissiens.*
> → *les paroissiens auprès **desquels** (ou **de qui**) il se renseigne*

Pour s'assurer que l'on ne fait pas de redondance, on peut « reconstruire » la proposition relative en remplaçant *dont* par « *de* + son antécédent ».

> Ainsi, on ne dira pas ~~tout le monde en parle de la querelle~~, car cela reviendrait à dire *tout le monde parle de la querelle de la querelle.*

SITÔT LU

sitôt su

103

Où

Où est un pronom relatif qui a la valeur d'un complément de lieu ou de temps.

SES ANTÉCÉDENTS

● *Où* est le plus souvent un pronom relatif représentant*. Son antécédent désigne généralement un **non-animé***.

> *Il est arrivé au village la <u>nuit</u> où il a fait si froid et il est entré dans la <u>maison</u> où il y avait un poêle.*

Il s'emploie parfois sans antécédent.

> *Il cherche où se réchauffer.* (il cherche un endroit où se réchauffer)

● *Où* peut également avoir pour antécédent un **adverbe** de lieu, tel que *là, ici, partout...* ou un adverbe de temps, tel que *aujourd'hui, maintenant.*

> *Il n'aurait pas dû s'asseoir <u>là</u> où il s'est assis !*

❓ QUI L'EÛT *cru*

Où est le seul mot usuel de la langue française comportant un *ù*, ce qui, depuis un certain temps, irrite les informaticiens concepteurs de logiciels de saisie de texte, notamment, ainsi que ceux qui, faisant de la langue française un « produit » comparable à une savonnette ou à un tire-bouchon(s), ne raisonnent qu'en termes de prix de revient. Heureusement pour la clarté du langage, *ou* et *où* ne sont pas devenus homographes...

SES VALEURS

● *Où* est un **complément circonstanciel*** de lieu ou de temps dans la relative.

> *Il cherchait un endroit où il pouvait se réchauffer.* (complément circonstanciel de lieu)
> *Au moment où il voulut repartir, il avait fondu !* (complément circonstanciel de temps)

Mais il peut aussi marquer un état, plus qu'un lieu.

> *Dans l'état où il se trouve, il ne pourra plus faire grand-chose.*

● On fait précéder le pronom relatif *où* des prépositions *d'* (forme élidée de *de*), *jusqu', par, pour* et parfois *vers*.

> *Notre bonhomme de neige ne peut plus repartir **d'où** il est venu.*

Dans les autres cas, *où* contient le sens de la préposition (qu'on ne reprend donc pas devant le pronom).

> *Voici la flaque **où** on a retrouvé son chapeau et sa pipe.* (on a retrouvé son chapeau et sa pipe <u>dans</u> la flaque)
> *L'endroit **où** il s'est assis était trop chaud.* (il s'était assis **<u>à</u>** cet endroit)

SITÔT LU

sitôt su

Il ne faut pas confondre le pronom relatif *où* avec l'adverbe interrogatif *où* qui sert à poser des questions. Si *où* a un antécédent, ce n'est pas un adverbe interrogatif, mais un pronom relatif.

> *C'est la <u>maison</u> **où** il est entré* (*où* a pour antécédent *maison* → *où* est pronom relatif)

Quiconque

Quiconque est un pronom relatif que l'on emploie aujourd'hui également comme pronom indéfini.

LE PRONOM RELATIF

• *Quiconque* est un **pronom relatif** nominal* : il n'a jamais d'antécédent. Il s'emploie à propos de personnes et signifie « quelle que soit la personne qui ».

> *Quiconque* veut apprivoiser l'amour agit en vain.

• Le pronom appartient au registre* soutenu. Dans la langue courante, on emploie plus volontiers **celui qui**.

> *Celui qui* veut apprivoiser l'amour agit en vain.

• *Quiconque* est toujours **sujet** de la relative. Cette relative peut avoir différentes fonctions dans la proposition principale.

> *L'amour tient **quiconque** voudrait lui échapper.* (*quiconque* est sujet de *voudrait* ; la relative est complément d'objet direct de *tient*)
>
> *J'échapperai à **quiconque** penserait me tenir.* (*quiconque* est sujet de *penserait* ; la relative est complément d'objet indirect de *échapperai*)

LE PRONOM INDÉFINI

Lorsqu'il est **pronom indéfini**, *quiconque* s'emploie seul : il n'est pas suivi d'une proposition relative. Il est toujours nominal et il signifie « n'importe qui, n'importe quelle personne ».

> *Même si tu m'aimes plus que **quiconque**, je peux ne pas t'aimer.*
>
> *L'enfant de bohème défie **quiconque** de l'apprivoiser.*

Entre les deux, il faut choisir : *quiconque* est soit pronom relatif, soit pronom indéfini. On ne peut donc pas faire suivre l'indéfini de *qui* et d'une relative.

> *L'oiseau rebelle repousse **quiconque** lui imposera sa loi.* (et non ~~repousse quiconque qui lui imposera~~)

SITÔT LU
sitôt su

Lequel

Le pronom relatif *lequel* s'emploie toujours avec un antécédent, dont il prend les marques de genre et de nombre [voir p. 97].

SES ANTÉCÉDENTS

- *Lequel* est un pronom relatif représentant* : il a toujours un **antécédent**, qui désigne le plus souvent une chose, un non-animé*.

    *Popeye aime les <u>épinards</u> **auxquels** il doit sa force.*

Lequel peut également représenter un nom de personne, mais dans ce cas, il est en concurrence avec *qui* [voir p. 99].

    *Brutus est un <u>homme</u> pour **lequel** Popeye n'a pas beaucoup de sympathie.* (ou *un homme pour qui*)

❓ QUI L'EÛT *cru*

« Le héros de *Jour de fête*, le fameux film de Jacques Tati, lequel embaucha les habitants de Sainte-Sévère (Indre) comme figurants, est un facteur, c'est-à-dire un "homme lettré" ! »
Lequel a ici pour antécédent le nom propre de personne *Jacques Tati*. Cette construction est très correcte, bien sûr, mais dans l'usage on note que *lequel* est surtout employé avec des noms d'animaux ou de choses...

- Cet antécédent peut être un groupe* nominal ou un pronom autre que le pronom personnel.

    *Il sait se servir de <u>ses gros bras musclés</u> sans **lesquels** il ne serait rien.*
    *Brutus est <u>celui</u> **auquel** Popeye est souvent confronté.*

SES EMPLOIS

- *Lequel* s'emploie le plus souvent précédé d'une **préposition** : il est alors complément d'un terme de la relative.

    *Le bras sur **lequel** apparaît l'ancre offrait toute la place pour un beau tatouage !* (*lequel* est complément de *apparaît*)
    *As-tu déjà vu le bateau <u>à bord</u> **duquel** Popeye navigue ?* (*duquel* est complément de *bord*)

- *Lequel*, employé comme **sujet**, appartient au registre* soutenu ou à la langue juridique. La langue courante préfère utiliser *qui*.

    *Olive a rencontré ce marin, **lequel** est devenu son époux.* (*ce marin qui est devenu...*)

SITÔT LU

sitôt su

Pour s'assurer que l'on utilise la bonne préposition devant *lequel*, on peut « reconstruire » la proposition relative en remplaçant *lequel* par son antécédent : on doit alors avoir la même préposition !

    *Ce marin, <u>pour</u> **lequel** Olive a beaucoup d'admiration, est très fort.* (*Olive a beaucoup d'admiration <u>pour</u> ce marin* ; on ne dira donc pas, par exemple, ~~ce marin auquel Olive a beaucoup d'admiration~~)

Le pronom numéral

Lorsque *deux, trois, quatre*, etc. sont employés seuls, ils sont pronoms numéraux. Pour leur emploi en tant que déterminants cardinaux, voir p. 52. *Un* peut être à la fois pronom numéral et pronom indéfini [voir p. 92].

SES FORMES

Le pronom numéral a la **même forme** que le **déterminant** : *deux, trois, quatre…* Il est, comme le déterminant, invariable en genre et en nombre.

*Les chiots sont nés : il y en a **quinze** !*

SES ANTÉCÉDENTS

● Le plus souvent, le pronom numéral a un antécédent* qui est déjà mentionné dans le texte ou qui apparaît sous la forme d'un complément introduit par *de* ou *d'entre, parmi*.

*Les <u>complices</u> de Cruella ne sont pas très futés. Si elle avait pu en trouver **deux** autres !*

***Quinze** <u>de ces chiots</u> sont les enfants de Pongo et de Perdita.*

❓ QUI L'EÛT *cru*

« Une vingtaine de personnes attendaient dans l'entrée. Trois à quatre portaient un bob bleu ciel en toile imperméable… » Il n'y a rien à reprocher à l'emploi des pronoms numéraux *trois* et *quatre*, mis pour « trois… quatre personnes ». En revanche, il faut absolument corriger « trois à quatre », pour mettre à la place : « trois ou quatre » [personnes], puisque les êtres humains ne peuvent pas se découper en deux, quand bien même parlerait-on d'un mari et de sa « moitié » (son épouse) !

● Lorsqu'un pronom numéral n'a pas d'antécédent, c'est le contexte qui donne le nom sous-entendu.

*Ils durent monter les escaliers **quatre** à **quatre** pour échapper aux kidnappeurs.* (*escaliers,* dans le contexte, implique que le nom sous-entendu est *marches*)

SES EMPLOIS

Le pronom numéral peut occuper les mêmes fonctions qu'un nom [voir p. 27]. Mais lorsqu'il est complément d'objet* direct ou sujet réel*, il s'accompagne de *en*.

*Combien de chiots ont-ils eus ? Ils <u>en</u> ont eu **quinze**.*

*Pour faire son manteau avec la fourrure des chiots, il lui <u>en</u> faudrait au moins **cent** !*

Il suffit de savoir comment s'écrit le déterminant pour savoir comment s'écrit le pronom : les mêmes règles s'appliquent à l'un et à l'autre, aussi bien en ce qui concerne l'usage du trait d'union que celui du *s* à *cent* et à *vingt*.

*Combien de chiots faut-il à Cruella pour son manteau ? Au moins **quatre-vingts**.*

*Maintenant, ils ne sont plus **quinze**, ils sont **quatre-vingt-dix-neuf** !*

SITÔT LU

sitôt su

107

Le verbe : généralités (1)

Le verbe est un mot qui a la particularité de se présenter sous de nombreuses formes : c'est ce qu'on appelle la conjugaison du verbe.

LES VARIATIONS

Le verbe est un mot qui prend **différentes formes** selon le mode [voir p. 112 et 113] et le temps [voir p. 114] auxquels il est employé. Sa forme dépend aussi de la personne et du nombre de son sujet [voir *Toute l'orthographe*, p. 134].

> *je **chante**, tu **chantes**, vous **chantez**,*
> *vous **chantiez**, chante, chantant*

❓ QUI L'EÛT *cru*

« Je dors » est une phrase avec un verbe à la voix... active – si, si ! – tandis que « Le javelot a été lancé au-delà des limites du stade par l'athlète norvégien » est une phrase à la voix passive... Les notions d'activité ou de passivité, en grammaire, ne coïncident pas toujours avec la réalité des faits !

LES GROUPES

Selon la terminaison de leur infinitif et la façon dont on les conjugue, on classe traditionnellement les verbes en trois groupes [voir *Toute la conjugaison*, p. 20] :

➤ 1er groupe : verbes en *-er* (*chanter*) ;
➤ 2e groupe : verbes en *-ir* avec *-iss-* dans la conjugaison (*adoucir*) ;
➤ 3e groupe : les autres verbes (*endormir*).

LES VOIX

● Selon la relation que le verbe entretient avec son sujet, on dit qu'il est à la **voix active** ou à la **voix passive** [voir p. 209].

> *Sa maman **chante** une chanson douce.* (actif)
> *Cette chanson **est chantée** par sa maman.* (passif)

● Il peut être aussi à la **voix pronominale** [voir p. 121]

> *C'est une chanson qui **se chante** d'une voix douce.* (voix pronominale)

SITÔT LU
sitôt su

Un même verbe peut avoir plusieurs dizaines de formes différentes, mais il est inutile de les apprendre toutes par cœur ! Pour retrouver la forme d'un verbe, il faut connaître son radical* (la partie qui porte le sens) et lui ajouter la désinence du mode, du temps, du nombre et de la personne voulus.

> *elle chant-ait, il ven-ait* (la désinence *-ait* de la 3e personne du singulier de l'imparfait s'ajoute aux radicaux *chant-* et *ven-*)

Le verbe : généralités (2)

Le verbe est un mot pivot dans la phrase, celui autour duquel s'organisent les différents constituants*. Il est important de bien l'analyser pour organiser correctement ses phrases.

SENS

● Selon leur sens, on distingue les **verbes d'état** qui, comme leur nom l'indique, expriment un état et les autres verbes, qu'on appelle **verbes d'action** [voir p. 117].

> *La chanson **est** douce.* (verbe d'état)
> *Le chevalier **a sauvé** la biche.* (verbe d'action)

● Certains verbes sont dépourvus de leur sens premier et servent à la conjugaison d'autres verbes : ce sont les **auxiliaires** [voir p. 111].

> *Le loup **a** pris la biche dans ses bras et ils **sont** partis ensemble.*

❓ QUI L'EÛT *CRU*

Parmi les « espèces » de verbes (auxiliaires, transitifs, intransitifs, impersonnels, pronominaux...) se trouvent ceux que l'on appelle *factitifs*. Bien sûr, de nombreux verbes peuvent se retrouver sous différentes appellations, puisqu'un verbe peut être, par exemple, à la fois transitif et factitif : le classement n'est pas de même nature ! Un verbe est dit *factitif* quand son sujet fait accomplir par quelqu'un d'autre l'action exprimée par le verbe : « Pierre fait construire une maison ».

CONSTRUCTIONS

● Selon qu'il se construit avec un complément d'objet* ou sans complément, on dit du verbe d'action qu'il est **transitif** ou **intransitif** [voir p. 118].

> *Il **chante** une chanson douce.* (transitif)
> *Le chevalier **est passé** par là.* (intransitif)

● Les verbes qui s'emploient avec le sujet *il* qui ne représente ni ne désigne rien sont des verbes **impersonnels** [voir p. 119].

> *Il ne **pleuvait** pas quand le chevalier a rencontré la biche.*

Les verbes d'action n'expriment pas toujours une action, mais ils se reconnaissent au fait qu'ils se construisent ou non avec un complément. Le verbe d'état, lui, n'a jamais de complément, mais il sert toujours de lien entre le sujet et son attribut*.

> *Il **écoute** la chanson.* (*chanson* est complément d'objet → *écoute* est un verbe d'action)
> *Maman **chante**.* (*chante* n'a pas de complément → *chante* est un verbe d'action)
> *L'enfant **demeure** attentif.* (*attentif* est attribut de *enfant* → *demeure* est un verbe d'état)

SITÔT LU

sitôt su

109

Reconnaître un verbe

Il est important de reconnaître un verbe dans une phrase pour lui donner les formes qui conviennent.

CARACTÉRISTIQUES

On reconnaît un verbe au fait :

➤ qu'on peut toujours le faire directe-ment précéder d'un **pronom sujet** ;

> Le cavalier solitaire **part** vers de nouvelles aventures. (*il* **part** *vers…* ; à comparer avec le nom féminin *part* : *le cavalier préfère rester à part*)

➤ qu'il **change de forme** si on change de pronom sujet ;

> il **part** → nous **partons**, ils **partent**…

➤ qu'on peut toujours le mettre à l'**infi-nitif**.

> Le cavalier solitaire **part** vers de nouvelles aventures. (→ **partir**)

❓ QUI L'EÛT *cru*

« Les poules du couvent couvent » : les deux derniers mots riment richement… mais seulement « à l'œil ». Car, si ces termes sont homo-graphes, leur prononciation n'est pas du tout identique : le premier, le substantif *couvent* peut rimer avec *vent*, tandis que le second, une forme conjuguée du verbe *couver*, s'associera avec *trouvent*.

Alphonse Allais, roi des humoristes jongleurs de langage, releva l'homonymie entre des verbes à la 1ʳᵉ personne du pluriel de l'indicatif et des noms au pluriel… et s'en servit : « Et nous [nous] percherons sur des percherons » !

LES LOCUTIONS VERBALES

● Certaines expressions constituées d'un verbe suivi d'un ou de plusieurs termes dont le choix n'est pas libre forment une unité de sens. Ces locutions ont la même valeur qu'un verbe. On les appelle des **locutions verbales**.

> Lucky Luke n'**a** jamais **recours** à son arme pour tuer. (= ne recourt jamais à… On dit toujours *avoir recours à* et non pas *avoir un recours astucieux*, comme on dirait *avoir un cheval astu-cieux*. Il s'agit donc d'une locution verbale qui peut être considérée comme un verbe)

● Les locutions verbales ont les **mêmes caractéristiques** que les verbes : on peut les faire précéder d'un pronom sujet, elles changent de forme si on change de sujet et on peut toujours les mettre à l'infinitif.

> il **a recours à** – nous **avons recours à** – ils **ont recours à** – **avoir recours à**

SITÔT LU
sitôt su

Le verbe a plusieurs formes, mais c'est le même ! Quand on fait l'analyse d'une phrase, on peut donc parler du verbe en donnant la forme qu'il a dans la phrase ou en le désignant par son infinitif, qui est en quelque sorte son « nom ».

> Le cow-boy **a tiré** plus vite que son ombre. (on peut dire : « cow-boy est sujet du verbe *a tiré* » ou « cow-boy est sujet du verbe *tirer* »)

Les auxiliaires

Les auxiliaires et semi-auxiliaires suivis d'un participe passé ou d'un infinitif se vident de leur sens et servent de support à la conjugaison.

ÊTRE ET AVOIR

● On utilise les **auxiliaires** *être* et *avoir* avec le participe passé d'un verbe pour construire les temps composés*.

> *Le laboureur **a** <u>réuni</u> ses enfants. Ils **sont** tous <u>venu</u>s.*

Pour savoir avec quels verbes utiliser *être* ou *avoir* aux temps composés, voir *Toute la conjugaison,* p. 15 et 16.

● On utilise aussi *être* avec le participe passé pour construire le passif [voir p. 120].

> *Les enfants retournent le champ pour trouver le trésor qui y **est** <u>caché</u>.*

● *Être* et *avoir* ne sont pas toujours auxiliaires et peuvent s'employer avec leur sens premier.

> *Le laboureur **a** un secret.* (il possède un secret)

LES SEMI-AUXILIAIRES

● Les **semi-auxiliaires** servent à exprimer différentes nuances.

> *Il **vient** de <u>mourir</u>.* (passé proche) – *Ses enfants **vont** <u>devenir</u> riches.* (futur proche)

Tout comme *être* et *avoir,* ces verbes ne sont pas toujours semi-auxiliaires et ils peuvent être employés avec leur sens premier.

> *Ils **viennent** voir leur père. – Ils **vont** au marché pour vendre leur récolte.*

● On les emploie devant un **infinitif** avec lequel ils forment un tout. Le semi-auxiliaire porte dans sa terminaison les informations de mode, de temps, de nombre et de personne ; l'infinitif porte, lui, les informations de sens.

> *il **va** bêcher, ils **vont** bêcher, ils **allaient** bêcher...*

Pour savoir si *être* ou *avoir* sont employés comme auxiliaires ou non, il faut se rappeler que *auxiliaire* signifie « qui aide ». S'ils sont suivis d'un participe passé, c'est qu'ils aident à la conjugaison et qu'ils sont auxiliaires. S'ils sont employés seuls, ils sont verbes au même titre qu'un autre verbe.

> *Il **a** <u>labouré</u>.* (verbe *labourer* conjugué avec l'auxiliaire *avoir*)
> *Il **a** un secret.* (verbe *avoir*)

SITÔT LU
sitôt su

Les modes personnels

Les quatre modes personnels offrent au verbe une conjugaison en personne, contrairement aux modes impersonnels [voir p. 113].

VALEURS

Chaque mode indique l'attitude de celui qui parle vis-à-vis de ce qu'il dit :

➤ l'**indicatif**, mode le plus neutre, sert à l'affirmation, à l'évocation du réel ;

*Philippe et Vinca **sont** amis.*

➤ le **subjonctif** sert à l'expression de la volonté, du souhait, du doute... ;

*Il voudrait que Vinca **soit** plus douce.*

➤ le **conditionnel** est le mode de la condition, de l'hypothétique, de l'irréel. On l'utilise également pour exprimer le souhait ou pour atténuer l'expression du désir.

*Que se **serait**-il **passé** s'il n'avait pas apporté le télégramme à la dame en blanc ?*

Le conditionnel est également utilisé comme temps pour exprimer une action future par rapport à un fait situé dans le passé ;

*Il croyait qu'elle **serait** toujours à lui.* (comparez avec *il croit qu'elle sera toujours à lui*)

➤ l'**impératif** est le mode de l'ordre. Il ne se conjugue qu'à la 2e personne du singulier et aux deux premières personnes du pluriel. Le sujet n'est jamais exprimé.

*N'**oublie** pas que tu as grandi.*

CARACTÉRISTIQUES

Chaque mode se caractérise par le nombre de ses temps et le type de propositions dans lequel il est employé [voir *Toute la conjugaison,* p. 41 à 75].

MODE	TEMPS	EMPLOIS
indicatif	huit	principales et subordonnées
subjonctif	quatre	essentiellement dans les subordonnées
conditionnel	trois	principales et subordonnées
impératif	deux	uniquement principales

SITÔT LU

sitôt su

Chaque mode personnel a son présent. Lorsqu'on analyse un verbe, il ne suffit donc pas de dire qu'il est au présent, mais il faut préciser son mode : présent de l'indicatif, du subjonctif... En revanche, le futur, le passé simple... sont spécifiques à l'indicatif. Dans ce cas, l'indication du mode n'est plus absolument nécessaire.

Les modes impersonnels

L'infinitif, le participe et le gérondif sont les trois modes impersonnels pour lesquels le verbe ne se conjugue pas en personne. Ces modes comportent chacun deux ou trois temps.

TEMPS

- L'**infinitif** a deux temps.
  chanter : présent
  avoir chanté : passé

- Le **participe** a trois temps.
  chantant : présent
  chanté : passé
  ayant chanté : passé composé

- Le **gérondif** a deux temps.
  en chantant : présent
  en ayant chanté : passé

> **❓ QUI L'EÛT *cru***
>
> L'infinitif présent permet d'alléger les phrases. Les personnes les moins prolixes diront ou écriront donc : « J'espère venir demain » quand de plus expansives diront : « J'espère pouvoir venir demain », « J'espère que je viendrai demain », « J'espère que je pourrai venir demain », etc. Les intarissables bavards atteints de logorrhée aiguë occuperont encore plus de place ou de temps en étalant leurs propos : « J'espère bien, oui, je l'espère, que l'opportunité me sera donnée de pouvoir venir. »

VALEURS

- L'infinitif a la même valeur qu'un **nom** et peut en occuper toutes les fonctions.
  Chanter le rend heureux. (*chanter* est sujet de *rend*)

- Le participe a le plus souvent la valeur d'un **adjectif** et peut être employé comme épithète*. Les adjectifs verbaux sont d'ailleurs issus des participes [voir p 55] Mais si le participe passé s'accorde comme l'adjectif, le participe présent est, lui, invariable.
  *C'est un homme **aimé** qui chante sous la pluie.* (*aimé* est épithète de *homme*)
  *Il chante avec une voix **resplendissant** de bonheur.* (*resplendissant de bonheur* est épithète de *voix* ; on dit aussi qu'il est complément de *voix*)
  Le participe passé sert également à former les temps composés*.
  *Il a **chanté** et **dansé** sous la pluie.*

- Le gérondif a la valeur d'un **adverbe.** Il s'emploie comme complément circonstanciel*.
  *Il danse sous la pluie **en chantant**.* (*en chantant* est complément de manière de *danse*)

Pour savoir reconnaître un adjectif verbal d'un participe présent (et savoir donc s'il faut l'accorder ou non), il faut se rappeler que le participe est un verbe : il exprime une action et peut avoir les mêmes compléments qu'un verbe.

*une personne **chantant** son bonheur* (= qui est en train de chanter son bonheur → *chantant* est participe présent et reste invariable)
*une voix **chantante*** (= mélodieuse → *chantant* est adjectif et s'accorde)

SITÔT LU
sitôt su

Les temps du verbe

À l'intérieur de chaque mode, on classe les formes du verbe en différentes catégories que l'on appelle temps.

VALEURS

● Les **temps** servent par définition à situer les actions dont on parle les unes par rapport aux autres ou par rapport à un point de référence.

> *Le grand tournoi* **aura** *lieu demain.* (le futur indique que l'action se situe après le moment actuel, dans l'avenir)

Mais chaque temps peut avoir plusieurs valeurs. Par exemple, le présent peut exprimer aussi bien le passé, que le présent ou le futur. Pour plus de détails, voir *Toute la conjugaison,* p. 41 à 75.

> *À cette époque, l'Angleterre* **connaît** *de graves troubles.* (présent à valeur de passé)

❓ QUI L'EÛT *cru*

Il y a en quelque sorte, comme en histoire, les « Temps anciens » et les « Temps modernes ». Dans la première catégorie, on trouvera le passé composé, le plus-que-parfait, l'imparfait de l'indicatif... ; dans la seconde, le présent de l'indicatif, le conditionnel présent, le présent de l'impératif, le présent du subjonctif. Le présent de narration (ou « présent historique »), adopté afin d'accentuer le caractère dramatique d'un récit est un « imparfait dissimulé ».

● Les temps composés servent en plus à marquer que l'action est terminée, achevée, par opposition à une action qui est en train de se dérouler et qui est exprimée par un temps simple. On les appelle les **temps de l'accompli**.

> *Merlin se* **transforme** *en microbe.* (= est en train de se transformer → présent)
> *Merlin s'***est transformé** *en microbe.* (= il a fini de se transformer → passé composé)

TEMPS SIMPLES ET TEMPS COMPOSÉS

● Les **temps simples** sont les temps d'un mode pour lesquels les formes du verbe se construisent à partir du radical* auquel on ajoute les désinences*.

> *il se transform-e, il se transform-ait – nous voul-ons, ils veul-ent*

● Les **temps composés** sont les temps d'un mode pour lesquels les formes du verbe se « composent » de l'auxiliaire *être* ou *avoir* et du participe passé du verbe.

> *il s'est transformé, il s'était transformé – nous avons voulu, ils ont voulu*

SITÔT LU
sitôt su

Pour retrouver les temps composés d'un mode, il suffit de connaître les temps simples : en effet, chaque temps composé se forme avec l'auxiliaire conjugué au temps simple correspondant et le participe passé (PP).

> futur de l'indicatif → auxiliaire au futur + PP = futur antérieur de l'indicatif
> *je mangerai* → *j'aurai mangé*
> présent de l'impératif → auxiliaire au présent + PP = passé de l'impératif
> *mange* → *aie mangé*

La concordance des temps

Le temps employé est parfois soumis à la concordance des temps.

RAPPELS

• Le plus souvent, le temps d'un verbe dépend du sens (action au présent, au futur ou au passé).

*Je sais qu'il **est** là, qu'il **était** là, qu'il **sera** là.*

• Mais dans certaines propositions subordonnées*, le temps dépend de celui du verbe de la principale : c'est ce qu'on appelle la **concordance des temps**.

> **❓ QUI L'EÛT *cru***
>
> Il faut bannir le subjonctif après l'emploi de la locution *après que*. Celle-ci doit être suivie de l'indicatif (passé composé, passé antérieur) ou du conditionnel passé, parce que l'action qui suit *après que* marque l'antériorité... certaine : « Fantômas revint dans son repaire après que le commissaire Jouve eut tourné les talons »

LES RÈGLES DE CONCORDANCE DES TEMPS

• Le cas se présente dans les subordonnées de **condition** introduites par *si*.

PRINCIPALE	SUBORDONNÉE	EXEMPLE
Futur de l'indicatif	Présent de l'indicatif	*S'ils **rentrent** tout nus chez eux, ils se <u>feront</u> gronder.*
Présent du conditionnel	Imparfait de l'indicatif	*Si nous **étions** plus nombreux, ils <u>recevraient</u> une bonne raclée.*
Conditionnel passé	Plus-que-parfait de l'indicatif	*Si vous **aviez fait** attention, ils ne nous <u>auraient</u> pas <u>attrapés</u>.*

• C'est également le cas pour les subordonnées au **subjonctif**.

PRINCIPALE	SUBORDONNÉE	EXEMPLE
Présent de l'indicatif ou du conditionnel	Présent ou passé du subjonctif	*Il <u>faut</u> (<u>faudrait</u>) que nous **arrachions** tous les boutons.*
Imparfait de l'indicatif ou conditionnel passé	Imparfait ou plus-que-parfait du subjonctif	*Il <u>fallait</u> (<u>aurait fallu</u>) que Petit Gibus **arrivât** plus tôt.*

L'imparfait et le plus-que-parfait du subjonctif appartiennent au registre* soutenu. On emploie plus généralement le présent ou le passé même lorsque la principale est à un temps du passé, surtout si les formes prêtent à sourire.

Il <u>aurait fallu</u> que nous voyions le directeur. (plutôt que *nous le vissions*)

Rappelez-vous que les *si* ne sont pas suivis de *ré*, c'est-à-dire qu'une proposition subordonnée de condition introduite par *si* n'est jamais au conditionnel (n'a jamais une forme en -rait, -rais).

*Si j'**avais su**, je ne serais pas venu.* (et non ~~si j'aurais su~~)

SITÔT LU

sitôt su

Les verbes défectifs

Il existe des verbes qui ont une conjugaison incomplète : les formes de certains temps ou de certaines personnes n'existent pas ou ne sont pas employées. On les appelle les verbes défectifs.

EN TEMPS

● Les verbes qui ne s'emploient pas à tous les temps sont principalement des verbes du **3e groupe**.

> *Clore* ne s'emploie pas à l'imparfait, au passé simple ni à l'imparfait du subjonctif.
> *Braire* ne s'emploie pas au passé simple ni à l'imparfait du subjonctif.
> *Paître* n'est employé ni aux temps composés, ni au passé simple, ni à l'imparfait du subjonctif.

● Parmi ces verbes défectifs, on trouve des verbes qui appartiennent à l'usage littéraire, peu employés dans la langue courante.

> Ainsi *ardre* qui signifie « brûler » ne s'emploie guère qu'à l'imparfait : *le soleil ardait de tous ses rayons.*

❓ QUI L'EÛT *cru*

Faut-il, à l'imitation de Marcel Proust, partir à la recherche « du temps perdu », ou, plutôt, des temps perdus ? Car les verbes dits *défectifs* n'ont pas, ou n'ont plus, de conjugaison complète. Certains temps leur font défaut...

L'emploi des formes conjuguées de certains temps ou de certaines personnes est devenu si rare, voire inusité, qu'on en est venu à considérer que ces formes sont fautives... ce qui est excessif.

Ainsi, on a laissé... tomber la conjugaison de *choir* à l'imparfait de l'indicatif, à l'imparfait du subjonctif (à part *qu'il chût*), et l'on hésite à dire *vous choirez* (et, encore plus, *vous cherrez*) ou *nous choirions* (*nous cherrions !*), etc.

● D'autres verbes, qui au contraire appartiennent à la langue très familière, populaire, ne sont généralement pas conjugués aux temps qui sont propres à l'usage littéraire.

> Ainsi, *foutre* est rarement employé au passé simple ou à l'imparfait du subjonctif.

EN PERSONNES

Certains verbes ne s'emploient qu'aux modes impersonnels et à la 3e personne du singulier. Ce sont les verbes impersonnels [voir p. 119].

> *pleuvoir, venter, falloir...*

SITÔT LU
sitôt su

Certains temps marchent par paires : ainsi, si un verbe n'existe pas au futur, on ne le trouve pas au conditionnel présent. De même, s'il n'existe pas au passé simple, on ne le trouve pas à l'imparfait du subjonctif. Si un verbe n'est pas employé à un temps composé, il n'existe pas aux autres temps composés non plus.

Les verbes selon leur sens

Selon leur sens, on distingue les verbes d'état (que l'on appelle aussi parfois verbes attributifs ou copules) et les verbes d'action.

LES VERBES D'ÉTAT

● Les **verbes d'état** expriment une manière d'être ou un changement d'état. Il s'agit des verbes *être, paraître, demeurer, sembler, rester, devenir...*

La mer **semble** infinie.

● Les verbes d'état n'ont jamais de complément d'objet*, mais ils assurent le lien entre le sujet et son attribut*.

Sous la pluie, les reflets de la mer **sont** différents.

LES VERBES D'ACTION

● Les **verbes d'action** (ce sont les plus nombreux) expriment une action, qu'elle soit faite ou subie par le sujet.

La mer **berce** les golfes clairs. Elle **ressemble** à une bergère d'azur.

● Les verbes d'action peuvent se construire avec un complément d'objet ou se suffire à eux-mêmes [voir p. 118].

Nous **avons vu** la mer. (*la mer* est complément d'objet de *avons vu*)

La pluie **tombe** sur la mer. (*tombe* est employé sans complément d'objet)

VERBE D'ACTION OU VERBE D'ÉTAT ?

Selon son sens, un même verbe peut être employé comme verbe d'état ou verbe d'action.

La mer **restera** une grande danseuse. (*danseuse* est attribut → *rester* est verbe d'état)

Je **reste** là pour regarder la mer danser. (*rester* est sans attribut → il est verbe d'action)

Pour vérifier que l'on a bien affaire à un verbe d'état, on s'assure qu'en le remplaçant par *devenir* (qui est toujours verbe d'état), la phrase reste correcte.

La mer **restera** une grande danseuse. (on peut dire **deviendra** une grande danseuse → *rester* est ici verbe d'état)

Je **reste** là à regarder la mer. (on ne peut pas dire ~~je deviens là~~ → *rester* n'est pas verbe d'état ici)

SITÔT LU

sitôt su

Les constructions du verbe

Il est important de savoir reconnaître la construction d'un verbe.

DÉFINITIONS

● Les **verbes transitifs** peuvent s'employer avec un complément d'objet*.

> **Rattrapera**-t-il *le bonheur* ?

Quand ce complément se construit sans préposition, on parle de **verbe transitif direct**. S'il est introduit par une préposition indissociable du verbe, on parle de **verbe transitif indirect**.

> *Nous **poursuivions** le bonheur dans le pré.*
> (verbe transitif direct)
> *Le bonheur **dépendrait**-il de la vitesse ?*
> (verbe transitif indirect)

Un verbe transitif peut s'employer sans objet. On parle alors d'**emploi absolu**.

QUI L'EÛT *cru*

Pleurer est souvent employé sans complément : « Je pleure », ou avec un complément circonstanciel de cause : « Pleurer... de rire » (ou de rage, mais il est bien mieux de pleurer de rire...). Il peut être construit avec un complément d'objet direct quelque peu pléonastique, tautologique. Ainsi, dans « pleurer toutes les larmes de son corps » ; comme « larmes » reprend l'idée de pleurer, on l'appelle dans ce cas un « complément d'objet interne » !

● Les **verbes intransitifs** ne sont jamais accompagnés d'un complément d'objet. Les seuls compléments qu'ils puissent recevoir sont des compléments circonstanciels*.

> *Nous **avons couru** derrière le bonheur, mais trop tard ! Il **est parti** ! (derrière le bonheur* est complément circonstanciel de *avons couru* ; *est parti* n'a pas de complément ; il n'est pas possible d'employer un complément d'objet avec ces deux verbes)

REMARQUES

● Selon le **sens** qu'il a, un même verbe peut être transitif ou intransitif.

> *courir dans les prés* (verbe intransitif), *ne courir aucun risque* (verbe transitif)

● Pour savoir si un verbe est transitif direct ou transitif indirect, il faut regarder sa construction avec **quelque chose** ou **quelqu'un** car, avec les pronoms personnels, les prépositions peuvent disparaître et, avec les infinitifs, elles peuvent apparaître !

> *Ils n'ont pas **cessé** de courir (cesser quelque chose* → verbe transitif direct)
> *Le bonheur nous **appartient** (appartenir **à** quelqu'un* → verbe transitif indirect)

SITÔT LU
sitôt su

Transitif absolu ou intransitif ? Quand un verbe n'a pas d'objet, il faut toujours se poser la question... Si le verbe peut recevoir un objet, il est transitif, sinon, il est intransitif.

> *Ne **renonce** pas, le bonheur **arrivera** bientôt. (on pourrait dire ne renonce pas à cela, ne renonce pas au bonheur ; renonce* est donc ici un verbe transitif en emploi absolu ; mais on ne peut ajouter aucun complément d'objet à *arrivera* : il s'agit donc d'un verbe intransitif)

La tournure impersonnelle

Certains verbes ne s'emploient qu'avec le pronom sujet *il*. On appelle cet emploi la **tournure impersonnelle**.

QUELS SUJETS ?

- En tournure impersonnelle, le verbe ou la locution* verbale a toujours pour sujet le pronom *il* qui ne désigne ni ne représente rien. On appelle ce pronom **sujet apparent** ou **sujet grammatical**.

  *Il **pleut** sur la ville.*

- Le **sujet réel** (que l'on appelle aussi sujet logique) peut suivre le verbe, mais il n'en commande pas l'accord.

  *Il **tombe** quelques gouttes de pluie par terre et sur les toits.*

> **❓ QUI L'EÛT *cru***
>
> « Il était une fois… » Cette tournure impersonnelle constitue le point de départ de nombreux contes pour enfants : « Il était une fois un bûcheron et une bûcheronne qui avaient sept enfants, tous garçons » (Perrault, *Le Petit Poucet*) ; « Il était une fois une petite fille que tout le monde aimait bien, surtout sa grand-mère » (Grimm, *Le Petit Chaperon rouge*). Les grands enfants ont aussi de modernes contes, les films : *Il était une fois l'Amérique* (Theodore Strauss), *Il était une fois dans l'Ouest* (Sergio Leone).

QUELS VERBES ?

- Certains verbes (*falloir* et les verbes qui expriment des phénomènes météorologiques comme *pleuvoir, neiger, venter,* etc.) ne s'emploient qu'en tournure impersonnelle. Ce sont toujours des **verbes impersonnels**.

- De nombreux verbes personnels peuvent s'employer également en tournure impersonnelle. Dans ce cas, le sujet réel est toujours exprimé.

  *Son ami lui **manque**.* (verbe personnel)
  *Il lui **manque** un ami.* (verbe impersonnel)

On trouve notamment :

➤ *avoir* dans la locution *il y a* ;

  *Il n'y **a** ni amour ni haine dans son cœur.*

➤ des **verbes d'état** tels que *être, devenir, paraître, rester, sembler* [voir p. 117] ;

  *Il **est** possible que le beau temps revienne.*
  *Il **paraît** que le beau temps va revenir.*

➤ des **verbes au passif***.

  *Il **est recommandé** de prendre son parapluie.*

On peut se rappeler que le verbe impersonnel ne s'accorde jamais avec le sujet réel en pensant à *il y a* : on ne dira ni n'écrira jamais ~~il y ont~~, ce qui prouve que le verbe reste à la 3ᵉ personne du singulier.

*Il **tombait** quelques gouttes de pluie.* (et non ~~il tombaient quelques gouttes de pluie~~)

SITÔT LU
sitôt su

119

Les voix

Le verbe peut prendre des formes différentes selon le rôle que tient son sujet dans l'action.

DÉFINITIONS

● Pour parler d'une action exprimée par un verbe, on peut dire qui fait l'action (l'« agent », celui qui agit) et qui la subit (l'« objet »).

> La Castafiore *interprétera* un air.
> L'air *sera interprété* par la Castafiore. (dans ces deux phrases, celle qui fait l'action, l'agent, c'est la Castafiore ; l'objet, c'est l'air)

● Lorsque le sujet du verbe désigne l'agent, le verbe est à la **voix active** (on dit aussi qu'il est « à l'actif »).

> La Castafiore *interprétera* un air.

● Mais si le sujet du verbe désigne l'objet, le verbe est à la **voix passive** (on dit aussi qu'il est « au passif ») [voir p. 209].

> L'air *sera interprété* par la Castafiore.

CARACTÉRISTIQUES

● Par définition, seuls les verbes qui s'emploient avec un objet peuvent se mettre au passif. Ces verbes sont les **verbes transitifs directs** [voir p. 118].

> La diva pourrit la vie du Capitaine. → La vie du Capitaine est pourrie par la diva.
> La diva déplaît au Capitaine. (*déplaire à* n'est pas transitif direct → on ne peut pas mettre la phrase au passif)

● La voix passive se forme avec le participe passé du verbe que l'on fait précéder de l'**auxiliaire être**. C'est l'auxiliaire *être* qui prend les marques de temps, de mode, de nombre et de personne. Pour plus de détails, voir *Toute la conjugaison*, p. 17.

> L'air *est chanté* par la Castafiore. (présent)
> Les airs *seront chantés* par la Castafiore. (futur)

SITÔT LU
sitôt su

Pour savoir à quel temps est conjugué un verbe à la voix passive, il suffit de regarder à quel temps est conjugué l'auxiliaire *être* !

> L'air *est chanté* par la Castafiore. (*être* est au présent → *chanter* est au présent passif)
> Le nom du capitaine *aura été* de tout temps *massacré* par la diva. (*aura été* est au futur antérieur → *massacrer* est au futur antérieur passif)

Les verbes pronominaux

Les verbes pronominaux se conjuguent avec un pronom réfléchi. Ils ont des points communs, mais peuvent présenter des valeurs différentes.

POINTS COMMUNS

● Les verbes pronominaux se conjuguent avec un pronom complément (*me*, *te*, *se*, *nous*, *vous*) qui désigne le même être ou la même chose que le sujet [voir p. 70].

>*je me* rappelle, *tu te* rappelles...
>rappelle-*toi*, rappelez-*vous*...

● Aux temps composés, les verbes pronominaux sont toujours conjugués avec l'auxiliaire *être* qui se place entre le pronom réfléchi et le participe passé.

>Ils *se* *sont* connus à Brest.

Contrairement à ce qui se passe pour les verbes non pronominaux conjugués avec être, le participe passé des pronominaux ne s'accorde pas toujours avec le sujet [voir *Toute l'orthographe*, p. 141-142].

>Ils sont parti**s** de Brest et je ne sais pas s'ils se sont téléphoné depuis.
verbe non pronominal   verbe pronominal

LES CATÉGORIES

Selon le sens du verbe pronominal, et notamment la valeur du pronom réfléchi, on distingue quatre catégories :

➤ les verbes **essentiellement** pronominaux [voir p. 122] ;

>Elle *se souvenait* de ce jour de pluie. (*souvenir* s'emploie toujours avec *se*)

➤ les verbes pronominaux **à sens passif** [voir p. 123] ;

>Ce sont des souvenirs qui ne *s'oublieront* jamais. (ne seront jamais oubliés)

➤ les verbes pronominaux **réfléchis** [voir p. 124] ;

>Barbara *s'est jetée* dans les bras de l'homme. (elle a jeté « elle-même »)

➤ les verbes pronominaux **réciproques** [voir p. 125].

>Combien de temps *se sont*-ils *aimés* ? (se sont-ils aimés réciproquement)

Pas d'hésitation à avoir pour employer le bon pronom avec un verbe pronominal : il est toujours de la même personne et du même nombre que le sujet (même si le sujet n'est pas exprimé).

>La pluie sur Brest nous permet de *nous souvenir* de ce jour. (permet que nous nous souvenions de ce jour ; on ne doit donc pas écrire nous permet de se souvenir)

SITÔT LU

sitôt su

Les verbes essentiellement pronominaux

Parmi les verbes pronominaux, on distingue ceux que l'on appelle les verbes essentiellement pronominaux.

DÉFINITION

● On appelle **verbe essentiellement pronominal** un verbe qui ne s'emploie qu'à la voix pronominale [voir p. 120].

> Agamemnon **s'est emparé** de la compagne d'Achille. (*emparer* ne s'emploie jamais sans le pronom réfléchi)

● Certains verbes ont un sens très différent selon qu'ils sont à la voix pronominale ou non. On considère alors que le verbe employé avec le pronom réfléchi est un verbe essentiellement pronominal.

> Achille **est passé** devant les remparts de Troie. (a marché, s'est déplacé)
> Le combat **s'est passé** pendant la guerre de Troie. (a eu lieu, s'est déroulé)

CARACTÉRISTIQUES

● Le pronom **fait partie intégrante** du verbe. Il ne représente rien ni personne et n'a pas de fonction dans la phrase, contrairement à ce qui se passe pour les pronominaux réfléchis ou réciproques.

> Les Troyens **s'enfuient** devant les Grecs. (fuient ; *se* n'a pas de fonction)
> Si Achille **se blesse** au talon, il peut en mourir. (s'il blesse « lui-même » au talon ; *se* a une fonction)

● Le participe passé de ces verbes **s'accorde** en genre et en nombre avec le **sujet**.

> Les Troyens se sont enfui**s** devant les Grecs. (masculin pluriel)
> La colère s'est empar**ée** d'Achille. (féminin singulier)

! SITÔT LU *sitôt su*

On peut vérifier que l'on a affaire à un verbe essentiellement pronominal en s'assurant qu'on peut le remplacer par un verbe synonyme qui s'emploie sans pronom réfléchi.

> Achille **s'est aperçu** de son erreur. (Achille a compris son erreur → ici, *s'apercevoir* est essentiellement pronominal)
> Ils **se sont aperçus** durant le combat. (on ne peut remplacer *s'apercevoir* sans utiliser un pronom réfléchi : *ils se sont vus* → ici, *s'apercevoir* n'est pas essentiellement pronominal ; il est réciproque)

Les verbes pronominaux à sens passif

Parmi les verbes pronominaux, on distingue ceux que l'on appelle les pronominaux à sens passif.

DÉFINITION

Un verbe qui s'emploie avec le pronom réfléchi et dont le sujet n'est pas celui qui fait l'action a un sens équivalent à un passif [voir p. 120]. Dans ce cas, on dit qu'il s'agit d'un **verbe pronominal à sens passif**.

> Son pain est délicieux ; il *se vend* très bien. (ce n'est pas le pain qui vend)

CARACTÉRISTIQUES

● Le pronominal à sens passif s'emploie le plus souvent **sans complément d'agent**. Avec le verbe à la voix active*, l'agent serait exprimé par le pronom sujet *on*.
> Comment l'attitude de la boulangère *se justifie*-t-elle ? (on peut dire : *comment justifie-t-on l'attitude de la boulangère ?*)

● Le pronominal à sens passif peut s'employer en **tournure impersonnelle***.
> *Il* ne *se vend* plus aucun pain dans le village.

● Contrairement à ce qui se passe pour les pronominaux réfléchis ou réciproques, le pronom réfléchi ne représente rien ni personne. Il n'a pas de fonction dans la phrase.
> *Amélie et le berger se comprennent*. (l'un comprend l'autre ; verbe réciproque → ici, *se* est complément)
> *Le dépit du boulanger se comprend*. (le dépit du boulanger est compréhensible ; *se* n'a pas de fonction)

● Le participe passé de ces verbes **s'accorde** en genre et en nombre avec le **sujet**.
> *Les pains du boulanger se sont toujours bien vendus*. (masculin pluriel)

❓ QUI L'EÛT *cru*

« Des feux de voiture s'allumèrent, au loin » ; « Ses livres se sont très bien vendus dans les différents Salons de province » : les feux ne se sont pas allumés tout seuls, peut-on penser, et les livres ne faisaient pas eux-mêmes l'action littérale de se vendre, même si l'on pourrait dire que leur qualité incitait à ce qu'on les achetât. Il s'agit donc dans les deux cas de verbes pronominaux dont les sujets subissent l'action mais ne l'accomplissent pas : des *pronominaux à sens passif...*

Pour s'assurer que l'on a bien affaire à un pronominal à sens passif, on vérifie que le sujet du verbe n'est pas celui ou ce qui fait l'action.
> *La disparition d'Amélie ne s'expliquait pas*. (ce n'est pas la disparition qui peut expliquer quelque chose → *s'expliquer* est ici pronominal à sens passif)
> *Le boulanger ne s'explique pas la disparition d'Amélie*. (c'est le boulanger qui explique « à lui-même » → *s'expliquer* n'est pas ici pronominal à sens passif)

SITÔT LU
sitôt su

Les verbes pronominaux réfléchis

Parmi les verbes pronominaux, on distingue ceux que l'on appelle les pronominaux réfléchis.

DÉFINITION

Un verbe **pronominal réfléchi** exprime une action exercée par le sujet sur lui-même.

> C'est en allant **se désaltérer** que Narcisse **s'est vu** dans le reflet de l'eau. (Narcisse désaltère Narcisse ; Narcisse voit Narcisse)

On reconnaît un pronominal réfléchi au fait que l'on peut renforcer le pronom par **moi-même, lui-même**…

> Il **s'est vu** lui-même dans le reflet de l'eau.

QUI L'EÛT CRU

« Après mûres… réflexions, l'homme s'avisa que non seulement une surface métallique polie, mais aussi une plaque de verre ou de cristal étamée pouvaient… réfléchir l'image des personnes et des choses. »
Comme le miroir renvoie sa propre vision à celui qui s'y regarde, le pronominal réfléchi renvoie sur le sujet l'action du verbe, une action exercée sur lui-même : « Il est tellement ennuyeux qu'il s'endort lui-même quand il parle ! »

CARACTÉRISTIQUES

● Le pronom d'un verbe réfléchi a **une fonction** par rapport au verbe : il est toujours complément d'objet*. Selon les cas, il peut être :

➤ complément d'objet direct (**COD**). Il équivaut alors à un complément construit sans préposition ;

> Pour plaire à Narcisse, les nymphes **se** parfument.
> Les nymphes **se** plaignent du dédain de Narcisse.

➤ complément d'objet indirect (**COI**). Il équivaut alors à un complément construit avec une préposition.

> Pour plaire à Narcisse, les nymphes **se** parfument le corps.
> Il **s'est** souri en voyant son reflet dans l'eau.

● Le participe passé d'un pronominal réfléchi ne s'accorde avec le pronom (donc avec le sujet) que si le **pronom est COD**. Pour plus de détails, voir *Toute l'orthographe*, p. 142.

> Les nymphes **se** sont <u>plaintes</u>. Elles **se** sont <u>demandé</u> pourquoi il les dédaignait.

SITÔT LU
sitôt su

Pour retrouver la fonction du pronom réfléchi, il faut le « traduire », c'est-à-dire le remplacer par un pronom tel que *moi, lui, nous*… que l'on place après le verbe. S'il y a une préposition, le pronom est COI ; s'il n'y en a pas, il est COD.

> Elles **se** parfument le corps. (« elles parfument le corps à elles » → *se* est COI)
> Elles **se** parfument. (« elles parfument elles » → *se* est COD)

Les verbes pronominaux réciproques

Parmi les verbes pronominaux, on distingue ceux que l'on appelle les pronominaux réciproques.

DÉFINITION

Un verbe **pronominal réciproque** exprime une action exercée sur chacun des membres du sujet.

> *Juliette et Roméo **s'aiment**.* (Roméo aime Juliette et Juliette aime Roméo)

On reconnaît un pronominal réciproque au fait qu'on peut renforcer le pronom par *l'un l'autre* (ou *les uns les autres*).

> *Juliette et Roméo **s'aiment** l'un l'autre.*

❓ QUI L'EÛT *cru*

Certains verbes peuvent prêter à confusion si le contexte n'éclaire pas sur les intentions de l'auteur du texte... S'agit-il de pronominaux réfléchis ironiques et sarcastiques ou bien de pronominaux réciproques anodins, quand on écrit : « Ces députés s'aiment bien ! » ? Donne-t-on à entendre que chacun d'entre eux est un narcisse imbu de lui-même, ou bien veut-on signifier qu'au-delà d'éventuels clivages politiques ils se portent de l'estime les uns aux autres ?

CARACTÉRISTIQUES

● Puisqu'il y a réciprocité, le verbe a un sujet au **pluriel** (ou au singulier à valeur de pluriel).

> ***Les deux frères** se ressemblent. – **Qui** se ressemble s'assemble.*

● Le pronom d'un verbe réciproque a **une fonction** par rapport au verbe : il est toujours complément d'objet*. Selon les cas, il peut être :

➤ complément d'objet direct (**COD**). Il équivaut alors à un complément construit sans préposition ;

> *Dès qu'ils **se** retrouveront, les deux amoureux **s'**embrasseront.*

➤ complément d'objet indirect (**COI**). Il équivaut alors à un complément construit avec une préposition.

> *Ils tiennent l'un à l'autre et ne **se** nuiront jamais. – Ils **s'**écrivaient toujours de longues lettres.*

● Le participe passé d'un pronominal réciproque ne s'accorde avec le pronom (donc avec le sujet) que si **le pronom est COD** [voir *Toute l'orthographe*, p. 142].

> *Ils se sont **souri** puis ils **se** sont **embrassés**.*
> *Roméo et Juliette ont connu de nombreux problèmes qui se sont **succédé** sans arrêt.*

Pour retrouver la fonction du pronom réfléchi, on le renforce par *l'un l'autre* que l'on place après le verbe. S'il y a une préposition devant *l'autre*, le pronom est COI, s'il n'y en a pas, il est COD.

> *Ils s'écrivent. (ils s'écrivent **l'un à l'autre** → s' est COI)*
> *Ils s'embrassent. (ils s'embrassent **l'un l'autre** → s' est COD)*

SITÔT LU

sitôt su

125

L'adverbe : généralités

La classe des adverbes regroupe des mots assez différents (*ne, vite, hier, cependant, fièrement...*), mais ces mots partagent un certain nombre de points communs entre eux.

FORME ET RÔLE

● L'adverbe est un mot **invariable** : il s'écrit toujours de la même façon.

> Les coyotes courent **vite**, mais Bip Bip court **plus vite** qu'eux.

● Certaines expressions ont le même rôle qu'un adverbe : on les appelle *locutions adverbiales* [voir p. 133].

> Bip Bip file **à toute allure**. (file vite)

● L'adverbe se rapporte à un verbe, à un adjectif, à un autre adverbe ou même à une phrase entière [voir p. 127].

> ***Évidemment***, les inventions **toujours plus** élaborées de Vil Coyote **ne** lui permettront **jamais** de capturer Bip Bip. (*évidemment* porte sur toute la phrase ; *toujours* sur l'adverbe *plus* ; *plus* sur l'adjectif *élaborées* ; *ne* et *jamais* sur le verbe *permettront*)

QUI L'EÛT *cru*

À un même verbe, on peut associer différents adverbes... Soit le verbe *manger* : on peut manger *tranquillement* (adverbe de manière), peut-être *salement* (toujours adverbe de manière – en l'occurrence, de « mauvaises manières » !) –, tout en mangeant *énormément* (adverbe de quantité). Au contraire, un végétarien ne mangera *pas* (adverbe de négation) ou *pas bien* (association de deux adverbes) si l'on ne lui offre que des tripes et du cassoulet !

CATÉGORIES

Selon le sens qu'ils ont et le rôle qu'ils jouent dans la phrase, on distingue généralement plusieurs catégories :

ADVERBES DE...	EXEMPLES	
circonstance	*vite, lentement, hier...*	voir p. 128
quantité	*beaucoup, très, moins...*	voir p. 129
opinion	*oui, peut-être, volontiers...*	voir p. 130
liaison	*cependant, pourtant, puis...*	voir p. 131
négation	*ne, pas, jamais...*	voir p. 132

Un même adverbe peut appartenir à plusieurs catégories.

> Il s'était pourtant **bien** caché. (circonstance) – Le voilà **bien** puni. (quantité)

SITÔT LU
sitôt su

Pour distinguer la fonction de l'adjectif de celle de l'adverbe, on se rappellera que *adverbe* signifie « qui se joint au verbe ».

Fonctions de l'adverbe

L'adverbe est généralement complément d'un verbe, d'un adjectif ou d'un autre adverbe, mais il peut avoir d'autres fonctions.

CAS GÉNÉRAL

● Un adverbe est **complément** d'un adjectif, d'un participe ou d'un autre adverbe quand il en modifie le sens.

> *En hiver, il fait **très** froid.*
> *Charles aime **bien** mieux l'été.*

● Lorsqu'il modifie le sens d'un verbe, l'adverbe est le plus souvent **complément circonstanciel*** de lieu, de temps, de manière...

> *L'été arrivera **prochainement**.*

● Dans certains cas, l'adverbe ne se rapporte pas à un mot particulier de la phrase. Il porte sur tout le sens de l'énoncé. On dit alors qu'il est **adverbe de phrase**.

> *Je préfère **franchement** l'été à l'hiver. **Oui,** l'hiver n'est qu'une vilaine saison.*

● L'adverbe peut lui-même avoir un complément introduit par une préposition.

> *Charles aimerait que l'hiver se tienne **loin** de nous.* (*de nous* est complément de *loin*)

CAS PARTICULIERS

● Les adverbes de quantité peuvent perdre leur valeur d'adverbe et être employés comme **déterminants** ou comme **pronoms** indéfinis [voir p. 129].

> *L'hiver apporte **trop** de neige et de pluie.* (*trop de* est l'équivalent d'un déterminant)
> ***Beaucoup** aimeraient le savoir en exil.* (*beaucoup* est l'équivalent d'un pronom)

● Quelques adverbes tels que *bien, ensemble, loin, debout*... peuvent avoir la valeur d'adjectifs et être employés comme attributs ou épithètes [voir p. 134].

> *Heureusement, l'hiver est encore **loin** !*

Quand deux adverbes se suivent et qu'ils sont dans un rapport de dépendance, on peut se demander lequel est complément de l'autre. Mais il n'y a pas d'hésitation à avoir : le premier adverbe est toujours complément du second.

> *Espérons que l'été arrivera **bien vite**.* (*bien* modifie le sens de *vite*, il en est le complément)

SITÔT LU
sitôt su

Adverbes de circonstance

On appelle adverbes de circonstance les adverbes qui jouent le même rôle qu'un complément circonstanciel*.

VALEURS

● Les adverbes de circonstance donnent le plus souvent des informations de **lieu**, de **temps** ou de **manière**.

> *Il est allé siffler **là-haut** sur la colline pour attendre **patiemment** la bergère. Il l'a attendue **longtemps**, mais elle n'est **jamais** venue !*

● Les adverbes de **temps** et de **lieu** sont en nombre relativement restreint.

> lieu : *ici, là, dessus, partout...*
> temps : *hier, demain, désormais...*

● Les adverbes de manière sont, eux, beaucoup plus nombreux : il faut en effet ajouter aux adverbes simples tels que *vite, bien, mal, ensemble...* les adverbes en *-ment* **dérivés* d'adjectifs**.

> *calmement, doucement, heureusement, facilement, prudemment...*

LES ADVERBES INTERROGATIFS

● *Où, quand, pourquoi* et *comment* sont des adverbes de circonstance qui permettent de poser une question sur le lieu, le temps, la cause ou la manière. On les appelle les **adverbes interrogatifs.**

> ***Pourquoi*** *est-il allé là-haut sur la colline ?* (parce qu'il voulait siffler)

● Tout comme les autres adverbes de circonstance, l'adverbe interrogatif est complément circonstanciel du verbe de la proposition qu'il introduit.

> ***Quand*** *va-t-elle arriver ?*

SITÔT LU

sitôt su

Pour s'assurer que *quand* est bien adverbe de temps et non conjonction* de subordination, on vérifie qu'il est complément circonstanciel du verbe et qu'il peut être remplacé par *à quel moment*.

> *Il ne sait pas **quand** elle arrivera.* (il ne sait pas à quel moment elle arrivera → *quand* est adverbe, complément de *arrivera*)
> *Quand elle arrivera, il sifflera encore plus fort.* (on ne peut pas dire ~~À quel moment elle arrivera, il sifflera...~~ → *quand* est conjonction)

Adverbes de quantité

Les adverbes de quantité complètent le sens du mot auquel ils se rapportent en donnant une information sur la quantité ou l'intensité.

VALEUR ADVERBIALE

● Des adverbes tels que *beaucoup, trop, tout*, etc. sont **compléments** d'un verbe, d'un adjectif ou d'un adverbe.

Gargantua <u>mange</u> **beaucoup**. *Il est* **très** <u>gourmand</u>. *Il souhaiterait se mettre* **plus** <u>souvent</u> *à table.*

● On utilise spécialement *plus, moins, aussi, autant* et *très* pour former les **comparatif** et **superlatif** de l'adjectif et de l'adverbe [voir p. 221].

Gargantua est-il **plus** <u>grand</u> *ou* **moins** <u>grand</u> *que son père ?* (comparatif)
C'est **le plus** <u>gourmand</u> *de toute la famille.* (superlatif)

● On emploie **comme** et **que** pour marquer l'intensité dans l'exclamation ; on emploie **combien** et **que** pour poser une question sur la quantité dans l'interrogation.

Comme *il est gourmand !* – **Combien** *coûtent ces deux gigots ?*

AUTRES VALEURS

● Plusieurs de ces adverbes peuvent être suivis d'un nom sans déterminant introduit par *de*. En toute rigueur, l'adverbe devrait être analysé comme étant le noyau* du groupe et le nom comme étant son complément. Mais le groupe « adverbe + *de* » joue le même rôle qu'un **déterminant**. On considère donc que le nom est le noyau du groupe et que « adverbe + *de* » est une locution* déterminative qui détermine ce nom.

beaucoup	<u>de gigots</u>		beaucoup de	**gigots**
adverbe noyau	complément		déterminant	nom noyau

● On emploie de même ces adverbes comme **pronoms indéfinis**. Ils perdent leur valeur d'adverbe et peuvent s'employer comme sujets ou compléments d'objet.

Il y avait **tant** *à manger !*

> ### ❓ QUI L'EÛT *cru*
>
> *Bien* est, entre autres, un adverbe. Mais un adverbe « multicartes », peut-on dire ! Adverbe de quantité, d'intensité, il donne un degré : « Nous avons bien ri ! » (Nous avons beaucoup ri.) Mais il est aussi un adverbe de manière : « Ma fille travaille bien ! », ou bien un synonyme de *volontiers* : « J'écrirais bien... » (Si j'osais, je me lancerais volontiers dans la littérature.) Il ne faut pas confondre ce souhait avec l'affirmation « J'écrirai bien ! », qui est un engagement à calligraphier et à ne pas faire de fautes...

Pour différencier *tant*, pronom indéfini de *tant*, adverbe de quantité, on regarde si on peut le remplacer par un autre pronom tel que *cela, il, ils...*

Il y a **tant** *à manger !* (il y a cela à manger → *tant* est pronom)
Il aime **tant** *le gigot* (on ne peut pas dire ~~il aime cela le gigot~~ → *tant* est adverbe)

SITÔT LU
sitôt su

Adverbes d'opinion

Les adverbes d'opinion (*oui, non, peut-être, certainement...*) s'emploient pour donner un avis, un jugement sur ce que l'on dit.

VALEURS

● L'adverbe d'opinion permet d'apporter une nuance de **certitude** ou de **doute** à ce que l'on dit. Il est l'équivalent d'une phrase complète.

> Bérurier va **sûrement** arriver trop tard !
> (Bérurier va arriver trop tard, j'en suis sûr)
> San Antonio aura **sans doute** fait une nouvelle conquête. (je le suppose)

Ainsi, contrairement aux adverbes de circonstance ou aux adverbes de quantité, l'adverbe d'opinion porte sur la proposition entière et n'est complément d'aucun mot en particulier. Il n'a donc pas de fonction.

● On classe traditionnellement *oui, non* et *si* parmi les adverbes d'opinion. Ils sont l'équivalent d'une phrase complète et servent de réponse à une question [voir p. 193].

> « *Sa mère est-elle au courant de tout ? – Non.* » (elle n'est pas au courant de tout)

> **❓ QUI L'EÛT** *cru*
>
> Les adverbes d'opinion ne sont pas à prendre au pied de la lettre, c'est-à-dire avec leur sens littéral. Bien souvent, en politique notamment, mais pas exclusivement, un *oui* signifie « peut-être », et un *peut-être* équivaut à un « non ». Quant à *sans doute*, il aura parfois réellement l'acception de « sans le moindre doute », mais aussi, plus couramment, la valeur d'un « peut-être », sans plus !

CARACTÉRISTIQUES

● Comme il ne se rapporte à aucun terme en particulier, l'adverbe d'opinion a une position beaucoup plus **mobile** dans la phrase que la plupart des autres adverbes.

> **Franchement**, Béru dit n'importe quoi. (ou Béru dit n'importe quoi, **franchement**, ou Béru dit **franchement** n'importe quoi ; mais quand *franchement* est adverbe de circonstance et signifie « d'une manière franche », on ne peut que dire Bérurier dit **franchement** ce qu'il pense)

● Comme il est l'équivalent d'une proposition, l'adverbe d'opinion peut s'employer parfois **seul**, notamment en réponse à une question.

> « *San Antonio va-t-il se sortir de cette mauvaise passe ? –* **Certainement** *!* »

SITÔT LU
sitôt su

Si un adverbe en *-ment* est employé dans une phrase qui peut répondre à la question *Comment ?*, il est adverbe de manière et non adverbe d'opinion.

> San Antonio parle **parfaitement** au moins dix langues. (cette phrase répond bien à la question *Comment parle-t-il ces dix langues ?* → *parfaitement* est adverbe de manière ; cela n'est pas le cas dans une phrase comme : **Parfaitement**, San Antonio parle au moins dix langues !)

Adverbes de liaison

Les adverbes de liaison marquent un lien entre deux phrases ou deux membres de phrase.

VALEURS

• Dans une proposition, un adverbe de liaison établit un **lien logique** avec ce qui précède. Il peut s'agir d'un lien :

➤ d'**opposition** (*pourtant, cependant, néanmoins, toutefois...*) ;

> *Le roi avait interdit les fuseaux, **pourtant** la princesse en trouva un.*

➤ de **conséquence** (*ainsi, aussi...*).

> ***Ainsi**, elle se piqua le doigt.*

L'adverbe de liaison porte sur la proposition entière et n'est complément d'aucun mot en particulier. Il n'a donc pas de fonction.

• Certains adverbes de temps servent aussi à structurer un énoncé de façon logique. Ils sont alors proches des adverbes de liaison (*alors, d'abord, puis, enfin...*).

> *Elle tomba **alors** dans un profond sommeil.*

CARACTÉRISTIQUES

• Comme il ne se rapporte à aucun terme, l'adverbe de liaison a une position beaucoup plus **mobile** dans la phrase que la plupart des autres adverbes.

> *... la princesse, **pourtant**, en trouva un* (ou *la princesse en trouva un **pourtant***)

• Du point de vue du sens, les adverbes de liaison sont proches de certaines conjonctions de coordination [voir p. 141].

> *Le roi avait interdit les fuseaux, **mais** la princesse en trouva un.*

Ils s'en distinguent toutefois :

➤ parce qu'ils ont une mobilité que n'ont pas les conjonctions de coordination ;

> *On ne peut pas changer la place de mais. (~~la princesse, mais, en trouva un~~)*

➤ parce qu'ils peuvent se combiner à ces conjonctions, ce que ne peuvent pas faire les conjonctions entre elles.

> *... et **pourtant** la princesse en trouva un. (on ne peut pas dire ~~et mais elle en trouva un~~)*

Il faut distinguer les deux emplois de *aussi* : quand il est adverbe de quantité, il a le même sens que d'autres adverbes de la même catégorie, tels que *également, autant, tant*. Quand il est adverbe de liaison, il a le même sens que la conjonction de coordination *donc*.

> *Elle n'avait jamais **aussi** bien dormi. (= autant ; adverbe de quantité)*
> ***Aussi**, à son réveil, était-elle en forme. (= donc ; adverbe de liaison)*

SITÔT LU
sitôt su

Adverbes de négation

Les adverbes de négation s'emploient dans les phrases négatives.

QUELS ADVERBES ?

● Les adverbes de négation sont **ne** (**n'**), **pas**, **plus** et **nullement**. **Jamais** est à la fois adverbe de négation et adverbe de circonstance (temps) ; **non** est aussi adverbe d'opinion.

> *Jeannette **ne** veut **pas** d'un prince.*
> *Elle n'oubliera **jamais** son ami Pierre.*

On trouve également dans le registre* soutenu **guère** et **point**.

> *Les fils de baron **ne** lui plaisent **guère**.*

● *Rien, personne, aucun* et *nul* s'emploient avec *ne*. Mais ils ne sont pas adverbes : ils sont pronoms ou déterminants.

EMPLOIS

● *Ne* est le principal adverbe de négation ; on emploie les autres adverbes **toujours** en corrélation avec lui (on les appelle alors **auxiliaires de la négation**) pour modifier le sens du verbe dont ils sont compléments.

> *Jeannette **n'a nullement** l'intention d'épouser le fils d'un prince.* (et non ~~Jeannette a nullement l'intention~~)

● Les adverbes de négation peuvent s'employer sans *ne* dans une **réponse** lorsqu'il n'y a pas de verbe.

> *« Épouserait-elle alors le fils d'un baron ? – Certainement **pas** ! »*

● Lorsque la négation porte sur un autre mot que sur le verbe, on marque le plus souvent la négation à l'aide de **non**.

> *Coupable ou **non**, Pierre est celui qu'elle aime.*

QUI L'EÛT *cru*

Parfois – et même souvent – les journalistes ont l'obligation de rédiger des titres très courts. Il leur faut alors veiller particulièrement à éviter les ambiguïtés, les quiproquos, les amphibologies, les équivoques... Ainsi, que peut comprendre sur-le-champ un lecteur à la vision d'un titre comme « Plus d'accidents sur les routes » ? Qu'il y a plus de carambolages, plus de voitures qui ont fait des tonneaux, qu'on déplore plus de victimes ?... Ou bien, tout au contraire, que les campagnes de prévention ont porté leurs fruits et que, chacun ayant fait preuve de civisme et de bon sens, il n'y a plus eu du tout d'accident ?... Il n'y a pas, à l'écrit, la nuance de prononciation (« plusss » dans le premier cas, « plu » dans le second) qui, à l'oral, permet aux auditeurs de comprendre sans erreur possible le sens du propos.

SITÔT LU
sitôt su

On peut hésiter sur la place de la négation lorsque, à l'oral, on entend une suite de [n] due aux liaisons et élisions*. Le cas est fréquent quand le sujet est *on*. Dans ce cas, il faut remplacer *on* par un autre sujet et regarder où se place la négation.

> *On n'en a pas.* (on dirait : *tu n'en as pas* ; la négation se place donc devant *en* et non devant *a* ; il ne faudra donc pas écrire ~~on en n'a pas~~)

La locution adverbiale

De nombreuses expressions constituent une unité de sens et jouent le même rôle qu'un adverbe [voir p. 127]. On les appelle des locutions adverbiales.

CARACTÉRISTIQUES

● Le plus souvent, ces expressions s'emploient telles quelles, sans qu'il soit possible de les modifier.

Tout à coup n'est pas modifiable (on ne dira pas ~~tout à petit coup, tout à coup de colère~~...). C'est une locution adverbiale.

● Elles sont le plus souvent formées :
➤ d'une **préposition** (généralement *à*) suivie d'un nom avec ou sans déterminant, parfois d'un autre terme ;

à l'abandon, à part, sans arrêt, en revanche, après tout, de plus belle, en outre...
➤ de **deux termes** qui se répètent ou qui s'opposent ;

coûte que coûte, peu à peu, sens dessus dessous, tôt ou tard...
➤ d'un **adjectif au féminin** précédé de *à la*.

à l'anglaise, à la légère, à l'étouffée...
Certaines locutions sont **empruntées** à une langue étrangère, notamment au latin.

ex æquo, in extenso, vice versa...

> **❓ QUI L'EÛT *cru***
>
> *Par contre* est une locution adverbiale formée de deux prépositions, et c'est pourquoi elle a été durablement condamnée par des grammairiens et linguistes, dont certains prônent son remplacement systématique par *en revanche*. Attention, toutefois, à l'utilisation de cette dernière expression : elle peut aboutir à des phrases curieuses, burlesques ou choquantes : « Ma fille a eu un bras cassé dans cet accident ; en revanche, mon fils, lui, a eu les deux pieds arrachés » !

POUR QUELLES CATÉGORIES ?

On trouve des locutions adverbiales pour toutes les catégories d'adverbes [voir p. 126] :

CIRCONSTANCE	*nulle part* (lieu), *sans cesse* (temps), *petit à petit* (manière)
QUANTITÉ	*à peu près, tout à fait*
OPINION	*sans doute, en vérité, pour sûr*
LIAISON	*en effet, par conséquent, au contraire*
NÉGATION	*jamais de la vie*

La locution *plus tôt* s'écrit bien en deux mots et il ne faut pas la confondre avec l'adverbe *plutôt*. On vérifie qu'on a bien affaire à la locution en s'assurant qu'on peut la remplacer par *plus tard*.

*J'arriverai **plus tôt** que prévu.* (on peut dire *j'arriverai plus tard*)
*Cela me fait **plutôt** rire.* (on ne dira pas ~~cela me fait plus tard rire~~ → *plutôt* n'est pas la locution, mais l'adverbe)

SITÔT LU
sitôt su

Adjectifs et adverbes

L'adjectif et l'adverbe apportent tous deux un complément d'information et il existe souvent entre eux des relations de sens (*loin/lointain, mal/mauvais...*) : il arrive ainsi qu'ils échangent leur valeur.

L'ADVERBE EMPLOYÉ COMME UN ADJECTIF

● Certains adverbes s'emploient comme **attributs** ou **épithètes** d'un nom, fonctions normalement réservées à l'adjectif [voir p. 54].

> *Bugs Bunny court vite, <u>il</u> est **loin** maintenant.* (*loin*, adverbe, est attribut de *il*)
> *Elmer voulait une place assise, il dut se contenter d'une <u>place</u> **debout**.* (*debout*, adverbe, est épithète de *place*)

? QUI L'EÛT *cru*

Certains adjectifs entrant dans la formation de mots composés prennent la valeur d'un adverbe. Ainsi en est-il de *nouveau* dans *nouveau-né* ; si le premier terme était un adjectif, le mot composé serait un pléonasme : l'enfant serait « nouveau » et serait « né », ce qui semble être une évidence ! Non, *nouveau* prend l'acception de « nouvellement », de « récemment », d'où son invariabilité logique : des *nouveau-nés*, des *nouveau-nées*.

● L'adverbe est un mot **invariable** qui s'écrit toujours de la même manière [voir p. 126]. Il ne s'accorde donc jamais avec le nom auquel il se rapporte, même si ce nom est au féminin ou au pluriel.

> *Bugs Bunny se tient sur ses pattes **arrière**.*

L'ADJECTIF EMPLOYÉ COMME UN ADVERBE

● Certains adjectifs s'emploient pour modifier le sens d'un verbe. Cette fonction est normalement réservée aux adverbes. Dans ce cas, l'adjectif est **invariable**.

> *Il demanda tout **bas** : « Quoi de neuf, docteur ? »*
> *Ces carottes coûtent trop **cher** ! En plus, elles ne sentent pas **bon** !*

Cet emploi est possible s'il n'existe pas d'adverbe correspondant à l'adjectif.

● L'adjectif a également une valeur d'adverbe quand il se rapporte à un autre adjectif. Ce cas se présente dans quelques **locutions* figées** telles que *fou furieux, fou amoureux, frais éclos, ivre (raide) mort, grand (large) ouvert*.

> *Elmer n'a qu'une obsession : voir un jour Bugs Bunny **raide** <u>mort</u>.*

Dans ce cas, l'adjectif s'accorde, le plus souvent, de la même façon que l'adjectif.

> *Tous les chasseurs sont devenus **fous** <u>furieux</u> car ils n'ont jamais eu la peau du lapin.*

SITÔT LU
sitôt su

Pareil est adjectif, *pareillement* adverbe. Il faut donc utiliser chacun d'eux avec la valeur qui lui est propre.

> *Si Bugs Bunny s'engouffre dans sa tanière, Elmer fera **pareillement** pour le suivre.* (et non ~~Elmer fera pareil~~)

La préposition

La classe des prépositions regroupe un nombre restreint de mots qui partagent entre eux plusieurs points communs.

FORMES ET RÔLES

- La préposition est un mot **invariable** : elle s'écrit toujours de la même façon.

    *Zeus passe **outre** les colères **d'**Héra.*

Les prépositions *de* et *à* se **contractent** avec les articles *le* et *les* (*du, des, au, aux*), y compris lorsqu'ils sont en composition (*duquel, desquels...*).

- Certaines expressions ont le même rôle qu'une préposition : on les appelle **locutions prépositives** [voir p. 137].

    *Zeus est **loin d'**être irréprochable **vis-à-vis d'**Héra.*

- La préposition **introduit** le plus souvent un nom (ou un groupe* nominal), un pronom ou un infinitif.

    *Il n'a pas peur **d'**<u>Héra</u>... **de** <u>sa femme</u>... **d'**<u>elle</u>... **de** <u>se faire réprimander</u>.*

- La préposition ne dépend d'aucun terme dans la phrase : elle n'a donc pas de fonction grammaticale. Son rôle est de marquer le **lien de dépendance** qui existe entre le groupe de mots qu'elle introduit et le terme dont ce groupe est **complément**.

    *La <u>jalousie</u> **de** <u>sa femme</u> est <u>connue</u> **dans** <u>tout l'Olympe</u>.* (*de sa femme* est complément de *jalousie* ; *dans tout l'Olympe* est complément de *connue*)

VALEURS

Les prépositions apportent une information de sens plus ou moins précise.

*Zeus revient **de** la Terre.* (*de* marque ici la provenance)

Mais certaines prépositions (notamment *à* et *de*) peuvent se vider de leur sens ; leur emploi est alors davantage régi par l'usage ou la syntaxe que par le sens.

*Il vient **de** séduire une nouvelle nymphe.* (*de* fait ici partie de la locution verbale *venir de*)

Une seule lettre change et tout change : une préposition n'est pas une proposition ! La pr<u>é</u>position, c'est le mot qui est « posé près » de celui qu'il introduit. La pr<u>o</u>position, c'est une suite de mots qui « tient un pr<u>o</u>pos ».

SITÔT LU

sitôt su

La préposition sans complément

Si le contexte est suffisamment clair, notamment lorsque le nom a déjà été exprimé, la préposition peut s'employer sans le complément qu'elle introduit. Elle a alors une valeur d'adverbe. Mais cela n'est possible que pour certaines prépositions et dans certaines conditions.

QUELLES PRÉPOSITIONS ?

- Cet emploi est courant pour les prépositions *après*, *avant*, *depuis*, *derrière* et *devant*.

    Le renard est reparti honteux de ce dîner et la cigogne n'a l'a jamais revu **depuis**. (depuis ce dîner)

- Cet emploi est également possible pour les locutions* *autour de* et *auprès de* mais, dans ce cas, on supprime *de*.

    La cigogne installe la table et deux chaises **autour**. (autour de la table)

> **Q** *QUI L'EÛT* cru
>
> Une charrette ne précède pas les animaux qui la tirent : les bœufs sont devant. « Mettre la charrue devant les bœufs », c'est donc vraiment prendre une question, un problème, à rebours, très maladroitement. C'est vouloir finir avant d'avoir commencé...
>
> Ce qui est également maladroit, c'est de dire et écrire « mettre la charrue avant les bœufs » : les bêtes de trait sont juste *devant* la carriole, pas 50 mètres en avant !

- Il n'est pas possible d'utiliser *dans*, *hors*, *sur* et *sous* comme adverbe. On utilise alors les adverbes *dedans*, *dehors*, *dessus* et *dessous*.

    Le col du vase est trop étroit pour que le renard puisse manger **dedans**. (dans le vase)

- Pour les autres prépositions, notamment pour *avec*, *pour*, *sans*, *pendant*, cet emploi relève du registre* familier.

QUELLES CONDITIONS ?

- L'ellipse du complément n'est possible que s'il s'agit d'un **nom de chose**.

    Le renard n'a pas attendu la fin du repas, il est parti **avant**.

- Si le complément désigne un **nom d'être animé***, il ne peut être sous-entendu. La préposition doit introduire un pronom personnel représentant le nom.

    Le renard avait invité la cigogne. Il s'assit **auprès d'elle**. (et non ~~il s'assit auprès~~)

!

SITÔT LU

sitôt su

Pour se rappeler quels sont les adverbes qui correspondent à *dans*, *hors*, *sur* et *sous*, il suffit d'ajouter *de* à la préposition.

de + dans	→	dedans
de + hors	→	dehors
de + sous	→	dessous
de + sur	→	dessus

La locution prépositive

Certaines expressions constituent une unité de sens et jouent le même rôle qu'une préposition. On les appelle des locutions prépositives.

CARACTÉRISTIQUES

● Les locutions prépositives contiennent une **préposition** simple (très souvent *de*) qui en est généralement le dernier élément.

> *à cause **de**, afin **de**, en dépit **de**...*
> *grâce **à**, quitte **à**, d'**après**...*

● Les locutions prépositives sont **figées** : par exemple, on ne peut ajouter des adjectifs devant les noms.

> *Héra est en colère **à cause de** Zeus.* (on ne dira pas *à la grande cause de Zeus*)

FORMATION

● La plupart des locutions prépositives sont formées autour :

➤ d'un **nom**, avec ou sans déterminant ;
  avec déterminant : *à l'abri de, sous le coup de, au contraire de, au nom de...*
  sans déterminant : *face à, en guise de, en comparaison de, à part...*

➤ d'un **adverbe**.
  autour de, en dehors de, lors de, à moins de...

● On trouve plus rarement des locutions formées sur un **verbe** ou un **adjectif**.
  verbe : *en ce qui concerne, étant donné, mis à part...*
  adjectif : *quitte à, sauf à, au plus fort de...*

● D'autres, encore plus rares, ne sont formées qu'avec des **prépositions**.
  d'après, de par...

Pour vérifier qu'une construction « préposition + nom + préposition » est une locution prépositive et non un simple nom suivi de son complément, il faut s'assurer qu'on ne peut pas remplacer ce nom.

> *Zeus et Héra ont eu une longue discussion **au sujet de** la jalousie* (on pourrait dire *à ce sujet* → *au sujet de* n'est pas une locution prépositive)
> *On organisa un banquet **en l'honneur de** Zeus* (on pourrait dire *en son honneur* → *en l'honneur de* n'est pas une locution prépositive)
> *Zeus n'aurait pas aimé avoir Héra **en face de** lui* (on ne pourrait pas dire *avoir Héra en sa face* → *en face de* est une locution prépositive)

SITÔT LU
sitôt su

!

Les conjonctions de subordination

La classe des conjonctions de subordination regroupe un nombre restreint de mots qui partagent entre eux plusieurs points communs.

FORMES ET RÔLES

● Les conjonctions de subordination sont **que, comme, lorsque, puisque, quand, quoique** et **si**, auxquelles s'ajoutent les locutions conjonctives : *afin que, au cas où...* [voir p. 140]. Elles **introduisent** une proposition subordonnée conjonctive*.

> *On ne sait pas* **quand** Malbrough reviendra *ni même* **s'**il reviendra.

● La conjonction de subordination ne dépend d'aucun terme dans la phrase : elle n'a donc pas de fonction grammaticale. Son rôle est de marquer le **lien de dépendance** qui existe entre la proposition qu'elle introduit et le terme dont cette proposition dépend.

> *Le page osera-t-il annoncer* **que** Malbrough est mort *?* (*que Malbrough est mort* est complément de *annoncer*)

Ainsi, la conjonction de subordination se distingue du pronom relatif qui introduit, lui aussi, une proposition, tout en ayant une fonction dans la proposition [voir p. 98].

VALEURS

Excepté *que* et *si* (dans l'interrogative indirecte), les conjonctions de subordination apportent une nuance de sens :

comme	temps, comparaison, cause	**Comme** il n'est pas rentré, on s'inquiète.
lorsque	temps	**Lorsqu'**il reviendra, on fera une fête.
puisque	cause	**Puisque** le page arrive, je vais lui demander.
quand	temps, opposition (rare)	**Quand** il l'aurait voulu, il n'aurait pas pu rentrer.
quoique	opposition	**Quoiqu'**on soit déjà à Pâques, il n'est pas là.
si	condition, hypothèse	**S'**il n'était pas parti, il ne serait pas mort.

SITÔT LU
sitôt su

Pour ne pas confondre conjonction de subordination et conjonction* de coordination, il faut se rappeler que *subordination* veut dire « dépendance ». La conjonction de subordination est donc celle qui introduit une proposition subordonnée, qui dépend d'une proposition principale.

Que, conjonction

Que, en tant que conjonction* de subordination, connaît plusieurs emplois qu'il faut bien savoir distinguer.

CAS GÉNÉRAL

● Le plus souvent, *que* introduit une proposition subordonnée **complément d'objet*** du verbe de la principale [voir p. 151].

> *Geppetto pense qu'il a rêvé.*

● *Que* est également utilisé dans la plupart des **locutions conjonctives** qui introduisent les subordonnées circonstancielles [voir p. 140].

> *Pinocchio deviendra un véritable enfant **à condition qu'**il soit sage. Mais pour l'instant, son nez s'allonge **dès qu'**il ment.*

● En liaison avec *plus*, *moins* ou *aussi*, la conjonction *que* introduit la subordonnée **complément du comparatif** [voir p. 222].

> *Il a promis d'être plus sage **qu'**il ne l'a été jusqu'à aujourd'hui.*

Dans ce cas, *que* introduit souvent une proposition dont le verbe est sous-entendu.

> *Le renard n'est pas plus honnête **que** le chat.* (que le chat est honnête)

❓ QUI L'EÛT *cru*

Que est la conjonction de subordination « à tout faire », peut-on dire : non seulement c'est la conjonction la plus usuelle, la plus ordinaire, mais elle peut être substituée à une autre conjonction : « Comme la mer était "démontée" et qu'elle empêchait toute sortie de bateau, certains plaisantins déclarèrent qu'il fallait la "remonter" ! »

EMPLOIS PARTICULIERS

● *Que* peut introduire une **proposition sujet**, dont le verbe se met alors au subjonctif.

> ***Que** Pinocchio ait une nouvelle fois menti n'a pas étonné la Fée.*

● On emploie *que* pour **remplacer** une conjonction ou une locution conjonctive lorsque deux propositions sont coordonnées.

> *Quand tu ne mentiras plus et **que** ton nez ne s'allongera plus...* (et quand ton nez...)

● *Que* peut aussi introduire une proposition indépendante* au subjonctif pour exprimer **l'ordre** à la 3ᵉ personne.

> ***Que** ces deux voyous ne viennent plus voir Pinocchio !*

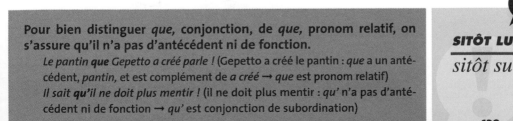

Pour bien distinguer *que*, conjonction, de *que*, pronom relatif, on s'assure qu'il n'a pas d'antécédent ni de fonction.

> *Le pantin que Gepetto a créé parle !* (Gepetto a créé le pantin : *que* a un antécédent, *pantin*, et est complément de *a créé* → *que* est pronom relatif)
> *Il sait **qu'**il ne doit plus mentir !* (il ne doit plus mentir : *qu'* n'a pas d'antécédent ni de fonction → *qu'* est conjonction de subordination)

SITÔT LU
sitôt su

La locution conjonctive

Certaines expressions constituent une unité de sens et jouent le même rôle qu'une conjonction* de subordination. On les appelle des locutions conjonctives de subordination.

CARACTÉRISTIQUES

- La plupart de ces locutions sont formées de la **conjonction** *que* précédée :

➤ d'un groupe « préposition + nom » (avec ou sans déterminant) ;
dès l'instant que, de crainte que...

➤ d'un adverbe ou d'une préposition.
adverbe : *alors que, autant que, aussitôt que, bien que, tant que...*
préposition : *après que, avant que, dès que, pendant que...*

- On trouve également quelques locutions formées avec un participe ou avec un mot qui n'a pas d'autre emploi qu'en locution.
étant donné que, vu que... – afin que, parce que...

❓ QUI L'EÛT *CRU*

Les locutions conjonctives forment des ensembles indissociables, en principe, et les mots qui les constituent se serrent les coudes, en quelque sorte : *d'autant plus que, de peur que, de sorte que, non plus que, si ce n'est que...* Toutefois, il n'est pas interdit d'intercaler parfois *même*, par exemple, pour obtenir des locutions comme *sans même que, avant même que, alors même que*, etc. On ajoutera... même que cette rupture d'assemblages, afin d'intercaler un ou plusieurs mots, porte le joli nom de *tmèse* !

VALEURS

Le mot sur lequel est formée la locution apporte une information de sens. Les locutions conjonctives introduisent donc toujours des subordonnées **circonstancielles** [voir p. 152]. Elles peuvent ainsi exprimer, entre autres :

➤ le temps : *avant que, jusqu'à ce que, sitôt que...* ;

➤ la cause : *parce que, vu que...* ;

➤ la conséquence : *de sorte que, si bien que...* ;

➤ le but : *pour que, afin que...* ;

➤ la condition : *à condition que, au cas où...* ;

➤ l'opposition ou la concession : *bien que, même si...* ;

➤ la comparaison : *de même que, autant que...*

! SITÔT LU
sitôt su

Il ne faut pas confondre *parce que* (*je suis émue parce qu'il m'a souri*) et *par ce que* (*je suis émue par ce qu'il m'a dit*). On écrit en <u>deux</u> mots *parce que* lorsqu'on peut les remplacer par <u>un seul</u> mot : *car* (*je suis émue car il m'a souri*) ; on écrit en <u>trois</u> mots *par ce que* lorsqu'on peut les remplacer par <u>deux</u> mots : *par cela* (*je suis émue par cela*).

La conjonction de coordination

Les conjonctions de coordination constituent une petite classe de mots (il y en a sept !) mais dont l'emploi est très fréquent.

CARACTÉRISTIQUES

• Les sept conjonctions de coordination sont : *car, donc, et, mais, ni, or, ou*. Elles sont invariables.

• Elles servent à **relier** soit deux propositions, soit deux mots ou groupes de mots de même statut [voir p. 160].

> *Laurel* **et** *Hardy sont inséparables.*
> *Laurel, c'est le maigre* **et** *Hardy, c'est le gros.*

Or et *car* ont la particularité de ne relier que des propositions.

> *On ne voit jamais Laurel sans Hardy* **car** *ils sont inséparables* !

• Ainsi, bien qu'elles portent un nom similaire aux conjonctions de subordination, elles ont un rôle tout à fait différent : elles ne marquent jamais un lien de dépendance.

• Elles ne peuvent pas se combiner entre elles (excepté *donc* qui peut s'employer avec d'autres conjonctions), mais elles peuvent se combiner aux adverbes.

> *Ils sont très différents* **et** pourtant *ils s'entendent parfaitement.* (on ne pourrait pas dire et̶ ̶m̶a̶i̶s̶ ̶i̶l̶s̶ ̶s̶'̶e̶n̶t̶e̶n̶d̶e̶n̶t̶ ̶p̶a̶r̶f̶a̶i̶t̶e̶m̶e̶n̶t̶)

• Les conjonctions de coordination ont une place fixe : elles sont toujours entre les deux membres qu'elles coordonnent (excepté *donc* qui a une place plus libre).

VALEURS

Les sept conjonctions jouent toutes le même rôle, mais elles ont des **sens** différents : *et* (ajout), *ou* (choix), *mais* (opposition), *ni* (exclusion), *or* (transition), *car* (justification), *donc* (conclusion).

> *Ils ne sont pas bêtes* **ni** *méchants,* **mais** *distraits* **et** *maladroits,* **donc** *gaffeurs.*

Mais, ou, et, donc, or, ni, car : pour mémoriser les conjonctions, on les apprend souvent dans cet ordre car cela fait penser à la phrase *Mais où est donc Ornicar ?* Mais attention à l'orthographe ! *Ou*, conjonction de coordination, ne prend pas d'accent.

SITÔT LU
sitôt su

Et et *ou*

En tant que conjonctions de coordination, *et* et *ou* répondent à des critères d'emploi qu'il faut bien connaître.

EMPLOIS

- *Et* et *ou* se placent **entre** les deux éléments qu'ils coordonnent.

    *C'était <u>un moineau</u> **ou** <u>une alouette</u>, je ne sais plus.*

- Lorsqu'il y a plus de deux éléments, ils se placent **devant le dernier**.

    *On lui plumera la tête, le cou **et** le bec.*

Cependant, on peut mettre ces éléments en relief* en **répétant** la conjonction devant chacun d'eux.

*L'alouette craint qu'on lui plume **et** la tête **et** le cou **et** le bec.*

❓ QUI L'EÛT *cru*

Quand *ou* lie deux sujets qui s'opposent, le verbe qui suit doit se mettre au singulier : « C'est Tartempion ou Croquignol qui sera élu président de la République ! » (Une seule de ces deux personnes s'installera au palais de l'Élysée...). En revanche, le *ou* n'est pas chargé d'exclusive dans « L'insouciance ou la paresse ont causé ses malheurs », et le verbe est donc mis au pluriel.

VALEURS

- Outre sa valeur courante marquant l'ajout, *et* s'emploie également pour marquer :

➤ l'**opposition** ;

*On lui plume la tête **et** elle ne dit rien !*

*Il y a plume **et** plume.* (toutes les plumes ne se ressemblent pas)

➤ la **conséquence**.

*On lui a plumé les ailes **et** elle est repartie à pied.*

Et s'emploie aussi en début de phrase, sans qu'il y ait réelle coordination, avec une valeur d'**insistance**.

***Et** qu'elle ne vienne pas se plaindre !*

- Outre sa valeur courante marquant le choix, *ou* s'emploie également pour marquer :

➤ l'**équivalence** ;

*L'alouette, **ou** mauviette, doit être plumée avant d'être mangée.*

➤ la **conséquence** après l'expression d'un ordre si l'ordre n'est pas respecté.

*Qu'elle se tienne tranquille **ou** je lui plume aussi les doigts de pied !*

SITÔT LU
sitôt su

Pour vérifier que l'on doit bien écrire *et* (et non pas *est*), on renforce la conjonction par *aussi* ou *encore...* ; de même, on écrit *ou* (et non *où*) si on peut utiliser *ou bien*.

*Les ailes **et** la tête sont plumées.* (les ailes et aussi la tête)

*On commencera par la tête **ou** les ailes.* (la tête ou bien les ailes)

Ni : emplois

Ni est la conjonction* de coordination réservée aux emplois en phrase négative. Elle n'a pas tout à fait le même emploi selon qu'on l'utilise seule ou répétée.

NI EMPLOYÉ SEUL

• *Ni* s'emploie dans une **phrase négative** là où on emploierait *et* dans une phrase affirmative.

> On *ne* lui a *pas* plumé le cou *ni* le bec. (dans une phrase affirmative, on aurait : *on lui a plumé le cou et le bec*)

• Quand *ni* coordonne **deux verbes conjugués**, on fait précéder chacun des verbes de l'adverbe de négation *ne*.

> *L'alouette ne volera ni ne chantera plus jamais.*

• On emploie *ni* dans une phrase affirmative lorsqu'il est l'équivalent de ***et sans***.

> *L'oiseau s'est retrouvé sans plume **ni** duvet.* (sans plume **et sans** duvet)

NI RÉPÉTÉ

• *Ni* s'emploie couramment (sans valeur particulière, contrairement à *et*) en étant **repris** devant chacun des termes coordonnés.

> *On ne lui a plumé **ni** le cou **ni** le bec.*

• Lorsque *ni* est répété, il ne faut pas employer *pas* ; mais on peut employer *jamais* et *plus*.

> *Ce n'était **ni** un rossignol **ni** un moineau* ou *ce n'était pas un rossignol **ni** un moineau.* (et non ~~ce n'était pas ni un rossignol ni un moineau~~)
> *On ne plumera jamais **ni** un rossignol **ni** un moineau.*

Q *QUI L'EÛT* cru

Le « Ni *oui* ni *non* » est un jeu de société qui a parfois été porté à la radio et à la télévision, notamment, par des animateurs de talent tels Pierre Bellemare et ses acolytes les frères Rouland. Comme on peut l'imaginer, les concurrents doivent répondre de leur mieux à toutes les questions dont on les assaille, sans utiliser une seule fois *oui* ou *non*... L'exercice n'est pas si facile !

Il ne faut pas confondre la conjonction *ni* avec l'adverbe de négation *ne* (*n'*) suivi du pronom *y*. À la forme affirmative, *ni* et *n'* disparaissent, *y* reste.

> *L'alouette sera plumée : elle **n'y** voit aucun inconvénient.* (elle **y** voit un inconvénient)

SITÔT LU

sitôt su

L'interjection

Par leurs formes, leurs emplois et leurs valeurs, les interjections constituent une classe grammaticale qui se distingue nettement des autres classes.

FORMES

● Les interjections sont des mots **invariables**, généralement formés de façon expressive.

> ah ! aïe ! euh ! zut ! hein ? zou ! oups !
> hourra ! youpi ! hélas ! waouh !

L'interjection s'accompagne d'un point d'exclamation. Pour plus de détails, voir *Toute l'orthographe*, p. 17.

● Certains noms, adjectifs, verbes ou adverbes, certaines expressions peuvent avoir valeur d'interjections.

> flûte ! bon ! tiens ! bien ! tant mieux !
> la barbe ! mon Dieu ! mais enfin !
> voyez donc !

Les interjections présentent la particularité de pouvoir être **redoublées**.

> Ah ! ah ! Ça m'étonne ! – Tiens ! tiens ! vous êtes ici ?

EMPLOIS

● L'interjection s'emploie surtout à l'oral (ou dans les dialogues écrits) avec des valeurs et des nuances très diverses. Elle est notamment utilisée pour marquer sous forme d'exclamation un **sentiment** (admiration, étonnement, indignation, soulagement...) ou une **sensation** (douleur, froid, dégoût...).

> Zut ! je me suis trompé. – Aïe ! ça pique !

● L'interjection est autonome et ne dépend d'aucun autre mot de la phrase. Elle constitue à elle seule une phrase. Mais elle peut s'employer avec un complément.

> **Bravo** <u>à vous</u> ! – **Bof** <u>de chez bof</u> ! (familier)

SITÔT LU
sitôt su

C'est parce qu'elles sont employées comme interjections que des expressions telles que *tiens ! allez ! mon œil !* sont invariables quelle que soit la situation de communication.

> **Allez** ! venez avec moi. – **Allez** ! viens avec moi.
> **Tiens** ! *tiens* ! tu es ici ! – **Tiens** ! *tiens* ! vous êtes ici !

L'onomatopée

Les onomatopées sont des mots formés à partir d'imitations de bruits. On les classe parmi les interjections, avec lesquelles elles partagent certains points communs. Mais elles s'en distinguent par leur emploi.

FORMES

● Parce qu'elles cherchent à reproduire un **bruit**, les onomatopées ont souvent une forme qui échappe au système de la langue :

➤ elles peuvent s'écrire **sans voyelles** ;
pst, pfft

➤ une même consonne peut être **répétée** plusieurs fois ;
brrr, grrr, zzz

➤ certaines onomatopées sont formées par la répétition d'un élément, avec ou sans changement de voyelles.
blablabla, tralala, tchin-tchin, cui-cui ; cric-crac, hi han, ding dong, patati patata

● Pour un certain nombre d'onomatopées, on peut trouver différentes variantes orthographiques. Mais les onomatopées font partie des mots **invariables**.
hum, humm, hem ; tic-tac, ou tic tac, ou tictac

> **? QUI L'EÛT *cru***
>
> Les onomatopées ont parfois donné naissance à des dérivés, entre autres à des verbes... Le « ron-ron » du chat est devenu le nom masculin *ronron* – d'où le verbe *ronronner*. Le même petit félin *miaule*, parce qu'il fait « miaou ! » ; cette onomatopée s'est muée en nom commun : les *miaous*, ou *miaulements*, des siamois, des persans, des « chats de gouttière »... *Froufrouter, ahaner, blablater, glouglouter* sont eux aussi issus d'onomatopées.

EMPLOIS

● Les onomatopées sont très fréquentes dans les bulles (ou même hors des bulles) des bandes dessinées. On les trouve plus rarement à l'oral ou à l'écrit, intégrées à un texte. Lorsqu'elles ont leur valeur interjective, elles sont autonomes et n'ont pas de fonction.
***Badaboum** ! Grosminet se retrouve en bas de l'escalier.*

● L'onomatopée s'emploie souvent comme **nom**. Dans ce cas, elle est précédée ou non d'un déterminant et a les mêmes fonctions que le nom [voir p. 27].
*En entendant **badaboum**, Titi sut qu'il ne craignait plus rien.*

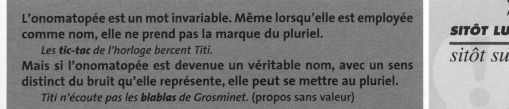

L'onomatopée est un mot invariable. Même lorsqu'elle est employée comme nom, elle ne prend pas la marque du pluriel.
*Les **tic-tac** de l'horloge bercent Titi.*
Mais si l'onomatopée est devenue un véritable nom, avec un sens distinct du bruit qu'elle représente, elle peut se mettre au pluriel.
*Titi n'écoute pas les **blablas** de Grosminet.* (propos sans valeur)

SITÔT LU
sitôt su

Propositions et groupes

Selon la nature du noyau* autour duquel s'organise une suite de mots, on distingue les propositions et les groupes.

DÉFINITIONS

● On parle de **proposition** lorsque le noyau est un verbe conjugué à un mode personnel.

> Si elle **avait été** moins têtue, elle **serait** encore en vie.

Certaines propositions ont leur verbe à l'infinitif [voir p. 157] ou au participe [voir p. 159].

● On parle de **groupe nominal, groupe adjectival, groupe adverbial...** lorsque le noyau est un nom, un adjectif, un adverbe... On parle aussi de **syntagme**.

> la petite **chèvre** (groupe nominal), **insensible** à ses mises en garde (groupe adjectival)

RÔLES

● Généralement, on utilise une proposition pour former une phrase [voir p. 205] ; un groupe nominal ou autre constitue plus rarement une phrase à lui seul [voir p. 206].

> Attention ! Le loup rôde dans la forêt.

Si une phrase contient plusieurs propositions coordonnées ou juxtaposées, chacune d'elles est **indépendante** et peut s'analyser comme une phrase autonome [voir p. 147].

> La chevrette ne **manque** pas de courage, mais elle n'**est** pas assez forte.

● Une proposition peut, au même titre qu'un groupe, être complément du verbe ou d'un terme d'une autre proposition. Dans ce cas, il s'agit d'une proposition **subordonnée** [voir p. 149].

> Elle a attendu qu'il soit parti pour s'enfuir. – Elle a attendu son départ pour s'enfuir. (la proposition et le groupe nominal sont compléments d'objet de a attendu)
> Il est très malheureux qu'elle soit partie. – Il est très malheureux de son départ. (la proposition et le groupe nominal sont compléments de l'adjectif malheureux)

SITÔT LU
sitôt su

Pour compter le nombre de propositions dans une phrase, on compte généralement le nombre de verbes conjugués : il y a au moins autant de propositions qu'il y a de verbes conjugués. Mais il faut penser aussi aux propositions infinitives et participiales !

> La chèvre **faisant** une fixation sur sa liberté, M. Seguin **a prévu** de l'enfermer dans un local dont elle ne **pourrait** s'échapper. (3 propositions)

Propositions juxtaposées et coordonnées

Une phrase complexe peut se composer de plusieurs propositions juxtaposées ou coordonnées.

DÉFINITIONS

● Les propositions **coordonnées** sont reliées par une **conjonction de coordination** [voir p. 141].

    (1) *Le rat accourut **et** il sauva le lion*.

La coordination peut aussi être marquée par un **adverbe de liaison** [voir p. 131].

    *Il sortit du filet, **puis** il remercia le rat*.

● Les propositions **juxtaposées** sont reliées par un **signe de ponctuation** (virgule, point-virgule ou deux-points). Il s'agit en fait de propositions coordonnées sans mot de liaison.

    (2) *Le lion s'est montré généreux : il a épargné la vie au rat*.

QUI L'EÛT *cru*

« Agent de liaison » très connu, la conjonction de coordination *et*, même quand elle assure un lien logique entre deux propositions, peut être précédée d'une virgule. Surtout quand ce *et* équivaut, pour le sens, à *puis, par conséquent, du coup*, etc. : « Samedi, Hélène a pris trois cafés à la suite, et n'a pas du tout dormi au théâtre, pour une fois ! »

POINTS COMMUNS

● Il existe entre deux propositions coordonnées ou juxtaposées un **lien logique**, mais aucun lien de dépendance. On peut supprimer l'une ou l'autre des propositions sans que la phrase devienne incorrecte.

● Les propositions juxtaposées ou coordonnées ont la particularité de pouvoir faire l'**ellipse*** de termes qui se répéteraient (le plus souvent le sujet ou le verbe).

    (3) *Le lion est puissant, le rat petit*. (omission du verbe *est*)

● C'est par tradition que l'on réserve le nom de *proposition coordonnées* ou *juxtaposées* aux **propositions indépendantes**. Mais la coordination et la juxtaposition peuvent également s'employer avec des subordonnées [voir p. 160].

    *Si l'occasion se présente **et** qu'il doive à nouveau sauver le lion, il le fera sans hésiter*.

Pour vérifier que l'on a bien affaire à deux phrases coordonnées ou juxtaposées, on s'assure que l'on peut faire deux phrases simples (en rétablissant éventuellement les éléments omis).

    (1) *Le rat accourut. Il sauva le lion*.

    (2) *Le lion s'est montré généreux. Il a épargné la vie au rat*.

    (3) *Le lion est puissant. Le rat est petit*.

SITÔT LU

sitôt su

Principale et subordonnée

Lorsque deux propositions ont entre elles un lien de dépendance, on parle de proposition principale et de proposition subordonnée.

DÉFINITIONS

Une **proposition principale** contient un terme dont dépend une autre proposition. Cette autre proposition est appelée **proposition subordonnée**.

> (1) *Calimero trouve que tout est injuste*.
> (*Calimero trouve* est la proposition principale ; *que tout est injuste* est la subordonnée)

Une proposition n'est subordonnée ou principale que par rapport à une autre. En effet, une proposition subordonnée peut être principale si elle contient elle-même un terme dont dépend une autre proposition.

> (2) *Calimero trouve la vie injuste parce qu'il croit que tous lui en veulent.* (*que tous lui en veulent* est une subordonnée dépendant de la principale *il croit* et *parce qu'il croit que…* est une subordonnée dépendant de la principale *Calimero trouve la vie injuste*)

CARACTÉRISTIQUES

● Le verbe d'une proposition subordonnée est à l'**indicatif**, au **subjonctif** ou au **conditionnel**, mais jamais à l'impératif. Certaines propositions ont leur verbe à l'infinitif [voir p. 157] ou au participe [voir p. 159].

● Le plus souvent, la proposition subordonnée est introduite par un **subordonnant** (conjonction de subordination, pronom relatif ou mot interrogatif*). Pour plus de détails, voir p. 149. Les infinitives et les participiales s'emploient sans subordonnant.

> (3) *La justice revenue*, Calimero n'aura plus lieu de se plaindre.

● La subordonnée, au même titre que le groupe* nominal, adjectival, etc., peut occuper différentes **fonctions** (sujet, complément d'objet, circonstanciel…).

> Dans l'exemple 1, la subordonnée est complément d'objet de *trouve* ; dans l'exemple 2, *parce qu'il croit…* est complément circonstanciel de toute la phrase.

❗

SITÔT LU

sitôt su

S'il est parfois possible de supprimer une subordonnée, il est en revanche impossible de supprimer la principale. Ce critère permet de distinguer une principale et sa subordonnée de deux propositions coordonnées ou juxtaposées [voir p. 147].

> Les phrases (1), (2) et (3) ne peuvent se réduire à ~~que tout est injuste~~, ~~parce qu'il croit que tous lui en veulent~~, ~~la justice revenue~~.

Les différentes subordonnées

Selon le terme qui les introduit, on classe les subordonnées en différentes catégories.

LES CONJONCTIVES

Les subordonnées conjonctives sont introduites par une **conjonction de subordination** (*que, si, comme...*) ou une **locution conjonctive** (*parce que, à condition que...*) [voir p. 138].

> *M. Jourdain ne savait pas **qu**'il était doué pour la prose.*

La conjonction n'a pas de fonction dans la subordonnée. Pour plus de détails, voir p. 150.

LES RELATIVES

Les subordonnées **relatives** sont introduites par un **pronom relatif** (*qui, que, quoi..., lequel*) [voir p. 97], parfois par un **déterminant relatif** (*lequel*) [voir p. 51].

> *M. Jourdain, **qui** se pique d'être noble, apprécie le Grand Turc.*

Le pronom relatif a une fonction dans la subordonnée. Pour plus de détails, voir p. 153.

> Dans l'exemple ci-dessus, le pronom *qui* est sujet du verbe *se pique*.

LES INTERROGATIVES INDIRECTES

Les subordonnées **interrogatives indirectes** sont introduites par un mot **interrogatif** (pronom, déterminant, adverbe) ou par la conjonction de subordination *si*.

> *Le valet se demande **si** son stratagème va réussir et **comment** M. Jourdain réagira.*

La conjonction de subordination *si* n'a pas de fonction dans la subordonnée, mais le mot interrogatif en a une. Pour plus de détails, voir p. 154.

> Dans l'exemple ci-dessus *comment* est complément de manière de *réagira*.

Il suffit de repérer le mot qui introduit une subordonnée pour connaître sa catégorie.

SUBORDONNANT	SUBORDONNÉE
conjonction de subordination	subordonnée **conjonctive**
pronom **relatif**	subordonnée **relative**
mot **interrogatif**	subordonnée **interrogative** indirecte

SITÔT LU

sitôt su

La subordonnée conjonctive

La subordonnée conjonctive a certaines caractéristiques et différentes fonctions.

CARACTÉRISTIQUES

● La subordonnée conjonctive est introduite par une **conjonction** (ou une locution* conjonctive) **de subordination** qui marque son lien de dépendance avec la proposition principale [voir p. 140]. À l'exception de *que,* la conjonction apporte également une information de sens (temps, manière, cause, conséquence...).

> Antigone veut **que** son frère reçoive les honneurs d'une sépulture.
> Antigone, renonce à tes projets, **avant qu'**il ne soit trop tard.

● Le plus souvent, le **mode** du verbe de la conjonctive est imposé par :
➤ la conjonction qui l'introduit ou le verbe de la principale ;
> *avant que* + subjonctif, *après que* + indicatif, *au cas où* + conditionnel
> *vouloir* + subjonctif, *savoir* + indicatif
➤ parfois même par le type ou la forme de la phrase.
> Il est certain qu'il la **punira** (indicatif). – Il n'est pas certain qu'il la **punisse** (subjonctif).

● Le **temps**, lui, peut dépendre du système de la concordance des temps [voir p. 115].
> Si Antigone persiste, elle **risque** la mort. – Si Antigone persistait, elle **risquerait** la mort.

FONCTIONS

Selon la fonction que la proposition subordonnée conjonctive occupe, on distingue :
➤ les **complétives**, qui sont sujets, compléments d'objet, attributs... [voir p. 151] ;
> Qu'Antigone ait commis un tel acte ne surprenait pas son oncle. (sujet de surprenait)
➤ les **circonstancielles**, qui sont compléments de temps, de but... [voir p. 152].
> Elle a fait cela pour que l'honneur de son frère soit sauf. (complément de but de fait)

SITÔT LU
sitôt su

La proposition conjonctive est une proposition subordonnée. Elle a donc toujours une fonction par rapport à un mot ou à un groupe de mots de la proposition principale.

La subordonnée complétive

La complétive est une proposition subordonnée conjonctive* introduite par *que*. Elle occupe différentes fonctions dans la phrase.

CAS GÉNÉRAL

● Souvent, la proposition subordonnée complétive est **complément d'objet*** :

➤ direct [voir p. 170] ;

Sa mère refuse qu'elle aille danser.

➤ indirect [voir p. 171]. Dans ce cas, elle est généralement introduite par *ce que* précédé de la préposition demandée par le verbe. Elle peut aussi être introduite par *que* tout seul.

Elle profite de ce que son frère est là pour aller danser avec lui. (profiter de quelque chose)
Ils ne pouvaient pas se douter que le pont s'effondrerait. (se douter de quelque chose)

● La complétive s'emploie également souvent comme **sujet réel*** dans une tournure impersonnelle*.

Il faut qu'elle mette sa belle robe et sa ceinture dorée.
Il est possible qu'elle aille danser sur le pont de Nantes avec son frère.

AUTRES FONCTIONS

● La complétive peut aussi être :

➤ **sujet** [voir p. 165] ;

Que sa mère lui interdise d'aller danser la désole.

➤ **attribut** du sujet [voir p. 173] ;

Le problème est que sa mère ne veut pas la laisser sortir.

➤ **complément** d'un nom ou d'un adjectif [voir p. 179 et 180].

Elle était heureuse que son frère vienne la chercher.

● On trouve des complétives après *voici* ou *voilà*.

Voici que son frère arrive dans un bateau doré.

> **❓ QUI L'EÛT *CRU***
>
> La subordonnée complétive introduite par *que* est souvent dite « complétive pure » : « Les organisateurs de la dictée-concours se réjouissent que tous les concurrents aient fait moins de dix fautes dans leur texte très subtil comportant beaucoup de pièges de sens. Et tant pis pour ceux qui n'ont pas su faire la distinction entre "parle et coud", "pare les coups" et "parlait coûts " ! ».

Pour retrouver la fonction d'une complétive, il peut être utile de la remplacer par un pronom tel que *cela*.

Ils ne pouvaient pas se douter que le pont s'effondrerait. (se douter de cela → la complétive est complément d'objet indirect de *douter*)
Elle était heureuse que son frère vienne la chercher. (heureuse de cela → la complétive est complément de l'adjectif *heureuse*)

SITÔT LU

sitôt su

La subordonnée circonstancielle

On distingue traditionnellement sept types de subordonnées circonstancielles.

CARACTÉRISTIQUES

● La subordonnée circonstancielle est introduite par une **conjonction*** (ou une locution conjonctive) **de subordination**, le plus souvent différente de *que*.

● Elle est généralement **complément circonstanciel** du verbe de la principale* [voir p. 175]. On distingue ainsi, selon le terme qui les introduit, les circonstancielles de temps (*quand, dès que...*), de but (*pour que...*), de cause (*parce que...*), de conséquence (*si bien que...*), de concession (*quoique...*), de comparaison (*comme...*) et de condition (*si...*).

> *Le poète médite <u>pendant que le semeur lance ses graines</u>.* (temps)
> *Le semeur s'applique <u>pour que la récolte à venir soit bonne</u>.* (but)

QUI L'EÛT CRU

Le gardien de but s'entraîne aux tirs au but, *parce que* tous les matchs précédents se sont soldés par des scores d'égalité : 0-0, 2-2 ou 3-3... D'où, à chaque fois, l'obligation de départager, en ces circonstances, les deux équipes. Notre goal, alors, s'exerce – pour développer sa « puissance de tir » – avec des bottes de scaphandrier à semelles de plomb !

PARTICULARITÉS

● Quand *que* introduit une circonstancielle, il est en relation avec **un autre terme** de la principale (*si, plus...*). La valeur de la subordonnée dépend alors du sens.

> *La plaine est **si** vaste **que** <u>le semeur doit faire plusieurs allées et venues</u>.* (conséquence)
> *L'ombre le fait paraître beaucoup **plus** grand **qu**'<u>il n'est</u>.* (comparaison)

● Les circonstancielles ont la particularité de pouvoir cumuler **plusieurs valeurs**. Elles peuvent, par exemple, exprimer à la fois la concession et la condition (*même si*), etc.

> *<u>Même si la nuit tombait</u>, le semeur continuerait à semer ses graines.*

● Certaines circonstancielles se construisent **sans verbe ni sujet**, soit parce qu'ils sont déjà exprimés dans la principale, soit parce que *être* est sous-entendu.

> *Il sème ses graines aujourd'hui <u>comme l'an passé</u>. – Il rentrera chez lui <u>dès que possible</u>.*

SITÔT LU

sitôt su

Quoique est la conjonction de concession (= *bien que*) qui s'écrit en un seul mot. Il ne faut pas la confondre avec *quoi que*. *Quoique* disparaît si on transforme la subordonnée en indépendante.

> *<u>Quoiqu</u>'il soit tard, il travaille encore.* (*quoique* disparaît dans la proposition indépendante : *Il est tard* ; et on peut dire *bien qu'il soit tard*)
> *<u>Quoi qu</u>'il fasse, son geste est beau.* (il fait **cela** → *quoi que* a une fonction ; et on ne peut pas dire ~~bien qu'il fasse, il a un beau geste~~)

La subordonnée relative

La proposition subordonnée relative répond à différentes caractéristiques qu'il faut connaître pour la repérer.

CARACTÉRISTIQUES

● La proposition subordonnée relative est introduite par un **pronom** (plus rarement un déterminant) **relatif** qui a toujours **une fonction** dans la relative [voir p. 97].

> C'est Lucky Luke **qui porte Jolly Jumper** !
> (*qui* est sujet de *porte*)

● Ce sont le sens et les nuances que l'on souhaite apporter qui déterminent le **mode** et le **temps** de son verbe.

> Jolly Jumper est un cheval que tout le monde **aimerait** avoir.

Ainsi, on peut, par exemple, employer le subjonctif pour marquer le doute.

> Je cherche un cheval qui **ait** les mêmes qualités que Jolly Jumper.

Dans certains cas, le verbe de la relative est à l'infinitif.

> Il ne connaît aucun autre cheval sur lequel **compter** de façon aussi fiable.

● On trouve des relatives sans verbe, notamment avec *dont* ou *parmi lesquels*.

> Lucky Luke a quelques amis **dont** Jolly Jumper.

PROPOSITIONS RELATIVES DÉTERMINATIVE ET EXPLICATIVE

● La **relative déterminative** apporte une information essentielle à son antécédent. On ne peut la supprimer sans rendre la phrase incorrecte ou peu compréhensible.

> Jolly Jumper ignore ceux qui ne le prennent pas au sérieux.
> Il sera le compagnon de l'homme qui saura le comprendre.

● La **relative explicative** apporte un complément d'informations. On peut la supprimer sans modifier profondément le sens de la phrase. Elle est le plus souvent entre virgules.

> Jolly Jumper, qui ne se laisse jamais surprendre, a su réagir rapidement !

On peut se rappeler que la relative déterminative est celle qui ne peut être supprimée tout comme le déterminant ne peut être supprimé du groupe nominal.

SITÔT LU

sitôt su

Les fonctions de la subordonnée relative

Selon qu'elle a un antécédent ou non, la proposition subordonnée relative occupe des fonctions différentes dans la phrase.

AVEC ANTÉCÉDENT

Lorsque la relative a un antécédent, elle est **complément** de cet antécédent. Elle a la même valeur qu'un adjectif épithète ou qu'un complément du nom introduit par une préposition.

> *un cheval qui peut surprendre* (à comparer avec : *un cheval surprenant*)
>
> *Jolly Jumper qui a un moral d'acier...* (à comparer avec : *Jolly Jumper au moral d'acier*)

C'est le cas le plus fréquent pour la proposition subordonnée relative.

❓ QUI L'EÛT *cru*

La proposition relative n'est pas à exclure des textes, mais en presse il faut « resserrer » l'écriture, afin d'obtenir des phrases courtes. En effet, sur une colonne, on ne peut écrire qu'une trentaine de « signes » (lettres, espaces et signes de ponctuation), à raison de cinq ou six mots à la ligne. En six lignes, on atteint donc la « longueur plafond »... Mais on n'ira pas jusqu'à transformer *L'Homme qui rit*, de Victor Hugo, en « Homme riant » !

SANS ANTÉCÉDENT

Certaines relatives sont introduites par un **pronom nominal**, c'est-à-dire qu'elles n'ont pas d'antécédent [voir p. 61]. Le cas peut se présenter souvent pour *qui* ou *quoi* et c'est toujours le cas pour *quiconque*. La relative peut alors occuper les fonctions qu'occupe généralement le nom. Elle est le plus souvent :

➤ **sujet** [voir p. 165] ;

> (1) *Qui veut voyager loin ménage sa monture.*

➤ **complément d'objet** direct ou indirect [voir p. 169] ;

> (2) *Il faut donner à Jolly Jumper de quoi manger.* (COD de *donner*)
>
> (3) *Jolly Jumper n'obéira jamais à quiconque voudrait lui imposer sa volonté.* (COI de *voudrait*)

➤ **attribut** du sujet [voir p. 173] ;

> (4) *Ce cheval ne changera jamais et restera qui il est.*

➤ complément **d'agent** [voir p. 177].

> (5) *Jolly Jumper est monté par qui vous savez !*

SITÔT LU

sitôt su

Pour retrouver la fonction d'une relative sans antécédent, il peut être utile de remplacer la relative par un pronom.

> (1) ***Celui-ci*** (ou ***il***) *ménage sa monture*
>
> (2) *Il faut donner à Jolly Jumper **quelque chose**.*
>
> (3) *Jolly Jumper n'obéira jamais à **personne***
>
> (4) *Ce cheval ne changera jamais et restera **le même**.*
>
> (5) *Jolly Jumper est monté par **quelqu'un**.*

La proposition subordonnée interrogative indirecte

La proposition subordonnée interrogative indirecte répond à certaines caractéristiques et peut occuper différentes fonctions.

CARACTÉRISTIQUES

● La proposition subordonnée interrogative indirecte est une **subordonnée** dans laquelle on rapporte une **question** [voir p. 211].

> Pourquoi Dreyfus en veut-il à Clouseau ?
> → On se demande pourquoi Dreyfus en veut à Clouseau.

● Elle est introduite par un **mot interrogatif** : pronom (qui, lequel...), déterminant (quel) ou adverbe (quand, où...). Si l'interrogation est totale*, le mot qui l'introduit est **si**.

> L'inspecteur ignore par **quel** moyen le voleur a pu s'emparer du bijou.
> Il ne s'est jamais demandé **si** quelqu'un le suivait.

● Le pronom sujet est toujours placé **devant le verbe** de l'interrogative indirecte ; le nom sujet peut précéder ou suivre le verbe, mais il n'est **jamais repris** par un pronom.

> Vous devriez savoir comment le voleur s'est enfui. (ou comment s'est enfui le voleur, mais non vous devriez savoir comment le voleur s'est-il enfui)
> Expliquez-nous qui il soupçonne. (et non expliquez-nous qui soupçonne-t-il)

● Le verbe de la subordonnée peut être à l'**infinitif**.

> Clouseau est bien embarrassé et il ne sait que faire.

❓ QUI L'EÛT *CRU*

La femme de Barbe-Bleue finissait par se demander si sa sœur, Anne, n'avait pas besoin de lunettes ou de lentilles, et si un jour elle finirait par distinguer autre chose que la route « qui poudroie » ! N'y tenant plus, elle monta tout en haut de la tour, et lui demanda... très directement qui était son barbier-oculiste habituel : « Je serais curieuse de savoir de quels diplômes il se prévaut, ton charlatan ! ».

FONCTIONS

L'interrogative indirecte est le plus souvent **complément d'objet*** du verbe de la principale. Mais on la trouve également parfois comme **sujet**.

> Personne ne sait comment il s'en sortira. (complément d'objet)
> Comment il s'en sortira reste un mystère. (sujet)

Pour s'assurer qu'une proposition subordonnée est bien une interrogative indirecte, on vérifie qu'elle correspond à une question.

> Dites-moi si Clouseau a identifié le voleur. (Dites-moi : « Clouseau a-t-il identifié le voleur ? » → la proposition est une interrogative indirecte)
> Clouseau arrêtera le voleur s'il l'identifie. (on ne peut traduire par Clouseau arrêtera le voleur : « L'identifie-t-il ? » → il s'agit d'une subordonnée circonstancielle de condition)

SITÔT LU
sitôt su

155

La proposition incise

La proposition incise indique que le locuteur rapporte les paroles de quelqu'un. Elle présente certaines particularités.

CARACTÉRISTIQUES

● L'incise constitue une sorte de parenthèse **à l'intérieur** de la phrase : elle s'emploie sans lien de subordination ni de coordination.

> Rentre avant minuit, _précisa-t-elle_, ou ton carrosse redeviendra citrouille.

À l'oral, elle est marquée par des **pauses** qui la détachent de la phrase ; à l'écrit, par des virgules.
L'incise peut également se placer **en fin** de phrase.

> Rentre avant minuit ou ton carrosse redeviendra citrouille, _précisa-t-elle_.

● Le verbe de l'incise est à l'**indicatif** ou au **conditionnel**.

> Et ton cocher redeviendra souris, **pourrait**-elle ajouter.

CONSTRUCTION

● Le **sujet** de l'incise se place **après le verbe**, qu'il s'agisse d'un pronom ou d'un nom (ou groupe* nominal). Le pronom est relié au verbe par un trait d'union.

> Qui, _demanda le prince_, peut enfiler cette chaussure ?
> Il n'a qu'à passer une annonce, _me direz-_**vous**.

Lorsque le pronom sujet est _il, elle_ ou _on_ et qu'il suit un verbe qui ne se termine pas par _d_ ou _t_, on ajoute **-t-** pour avoir une liaison en [t].

> Qui, _demanda-_**t-il**, peut enfiler cette chaussure ?

● La langue familière construit souvent l'incise sans inversion du sujet et l'introduit par _que_. On évitera d'employer cette construction dans un texte qui ne se prête pas à ce registre*.

> C'est moi, _qu'elle lui dit_, qui ai perdu cette chaussure. (c'est moi, lui dit-elle…)

SITÔT LU
sitôt su

Pour ne pas confondre -t- avec t' (et donc ne pas écrire ~~demanda-t'il~~), il faut se rappeler que l'apostrophe* est le signe de l'élision* ; elle remplace toujours une lettre : t' est donc la forme élidée de te, qui n'a aucune raison de se trouver devant il.

La proposition subordonnée infinitive

La proposition infinitive est constituée d'un verbe à l'infinitif (avec ou sans complément) et d'un sujet.

CARACTÉRISTIQUES

● Contrairement aux autres propositions subordonnées, l'infinitive n'est pas introduite par aucun terme de subordination.

> *Nous voyons les nuages s'étirer.* (avec une subordonnée conjonctive, on aurait *nous voyons que les nuages s'étirent*)

● On appelle traditionnellement **proposition infinitive** une subordonnée dont le verbe est à l'infinitif et dont le sujet est différent de celui de la principale.

> *Je sens les châtaignes se fendre sous mes pas.* (*châtaignes*, sujet de *se fendre*, n'est pas sujet de *sens*)

Ainsi, dans *j'aimerais me promener dans les bois*, le sujet de *promener* est le même que celui de *aimerais*. On n'a pas alors affaire à une proposition infinitive, mais à un **groupe infinitif**.

● Lorsque le sujet est **indéterminé**, il peut ne pas être exprimé.

> *J'entends chanter.* (j'entends quelqu'un chanter)

> **❓ QUI L'EÛT *cru***
>
> « J'ai entendu Montserrat Caballé chanter la Reine de la Nuit dans *La Flûte enchantée* de Mozart !
> – Eh bien, ce devait être tout autre chose que la Castafiore dans *L'Air des Bijoux* de Faust ! Même le professeur Tournesol en est ressorti les... oreilles cassées ! Et j'ai vu le capitaine Haddock mordre dans sa casquette neuve... »

EMPLOIS

● La proposition infinitive s'emploie le plus souvent comme complément d'objet direct :
➤ des verbes de **perception** tels que *voir, sentir, entendre...* ;
➤ de *laisser* et *faire*.

> *Après notre balade, nous ferons griller les châtaignes.*

● On trouve la proposition infinitive après *voici*, surtout dans l'expression *voici venir*.

> *Voici venir l'automne.*

Le sujet d'une infinitive peut se présenter sous des formes peu habituelles pour un sujet (pronom autre que pronom sujet, groupe nominal construit avec à...). Il faut donc bien se fier au sens et chercher qui fait l'action exprimée par l'infinitif [voir p. 158].

> *Je ferai répéter ce murmure à mon cœur.* (c'est le cœur qui répétera le murmure)

SITÔT LU
sitôt su

Le sujet de la proposition subordonnée infinitive

Selon les cas, le sujet d'une proposition infinitive se construit directement, sans préposition ou indirectement, avec une préposition.

SANS PRÉPOSITION

● **Rappel :** *le, la, les* sont les pronoms utilisés dans la construction directe.

● Le sujet se construit toujours **directement**, sans préposition, quand :
➤ l'infinitif est employé sans complément d'objet* direct (COD) ;
> *Je vois **les colchiques** fleurir.*
> *Je **les** vois fleurir.*
➤ l'infinitif est un verbe pronominal.
> *Je vois **le nuage** s'étirer dans le ciel. – Je **le** vois s'étirer dans le ciel.*

● Le sujet peut se construire directement quand l'infinitif a un COD. Mais la construction indirecte est aussi possible, quoique plus rare.
> *J'entends **mon cœur** murmurer le bonheur. (ou j'entends murmurer le bonheur **par mon cœur**). – Je **l'**entends murmurer le bonheur.*

AVEC PRÉPOSITION

● **Rappel :** les prépositions *à* ou *par* servent à construire le sujet indirectement. Dans ce cas, les pronoms utilisés sont *lui, leur*.

● Le sujet se construit toujours indirectement, avec une préposition, quand :
➤ l'infinitif dépend d'un verbe pronominal (la préposition est alors *par*, parfois *de*) ;
> *Les feuilles se laissent emporter **par le vent**. – Les feuilles se laissent emporter **par lui**.*
➤ l'infinitif dépend de *faire* et a un COD ;
> *Je ferai répéter ce refrain **à** (ou **par**) **mon cœur**. Je **lui** ferai répéter ce refrain.*
➤ l'infinitif a un COD pronom personnel.
> *Ce refrain, je l'ai souvent entendu chanter **par mon cœur**. – Je l'ai souvent entendu chanter **par lui**.*

> **? QUI L'EÛT** *cru*
>
> Harpagon, l'Avare de Molière, veut faire graver en lettres d'or sur sa cheminée : « Il faut manger pour vivre, et non pas vivre pour manger » ! Une sentence qui, servie à maître Jacques par Valère – lequel, par là, flatte habilement la ladrerie du grippe-sou –, ne peut que plaire au rapiat ! Valère a des lettres, puisque cette maxime est due à Socrate ...

!

SITÔT LU

sitôt su

Lorsque le sujet est à la 1re ou 2e personne du singulier ou du pluriel, le problème du choix entre la construction directe et la construction indirecte ne se pose pas puisque les pronoms ont la même forme : *me, te, nous, vous.*
> *Nuage, je **te** vois t'étirer dans le ciel.* (construction directe)
> *Mon cœur, je **te** ferai répéter ce refrain.* (construction indirecte)

La proposition subordonnée participiale

La proposition subordonnée participiale est constituée d'un verbe au participe (avec ou sans complément) et d'un sujet.

CARACTÉRISTIQUES

● On appelle **proposition participiale** une subordonnée dont le sujet est différent de celui de la principale et dont le verbe est au participe [voir p. 113].

> *Bécassine partie chez la marquise, ses parents se retrouvèrent seuls.*
> *Le temps aidant, elle s'est habituée à sa nouvelle vie en ville.*

Ainsi dans *Bécassine, hébergée par la marquise, devint sa domestique,* le sujet de *hébergée* est le même que celui de *devint.*

On n'a pas alors affaire à une proposition participiale, mais à un **groupe participe**.

● Contrairement aux autres propositions subordonnées, la participiale n'est introduite par aucun terme de subordination.

> *Sa curiosité augmentant, Bécassine voulut voyager.* (avec une subordonnée conjonctive, on aurait __comme__ *sa curiosité augmentait, Bécassine voulut voyager*)

EMPLOIS

● La proposition participiale s'emploie le plus souvent comme **complément circonstanciel***. Elle apporte généralement des informations :

➤ de **cause** ;

> *Certains la trouvent bête, l'intelligence étant selon eux proportionnelle à la taille du nez.*

➤ de **temps**.

> *L'hiver venu, Bécassine voulut voyager.*

● De nombreuses **locutions figées** sont des propositions participiales que l'on n'analyse plus : *le cas échéant, cela dit, toutes choses (étant) égales par ailleurs...*

❓ QUI L'EÛT *cru*

Ses camarades l'ayant mis au défi de rédiger un petit texte absurde, Sébastien est arrivé ce matin l'air triomphant et leur a distribué un feuillet où était écrit : « Un jour qu'il faisait nuit, je dormais éveillé. Un coup de tonnerre silencieux et des éclairs obscurs m'incitèrent alors à lire les yeux fermés... » Curieusement, ses copains ont déclaré « logique » ce texte sans queue ni tête... et refusèrent de s'acquitter de l'enjeu du pari !

On peut se rappeler qu'une participiale doit toujours être construite avec son propre sujet exprimé en pensant à la phrase suivante : *À peine descendue de l'avion, la pluie se mit à tomber* (la pluie ne peut pas descendre de l'avion !).

! SITÔT LU
sitôt su

La coordination

La coordination consiste à relier deux éléments qui ont le même statut pour marquer un lien logique. Elle se distingue de la subordination qui, elle, relie deux éléments de statut différent [voir p. 161].

QUE COORDONNER ?

- On peut coordonner :
- ➤ deux **propositions** [voir p. 147] ;

    Le rat des villes invita le rat des champs et ils dînèrent ensemble.

    Il voulait que tout soit réussi et que la soirée soit agréable.

- ➤ deux **mots** ou **groupes de mots**.

    Cailles ou ortolans étaient sans doute au menu.

    Ils mangèrent avec bon appétit mais sans excès.

> **❓ QUI L'EÛT** *cru*
>
> « Mais où est donc Ornicar ? » : cette phrase mnémonique bien connue permet de garder en mémoire les sept conjonctions de coordination, des petits mots très usités en français : « *Or*, ce matin-là, Gaston Lagaffe, *ni* brillant *ni* stupide, paresseux *mais* ingénieux, *et donc* inventif, *ou* intuitif, si l'on préfère, *car* bien des gens ont des idées arrêtées sur le choix des mots, sortit dès potron-minet pour s'atteler à la fabrication d'un chausse-pied mécanique... »

- On peut coordonner deux éléments de nature différente pourvu qu'ils aient la **même fonction**.

    Ils dîneront ici ou chez le rat des champs.

COMMENT EST MARQUÉE LA COORDINATION ?

- La coordination se marque le plus souvent à l'aide d'une **conjonction de coordination** (*et, ou, mais...*) [voir p. 141].

- Elle peut également se marquer à l'aide d'**adverbes de liaison** (*pourtant, cependant, aussi ; en revanche, c'est pourquoi, au contraire...*) qui coordonnent le plus souvent des propositions ou des phrases [voir p. 131].

    *Le rat des villes avait bien tout préparé. **Cependant** le dîner fut troublé par un importun.*

- Quand la coordination n'est pas marquée, les éléments sont reliés par un signe de ponctuation (virgule, point-virgule ou deux-points) ; on dit alors qu'ils sont **juxtaposés**.

    Il avait posé sur la table assiettes, couteaux, fourchettes et verres.

❗

SITÔT LU

sitôt su

La coordination permet d'éviter des répétitions. Pour s'assurer que l'on a utilisé correctement la coordination, on rétablit les éléments que l'on a pu supprimer et on vérifie que les constructions sont correctes.

Ainsi on ne peut pas dire : *il ira voir ou téléphonera au rat des champs* car on ne dirait pas *il ira voir au rat des champs*. Il faut tourner autrement la phrase : *il ira voir le rat des champs ou lui téléphonera.*

La subordination

La subordination consiste à relier deux éléments d'une phrase en établissant un lien de dépendance entre eux. Elle se distingue de la coordination qui, elle, relie deux éléments de même statut [voir p. 160].

CARACTÉRISTIQUES

● Quand il y a subordination entre deux éléments, l'un est le **noyau*** du groupe ainsi constitué, l'autre est le **complément** du noyau.

> Le loup était **honteux** _de s'être laissé prendre_. (_honteux_ est le noyau du groupe adjectival ; _de s'être laissé prendre_ est le complément de _honteux_)

● Plusieurs éléments peuvent être subordonnés à un même noyau : c'est généralement ce qui se passe pour le verbe, qui a différents compléments.

> Renart **vola** _à Ysengrin_ _ses jambons_. (_à Ysengrin_ et _ses jambons_ sont subordonnés à _voler_)

● Les compléments prennent des **noms différents** (complément d'objet, complément circonstanciel, épithète...) selon ce qu'ils expriment et selon la nature du noyau [voir p. 163].

❓ QUI L'EÛT _cru_

Kiki, le labrador de la famille Martin, dépend de cette famille pour le gîte et le couvert : il s'est habitué à dormir sur le lit et à avoir table ouverte à tout moment ! À Noël, même, période qu'il a mémorisée grâce au vrai sapin traditionnel installé dans le salon, il a droit à une écuelle de mousse de marron. Toutefois, de temps en temps, il essaie de s'éclipser quelques heures pour se promener seul dans les rues : il pratique l'indépendance dans la subordination !

COMMENT EST MARQUÉE LA SUBORDINATION ?

● Le plus souvent, la subordination est marquée par un mot qui introduit le complément. Il peut s'agir d'une **préposition** [voir p. 135], d'une **conjonction de subordination** [voir p. 138] ou d'un **pronom relatif** [voir p. 97].

> **Quand** il se réveilla, Ysengrin vit le trou **dans** le toit, là **où** étaient pendus ses jambons. (_quand_ est une conjonction de subordination, _dans_ une préposition et _où_ un pronom relatif)

● Mais il existe de nombreux cas où la subordination n'est marquée par aucun mot. C'est le cas de l'épithète, du complément d'objet direct, de l'attribut...

> Le _rusé_ goupil a volé _les jambons_.

La différence entre coordination et subordination peut être mise en évidence par le fait que, le plus souvent, deux éléments coordonnés peuvent être intervertis (_le renard et le loup = le loup et le renard_), ce qui n'est pas le cas pour la subordination (_le neveu du loup ≠ le loup du neveu_).

SITÔT LU
sitôt su

L'analyse

Pour bien comprendre les liens qui existent entre les mots ou les groupes de mots, on peut faire l'analyse de la phrase.

PRINCIPES

• Faire l'analyse d'une phrase, c'est en distinguer les **différents constituants*** pour étudier les **relations** qu'ils entretiennent entre eux.

> *Le chauffeur de taxi* (1) *conduit* (2) *la jeune femme* (3) *chez Cornelius* (4).
>
> (1) : sujet de *conduit*
> (2) : verbe noyau de la phrase
> (3) : complément d'objet de *conduit*
> (4) : complément circonstanciel de *conduit*

Ces constituants peuvent être à leur tour analysés : on étudie les mots ou les groupes de mots qui les composent en donnant leur nature et leur fonction. On peut ainsi « descendre » dans l'analyse jusqu'à l'étude de tous les mots pris séparément.

> *la* : article défini féminin singulier, détermine *femme*
> *jeune* : adjectif féminin singulier, épithète de *femme*
> *femme* : nom féminin singulier, noyau du groupe complément d'objet direct de *conduit*

• Afin de mieux comprendre la structure de la phrase, on représente l'analyse sous forme de **schéma**, le plus souvent sous forme d'arbre [voir p. 232].

NATURE ET FONCTION

• Donner la **nature** d'un mot, c'est dire à quelle classe grammaticale il appartient [voir p. 16]. Tous les mots de la langue ont une nature (le plus souvent une seule) qui est indépendante de son emploi dans la phrase. Les dictionnaires donnent cette nature.

• Donner la **fonction** d'un mot, c'est dire quel rôle il joue dans la phrase [voir p. 163]. Un même mot peut occuper des fonctions différentes puisqu'il peut être employé dans des phrases différentes. Ce n'est que l'analyse de la phrase qui permet de déterminer la fonction.

SITÔT LU *sitôt su*

Pour ne pas confondre *nature* et *fonction,* on peut prendre l'image d'une personne. Sa « nature », c'est sa carte d'identité (elle ne change pas : c'est un homme, une femme, qui mesure tant...). Sa « fonction », c'est le rôle qu'elle joue dans la société. Ce rôle change selon l'entourage : on est salarié d'une entreprise, père ou mère de ses enfants, client d'un magasin...

Les fonctions : généralités

Savoir repérer la fonction d'un mot ou d'un groupe de mots au sein de la phrase permet de bien comprendre son sens et de faire les bons accords.

RAPPELS

● Donner la **fonction** d'un mot, c'est dire quelle relation il entretient **avec un autre** au sein de la phrase ou de la proposition.

> *Sal, qui est le fils de Brenda, étudie avec passion les œuvres de Bach.* (*avec passion* est complément circonstanciel de manière **du verbe *étudie*** ; *Bach* est complément **du nom *œuvres***)

● Une fonction peut être occupée par un **mot** seul, un **groupe de mots** ou une **proposition** [voir p. 146].

> Ainsi, en reprenant l'exemple ci-dessus, on dira que :
> – *Sal, qui est le fils de Brenda* (groupe nominal ayant pour noyau *Sal*) est sujet de *étudie* ;
> – *qui est le fils de Brenda* (proposition relative) est complément du nom *Sal* ;
> – *Brenda* (nom propre) est complément du nom *fils*.

LES DIFFÉRENTES FONCTIONS

sujet	*Sal* joue du piano.	voir p. 165
complément d'objet	*Brenda* tient **le café**.	voir p. 169
attribut	*Jasmin* est restée **seule**.	voir p. 173
complément circonstanciel	*Elle a* trouvé *un café* **au milieu du désert**.	voir p. 175
complément d'agent	*Le café* est tenu **par Brenda**.	voir p. 177
complément d'un noyau	*Brenda est à nouveau* fière **de son café**.	voir p. 178
épithète	*Elle a transformé cet* **ancien** café **délabré**.	voir p. 183
apposition	*Sal*, **le fils de Brenda,** *aime Bach.*	voir p. 185
apostrophe	***Sal****, joue moins fort s'il te plaît.*	voir p. 186

Les prépositions, les conjonctions de subordination et les conjonctions de coordination n'ont pas de « fonction » à proprement parler : elles ne sont pas « compléments » d'un autre mot. Elles ont cependant pour rôle de marquer le lien entre deux éléments.

SITÔT LU

sitôt su

Les constituants de la phrase

Toute phrase se décompose en deux constituants : groupe sujet, groupe verbal.

GROUPE SUJET, GROUPE VERBAL

● Le **groupe sujet** correspond au « thème » de la phrase, c'est-à-dire qu'il désigne l'être ou la chose dont on va parler. Pour plus de détails, voir p. 165.

● Le **groupe verbal** correspond au « propos » de la phrase, c'est-à-dire qu'il

QUI L'EÛT *cru*

« Rire de tout n'est pas une solution ! » (... mais pleurer de tout encore moins !) Notre phrase-exemple démontre que le groupe sujet – *rire de tout* – a pour noyau un verbe à l'infinitif ; il ne serait donc pas faux de parler, alors, de « groupe verbal sujet », mais il est préférable de dire « groupe sujet ».

indique ce qu'on dit à propos du sujet. On l'appelle parfois prédicat.

> *Le naufragé perdu sur l'île déserte* *rencontre Vendredi, son futur compagnon*.
>   groupe sujet   groupe verbal

● Hormis dans quelques cas particuliers (phrase impérative*, phrase averbale*...), la présence de chacun des deux groupes est **obligatoire**.

> *Le naufragé perdu sur l'île déserte,* pas plus que *rencontre Vendredi, son futur compagnon* ne peuvent constituer une phrase à eux seuls.

● Parfois, certains éléments ne se rattachent ni au groupe sujet, ni au groupe verbal. On les appelle les **compléments de phrase** et leur présence n'est pas obligatoire.

> **Heureusement**, *Robinson* *a trouvé un ami*.
>   groupe sujet   groupe verbal

CARACTÉRISTIQUES

● Le **sujet** est généralement placé en **tête de phrase**, mais pas toujours [voir p. 167].

> *Comment pourra-t-**il** rentrer ?*

● Chacun de ces deux groupes peut comporter un seul mot ou plusieurs constituants organisés autour d'un noyau*, les uns étant obligatoires, les autres non.

> *Robinson* mange. – *Notre héros, qui vient d'arriver sur l'île,* a rencontré Vendredi au cours d'une balade. (→ notre héros a rencontré Vendredi)

SITÔT LU
sitôt su

Le noyau du groupe verbal est... toujours un verbe. La dénomination *groupe verbal* se justifie donc. En revanche, le noyau du groupe sujet peut être autre chose qu'un nom (pronom, infinitif...). On évitera donc de parler de « groupe nominal sujet » à propos du sujet d'une phrase.

Identifier le sujet

Il est important de repérer le groupe sujet dans une phrase car c'est son noyau* qui détermine l'accord du verbe.

PRINCIPAUX CRITÈRES

● Le sujet se rapporte toujours à un **verbe**, jamais à un autre mot. Le plus souvent, le verbe est conjugué ; il porte alors les marques de nombre et de personne du noyau du sujet.

● Le sujet répond à la **question** *qui ? qui est-ce qui ?* ou *qu'est-ce qui ?* Il peut de même être **mis en relief*** par *c'est... qui.*
> *Frida la blonde deviendra Margot.* (« qui est-ce qui deviendra Margot ? – **Frida la blonde**. » C'est **Frida la blonde** qui deviendra Margot.)

❓ QUI L'EÛT *cru*

L'inversion verbe-sujet ne doit pas faire perdre de vue quel est le sujet incontestable de la phrase..., le mot ou le groupe de mots répondant à la question « Qui est-ce qui... fait l'action exprimée par le verbe ? » Attention aux ambiguïtés : la phrase imagée, quasiment poétique, évoquant une gamine faisant de la balançoire : « Sous le chêne volait une Estelle » devient, du fait de l'inversion verbe-sujet, homonyme de « vos laitues naissent-elles ? ». La confusion est peu probable ici, mais dans d'autres cas... !

● Le sujet précède souvent le verbe, mais ce n'est pas toujours le cas [voir p. 167].
> *Plat, gris et venteux : ainsi se présenterait **son pays**.*

CAS PARTICULIERS

● Lorsqu'un verbe est utilisé en tournure impersonnelle*, son sujet est toujours *il* (appelé sujet **grammatical** ou **apparent**). Le sujet **logique** (appelé aussi sujet **réel**) peut être exprimé, mais il ne commande pas l'accord du verbe.
> *Il pleut et il fait gris, mais il reste d'autres plaisirs à découvrir.* (dans *Il pleut et il fait gris*, il est le sujet grammatical ; il n'y a pas de sujet logique ; dans *il reste d'autres plaisirs à découvrir, il* est sujet grammatical, *d'autres plaisirs* est le sujet logique)

● Le sujet peut comporter plusieurs **groupes coordonnés** [voir p. 166].
> *Le vent du nord et le vent d'ouest soufflent sur le pays.*

● Le sujet est parfois **renforcé** par un pronom personnel disjoint [voir p. 69].
> *Le vent du sud, lui, apporte un rayon de joie.*

● Le sujet doit être parfois **repris** par un pronom personnel [voir p. 168].
> *Sans doute ce plat pays est-il le seul que Jacques aime.*

Lorsqu'on hésite sur l'identification d'un sujet, on cherche quel groupe de mots peut être remplacé par un pronom personnel sujet ou par *cela*.
> *Qu'il pleuve et qu'il vente ne le gênent pas.* (**cela** *ne le gêne pas* → le sujet est *qu'il pleuve et qu'il vente*)

SITÔT LU
sitôt su

La composition du sujet

Le sujet d'un verbe est le plus souvent un nom ou un groupe* nominal. Mais il peut se présenter sous d'autres façons.

NATURE DU NOYAU

● Le noyau* d'un groupe sujet est le plus souvent :
➤ un **nom** [voir p. 18] ;
   Saturnin a beaucoup d'amis. Mais ce gentil canard est un peu vantard.
➤ un **pronom**, quelle que soit la catégorie à laquelle il appartient [voir p. 58].
   *« Ne le connaissez-**vous** pas ? – Si, **un de mes amis** m'en a parlé. »*

● Le noyau peut également être :
➤ un **infinitif** [voir p. 113] ;
   Partir à l'aventure ne lui a jamais fait peur.
➤ une **proposition complétive** [voir p. 151]. La proposition est alors souvent reprise par *ce* ou *cela* ;
   Qu'il soit parti faire du ski, (cela) ne vous étonnera pas.
➤ une **proposition relative** [voir p. 153]. Dans ce cas, la relative n'a pas d'antécédent.
   Quiconque saurait comment se débarrasser de Belette est prié de se faire connaître auprès de Saturnin.

❓ QUI L'EÛT *cru*

« La vision du moindre papillon mettait en transe ce collectionneur, toujours prêt à s'élancer le filet à la main ! » : le sujet de cette phrase est en fait un « groupe sujet », à savoir *la vision du moindre papillon*, dont le substantif *vision* est le noyau. Un sujet peut donc être, souvent s'il s'agit d'un groupe sujet, beaucoup plus long que le groupe verbal : « Le très vieux et compassé majordome lorrain de cette famille noble originaire du Poitou lisait Spirou ! »

SUJETS COORDONNÉS

Le sujet peut être constitué de plusieurs groupes coordonnés. Généralement, on coordonne des noms entre eux ou des noms et des pronoms. Mais la coordination de propositions n'est pas exclue. En cas de sujets coordonnés, le verbe se met le plus souvent au pluriel. Pour plus de détails, voir *Toute l'orthographe*, p. 124 et 125.
   *Le professeur Popof et Jeannot Lapin **sont** les amis de Saturnin.*
   *Ni toi ni moi ne **savons** où est parti Saturnin.*

SITÔT LU
sitôt su

On peut retenir cette nouvelle table d'addition pour savoir à quelle personne mettre le verbe qui a des sujets coordonnés de personne différente :
   2 + 1 = 1 *Toi (2) et moi (1) aimerions (1) le rencontrer.*
   3 + 1 = 1 *Saturnin (3) et moi (1) sommes (1) allés au ski.*
   3 + 2 = 2 *Le cochon (3) et toi (2) pourriez (2) nous rejoindre.*

La place du sujet

Le sujet précède généralement le verbe. Mais on le trouve aussi en position inversée, soit de façon obligatoire, soit de façon facultative.

INVERSION OBLIGATOIRE

L'inversion du sujet est obligatoire :
➤ dans la phrase **interrogative**, quand le sujet est un **pronom personnel**, *ce* ou *on* ;
> *Est-**ce** un nouveau piège ?*
> *Qui doit-**il** prévenir ?*
➤ quand, dans la phrase **interrogative**, la question commence par *que* (*qu'*) ;
> *Qu'aurait fait **Michel Strogoff** dans une telle situation ? Que feriez-**vous** à sa place ?*
> *Que serait devenu **le valeureux capitaine** sans l'aide de Nadia ?*
➤ dans une **proposition incise** [voir p. 156].
> *« Pour qui travaillez-vous ? » lui demandèrent **ses tortionnaires**.*

> **❓ QUI L'EÛT *cru***
>
> Les auteurs ont souvent recours à l'inversion du sujet. Cette inversion se retrouve dans ces tours de force que sont les distiques holorimes : des paires de vers totalement homophones. On doit à Alphonse Allais, entre autres merveilles : « Par les bois du djinn où s'entasse de l'effroi [*effroi* : sujet de *s'entasse*] / Parle, ou bois du gin, ou cent tasses de lait froid ! »

INVERSION FACULTATIVE

● Dans la phrase interrogative, si la question porte sur le **complément d'objet*** direct ou sur l'**attribut***, on peut inverser le sujet. Avec *que*, c'est obligatoire (*cf.* ci-dessus).
> *Quelle distance a parcourue **le messager du tsar** ?*

● Le plus souvent, on inverse le pronom personnel sujet, *ce* ou *on* lorsque la phrase commence par un **adverbe** ou une locution adverbiale (*ainsi, au moins, aussi, du moins, et encore, sans doute, peut-être...*)
> *Sans doute aura-t-**il** été reconnu par son adversaire.*

● L'inversion du sujet (autre que le pronom personnel, *ce* ou *on*) est possible dans les propositions **infinitives**, **relatives** ou les interrogatives **indirectes** partielles.
> *Strogoff, qui n'avait pas vu arriver **les Tartares**, se fit arrêter à Omsk, où vivait **sa mère**.*
> *Le tsar se demandait quand se soulèveraient **les troupes** en Mongolie.*

● Par souci de style ou d'expressivité, il est également possible d'inverser le sujet lorsque l'on fait commencer la phrase par un **complément circonstanciel***.
> *Sous une fausse identité part **le courageux messager**.*

Qu'il soit placé avant ou après le verbe, le sujet commande toujours l'accord du verbe dont il dépend.
> *La lettre que lui avaient dérobée ses ennemis lui aurait sauvé la vie. (et non ~~la lettre que lui avait dérobée ses ennemis~~)*

SITÔT LU
sitôt su

167

Reprise du sujet par un pronom

Lorsque le sujet n'est ni un pronom personnel ni *ce* ou *on,* il peut, dans certains cas, être repris par un pronom personnel.

DANS QUELS CAS ?

● Dans la phrase **interrogative**, on reprend le sujet **obligatoirement** s'il précède le verbe, sauf cas impossibles (*cf.* ci-dessous).

> *Lili* est-**elle** *la sœur de Max ?*
> *Comment* *Max* *va-t-il annoncer la nouvelle à ses parents ?*

❷ QUI L'EÛT *cru*

Le pronom disjoint est employé pour donner plus de force à la phrase, en insistant sur la personnalité du sujet : « Obélix, lui, livrait de lourds menhirs. » Ici, avec les deux virgules, *lui* représente sans conteste le sujet, *Obélix.* Mais, sans ponctuation, le pronom personnel représente la personne à qui le Gaulois destine les menhirs.

● Lorsque la phrase commence par des **adverbes** ou des locutions adverbiales (*ainsi, au moins, aussi, du moins, et encore, sans doute, peut-être...*), le sujet qui précède le verbe peut être repris par un pronom personnel, mais cela relève du registre* soutenu et n'est pas obligatoire.

> *Sans doute* *Max et Lili* *ne prennent-***ils** *pas toujours conscience de leurs actes.*

CAS IMPOSSIBLES

● Dans la phrase interrogative, quand la question porte **sur le sujet lui-même**, le sujet se place toujours en tête de phrase et ne peut être repris par un pronom personnel.

> *Combien de bêtises ont été commises par Max et Lili ?* (et non pas ~~combien de bêtises ont-elles été commises~~)

● Si la phrase interrogative est construite avec ***est-ce que ?***, la reprise du sujet n'est pas possible.

> *Comment est-ce que Max et Lili vont se sortir de ce mauvais pas ?* (et non ~~comment est-ce que Max et Lili vont-ils se sortir de ce mauvais pas ?~~)

● Dans les **interrogatives indirectes**, le sujet n'est jamais repris.

> *On se demande comment* *Max* *va annoncer la nouvelle à ses parents.* (et non ~~on se demande comment Max va-t-il annoncer...~~)

❗

SITÔT LU

sitôt su

La reprise du sujet peut, dans certains cas, lever des ambiguïtés, notamment lorsque la phrase interrogative commence par *qui.*

> *Qui Max a-t-il convaincu ?* (dans ce cas, *Max* est identifié comme étant le sujet et *qui* comme le complément d'objet ; si on écrit *qui a convaincu Max ?,* la question peut vouloir dire : « quelle personne Max a-t-il convaincue ? » ou « quelle personne a réussi à convaincre Max ? »)

Le complément d'objet

Le complément d'objet (CO) est un complément du verbe. Il répond à un certain nombre de caractéristiques.

CARACTÉRISTIQUES

• Le CO indique ce sur quoi porte l'action exprimée par le verbe. C'est un **complément essentiel*** qui fait partie du groupe verbal [voir p. 164] : si on le supprime, la phrase devient incorrecte ou change profondément de sens.

> *Ce cambrioleur séducteur jouit **d'une grande renommée** à l'étranger.* (on peut supprimer *à l'étranger*, mais non *d'une grande renommée*)

❓ QUI L'EÛT *cru*

« Gaston Lagaffe nourrit » ne veut pas dire grand-chose ! L'emploi de *nourrir* au sens absolu ne confère pas une grande signification à la phrase ; celle-ci est même incorrecte ! Mais, si l'on fait suivre *nourrit* de compléments, tout est parfait : « Gaston nourrit dix fois par jour son chat fou et sa mouette hystérique ! ».

• Le complément d'**objet direct** se construit sans préposition [voir p. 170] ; les compléments d'**objet indirect** [voir p. 171] et **second** [voir p. 172] sont introduits par une préposition.

> *Ce gentleman offre toujours <u>des fleurs</u> (COD) **à** <u>ses victimes femmes</u> (COS).*

LA NATURE DES COMPLÉMENTS D'OBJET

• Le noyau* d'un groupe qui occupe la fonction de CO peut être un **nom**, un **pronom** ou un **infinitif**.

> *Arsène effectue tous ses **cambriolages** avec luct.*
> *Voici le tableau **que** convoite Arsène mais personne ne **le** sait.*
> *Ce séducteur a toujours aimé **plaire** aux femmes.*

• Les propositions **complétives**, **infinitives**, **interrogatives indirectes** peuvent également occuper la fonction de CO.

> *Il attend **que tous soient endormis** pour s'introduire dans la résidence.* (complétive)
> *Personne n'a entendu **le cambrioleur entrer dans la maison**.* (infinitive)

La proposition **relative** peut aussi être CO mais, dans ce cas, elle est sans antécédent*.

> *Ce gentleman plaît **à quiconque apprécie l'ironie et l'audace**.*

Pour distinguer un COI d'un complément circonstanciel* essentiel, il faut se demander si la préposition employée est propre au verbe ou au complément.

> *Arsène va **au château**.* (chez sa victime, en Italie... → *au château* est complément circonstanciel de lieu)
> *Arsène pense **au château** qu'il va cambrioler.* (dans ce sens de *penser*, on ne peut pas employer d'autres prépositions → *au château* est COI)

SITÔT LU

sitôt su

Le complément d'objet direct

Les verbes transitifs directs ont un complément d'objet construit sans préposition : il s'agit alors d'un complément d'objet direct (COD).

IDENTIFIER LE COD

● Le COD répond à la **question** *qui ? qui est-ce que ?* ou *que ? qu'est-ce que ?* Il peut de même être **mis en relief*** par *c'est... que.*

> *Razibus accompagne **Bibi Fricotin** partout.* (c'est **Bibi Fricotin** que Razibus accompagne partout)
>
> *Bibi leur a joué **un mauvais tour**.* (« qu'est-ce que Bibi leur a joué ? – **Un mauvais tour** »)

Mais attention à ne pas confondre le COD avec l'attribut [voir p. 175].

> **Q QUI L'EÛT *cru***
>
> « Qui a le pain ? » demande-t-on dans une plaisanterie bon enfant qui circule notamment – et depuis fort longtemps ! – dans les casernes de « bérets bleus », autrement dit : les chasseurs alpins. Car la réponse, bien sûr, est « chasseur », parce que « le chasseur a l'pain ». *Pain*, qui répond à la question « Qu'est-ce qu'a le chasseur ? », est le complément d'objet direct du verbe *avoir*.

● Quand la transformation à la voix passive* est possible, le COD devient **sujet**.

> *Razibus accompagne **Bibi Fricotin** → Bibi Fricotin est accompagné de Razibus.*

● Le COD peut, le plus souvent, être remplacé par un **pronom personnel**. À la 3e personne, on utilise *le, la, les, l'.*

> *Personne n'a remarqué **que Bibi s'était déguisé**.* (personne ne **l'**a remarqué)

PARTICULARITÉS

● Lorsque le COD est un **infinitif**, il peut être introduit par une préposition. On vérifie qu'il s'agit bien d'un COD en le remplaçant par un pronom, qui lui n'est pas introduit par une préposition.

> *Bibi a demandé à Razibus **de faire le guet**.* (il **l'**a demandé ; il a demandé **cela**)

● Lorsque le COD est placé avant le participe passé, ce dernier s'accorde **en genre et en nombre** avec le COD. Pour plus de détails, voir *Toute l'orthographe*, p. 140.

> ***Quels pays** Bibi Fricotin a-t-il découvert**s** ?*

SITÔT LU

sitôt su

Certains pronoms s'utilisent sans être reliés au verbe par une préposition. Il ne faut pas pour autant en déduire qu'il s'agit d'un COD ! Pour vérifier la fonction d'un pronom, on regarde comment se construit l'infinitif du verbe avec *quelqu'un* ou *quelque chose*.

> *Bibi aime la vie et il **en** profite bien !* (profiter **de quelque chose** → *en* n'est pas COD)
>
> *Obéis-**lui**.* (obéir **à quelqu'un** → *lui* n'est pas COD)

Le complément d'objet indirect

Les verbes transitifs indirects ont un complément d'objet introduit par une préposition : il s'agit alors d'un complément d'objet indirect (COI).

IDENTIFIER LE COI

● Le COI est introduit par une préposition qui ne dépend pas du sens du complément, mais qui dépend de la **construction** du verbe (*plaire à, jouir de, compter sur...*).

● Le COI répond à la **question** *à qui ? de qui ? à quoi ? de quoi ?...* selon la préposition appelée par le verbe.

> *Le manoir appartient **au comte**.* (**à qui** appartient le manoir ?)

❓ QUI L'EÛT *cru*

Le logographe consiste à faire deviner un mot principal, et un ou plusieurs mots formés par une partie de ce mot principal. On dit « pied » pour *lettre*. Ainsi dans cet exemple : « Avec mes sept pieds, je suis terrible si par malheur vous me laissez régner. / Mais, si vous me coupez la tête, vous renoncez à découvrir la vérité », dont la solution est : *terreur* et *erreur*. Renoncer étant un verbe transitif indirect, *à découvrir la vérité* est un COI.

● Le COI peut le plus souvent être remplacé par *en, y* ou par un **pronom personnel conjoint** [voir p. 67]. À la 3e personne, on utilise *lui, leur*.

> *Pour effrayer un vampire, on recourt **à l'ail et au crucifix**.* (on **y** recourt)
> *Le comte n'était pas sans plaire **à Mina**.* (le comte n'était pas sans **lui** plaire)

Cependant, quand le COI désigne un être humain, certains verbes n'acceptent que le pronom disjoint introduit par la préposition [voir p. 69].

> *Dracula pense sans cesse **à Elisabeta**.* (il pense sans cesse **à elle**)

PARTICULARITÉS

Quand le COI est *en, y* ou un pronom personnel conjoint, la préposition est omise. C'est également le cas pour certaines **propositions** COI. On vérifie qu'il s'agit bien d'un COI en se référant à la construction de l'infinitif avec *quelqu'un* ou *quelque chose*.

> *Dracula n'est pas vraiment le genre d'homme qui **me** convienne.* (convenir **à quelqu'un**)
> *Harker ne se doutait pas **qu'il s'agissait d'un vampire**.* (se douter **de quelque chose**)

L'article partitif ressemble à la préposition *de* [voir p. 35]. Il ne faut pas pour autant en conclure que le nom auquel il se rapporte est un COI ! Il faut se référer à la construction du verbe à l'infinitif.

> *Dracula ne mange pas **d'ail**.* (manger quelque chose → *d'ail* n'est pas COI, mais COD)
> *Dracula ne se nourrit pas **d'ail**.* (se nourrir de quelque chose → *d'ail* est bien COI)

SITÔT LU

sitôt su

Le complément d'objet second

Dans certains cas, le verbe d'une phrase a deux compléments d'objet*. Le complément d'objet qui est introduit par une préposition s'appelle complément d'objet second (COS).

CARACTÉRISTIQUES

• Contrairement aux compléments d'objet direct et indirect, le COS n'est pas toujours un complément essentiel.

> La nature a doté ce marin **d'une grande imagination**. (on ne peut pas dire ~~la nature a doté ce marin~~ ; ici, le COS est un complément essentiel)
>
> Tintin a écrit une lettre **à son fidèle ami.** (on peut dire *Tintin a écrit une lettre* ; le

sens est moins précis, mais il n'est pas modifié ; le COS n'est donc pas un complément essentiel)

• Tout comme pour le complément d'objet indirect, la préposition qui introduit le COS dépend de la **construction du verbe**. Le plus souvent, il s'agit de *à* ou de *de*.

> donner... **à** quelqu'un, **à** quelque chose – priver... **de** quelque chose, **de** quelqu'un

EMPLOIS

• Le plus souvent, le COS accompagne un **complément d'objet direct**.

> Le capitaine cria <u>quelques injures</u> **à son entourage**.

L'emploi du COS avec un **complément d'objet indirect** n'est pas impossible. Mais dans ce cas, il ne s'agit pas d'un complément essentiel.

> Haddock devait parler <u>de ce détail</u> **à Tintin**.

• Malgré son nom, le COS n'est pas toujours en seconde position.

> Ce retraité de la marine reproche souvent **à Tintin** <u>son goût pour l'aventure</u>.

❗

SITÔT LU

sitôt su

Le COS correspond toujours à un complément introduit par une préposition. Il est donc facile de le repérer quand il est employé avec un complément d'objet direct.

Quand les deux compléments se construisent avec une préposition, le COS est celui que l'on peut supprimer sans modifier le sens du verbe.

> *Haddock devait parler de ce détail à Tintin.* (si on supprime *de ce détail*, la phrase a un autre sens : « il devait se confier à Tintin » ; *de ce détail* est donc le complément d'objet indirect et *à Tintin* est le COS)

L'attribut (1)

L'attribut fait partie du groupe* verbal. Il faut savoir le reconnaître pour faire les bons accords.

CARACTÉRISTIQUES

● L'attribut est un mot ou un groupe de mots qui se rapporte au **sujet** (attribut du sujet) ou au **complément d'objet direct** (attribut du COD). Il exprime une qualité, un état, une manière d'être...

> *Fifi est **la fille d'un pirate**.* (*la fille d'un pirate* est attribut du sujet *Fifi*)
>
> *On pourrait l'élire **reine des enfants**.* (*reine des enfants* est attribut du COD *l'*)

● L'attribut présente la particularité de toujours désigner le même être ou la même chose que le sujet ou le COD auquel il se rapporte.

> Ainsi, dans les exemples précédents, *la fille d'un pirate* désigne bien la même personne que *Fifi* (de même pour *reine des enfants* et *l'*).

● L'attribut du sujet est relié au sujet par un **verbe d'état** tel que *être, demeurer, devenir, paraître, rester, sembler...* [voir p. 117]. L'attribut du COD se construit, lui, avec des verbes d'**opinion** tels que *juger, trouver, imaginer...* ou des verbes qui expriment un **changement d'état** tels que *nommer, élire...*

> *On peut <u>trouver</u> Fifi **petite**, mais elle <u>paraît</u> bien moins **forte** qu'elle ne l'<u>est</u> en vérité !*

NATURE DE L'ATTRIBUT

● L'attribut du sujet ou du COD est le plus souvent un **adjectif**, un **nom** ou un **groupe nominal**. L'adjectif s'accorde toujours en nombre et en genre avec le nom ou le pronom auquel il se rapporte.

> *Fifi est **rousse**.* (adjectif) – *Elle sera élue **reine des enfants**.* (groupe nominal)

● L'attribut du sujet peut être également un **pronom**, un **infinitif** ou une **proposition conjonctive***. L'infinitif est, dans certains cas, introduit par la préposition *de*.

> ***Qui** est Fifi ?* (*qui*, pronom, est attribut du sujet *Fifi*)
>
> *Mon rêve serait **de mener une vie comme celle de Fifi**.* (l'infinitif est attribut du sujet *mon rêve*)

Pour éviter toute ambiguïté, il est conseillé, quand c'est possible, de placer l'adjectif attribut du COD avant le COD. Sinon cet adjectif pourrait être pris pour une épithète du COD.

> *Tous estiment **astucieuse** <u>la fillette</u>.* (*tous estiment la fillette astucieuse* pourrait signifier : « Tous aiment cette fillette qui est astucieuse. »)

SITÔT LU

sitôt su

L'attribut (2)

L'attribut partage certaines caractéristiques avec les fonctions COD et épithète. Il ne faut pourtant pas les confondre.

ATTRIBUT OU COD ?

Tout comme le complément d'objet direct (COD), l'attribut du sujet se construit généralement **sans préposition** et répond à la question *qui ? que ?*

    (1) *Fifi est <u>leur amie</u>.* (qui est Fifi ?)

    (2) *Ils voient <u>leur amie</u> tous les jours.* (qui voient-ils tous les jours ?)

Mais l'attribut désigne toujours le **même être** ou la **même chose** que le sujet, ce qui n'est pas le cas du COD.

    Dans l'exemple 1, *Fifi* et *leur amie* désignent bien la même personne. (→ *amie* est attribut)

    Dans l'exemple 2, *ils* et *leur amie* désignent des personnes différentes. (→ *amie* est COD)

En outre, l'attribut peut toujours être **remplacé par un adjectif**, ce qui n'est jamais possible pour le COD.

    Dans l'exemple 1, on peut remplacer *leur amie* par *aimable* (*Fifi est aimable*), ce qui n'est pas possible dans l'exemple 2.

> **❓ QUI L'EÛT *cru***
>
> « Cet homme est grand ! » *Grand*, assurément attribut du sujet, apporte, certes, un renseignement sur l'homme en question, mais de quel ordre est cette information ? S'agit-il d'un individu dont la taille sort de l'ordinaire, d'un géant ?... Veut-on dire que c'est une personnalité hors du commun par ses qualités (d'organisateur, de meneur d'hommes, de dirigeant...) ? Un *grand homme* est célèbre et respecté, un *homme grand* est haut de taille.

ATTRIBUT OU ÉPITHÈTE ?

Tout comme l'épithète, l'attribut peut être un **adjectif** qui s'accorde en genre et en nombre avec le nom ou le pronom auquel il se rapporte. L'attribut et l'épithète apportent tous les deux une information sur la manière d'être, la qualité, etc.

    (3) *Fifi a les <u>cheveux</u> **roux**.* (*roux*, attribut du COD, se rapporte à *cheveux*)

    (4) *Fifi porte deux <u>tresses</u> **rousses**.* (*rousses*, épithète, se rapporte à *tresses*)

Mais, contrairement à l'épithète, l'attribut fait partie du groupe verbal et il ne peut pas être supprimé. L'épithète, elle, n'est pas obligatoire.

    Dans l'exemple 3, on ne peut pas dire *Fifi a les cheveux*. (→ *roux* est attribut)

    Dans l'exemple 4, on peut dire *Fifi porte deux tresses*. (→ *rousses* est épithète)

SITÔT LU

sitôt su

C'est surtout pour l'attribut du COD, qui peut suivre directement le nom auquel il se rapporte, qu'il y a un risque de confusion avec l'épithète. L'attribut du sujet, lui, est toujours séparé de ce nom par un verbe d'état*.

    *L'**extraordinaire** <u>fillette</u> fait rêver tous les enfants.* (*extraordinaire* est épithète de *fillette*)

    *La <u>fillette</u> est **extraordinaire**.* (le verbe *être* sépare l'attribut *extraordinaire* du nom *fillette*)

Complément circonstanciel (1)

Le complément circonstanciel (CC) dépend du verbe. Il répond à certaines caractéristiques qui permettent de l'identifier.

CARACTÉRISTIQUES

● Le CC apporte des **informations sur les circonstances** dans lesquelles se déroule l'action exprimée par le verbe (temps, lieu, manière...).

> *Il l'a abritée **sous son parapluie**. (sous son parapluie informe sur le lieu)*

● Le CC peut être :
➤ un complément **essentiel***. Dans ce cas, il est étroitement lié au verbe et sa place est fixe. Si on le supprime, la phrase devient incorrecte ou change profondément de sens ;

> *Leur conversation a duré **le temps de l'orage**. (on ne peut pas dire ~~le temps de l'orage, leur conversation a duré~~ et leur conversation a duré aurait un autre sens)*

➤ un complément non **essentiel**. Dans ce cas, il peut être supprimé sans changer profondément le sens de la phrase. On peut également le changer de place.

> *Il pleuvait **ce jour-là**. (on peut dire il pleuvait ou ce jour-là, il pleuvait)*

NATURE DU COMPLÉMENT CIRCONSTANCIEL

● Le CC est le plus souvent un groupe dont le noyau* est :
➤ un **adverbe** ;
> *L'orage s'est arrêté <u>trop **tôt**</u>.*

➤ un **nom** ou un **pronom** ;
> *Ce <u>jour</u>-là, elle cheminait <u>sans **parapluie**</u> sur la **route** nationale auprès de **moi**.*

➤ un **infinitif** ou un **gérondif***.
> *<u>Après m'**avoir remercié**</u>, elle s'est abritée sous mon parapluie <u>**en** me **souriant**</u>.*

● Le CC peut être également une proposition subordonnée **conjonctive** circonstancielle [voir p. 152] ou une proposition **participiale** [voir p. 159].

> ***L'orage passé** (participiale), elle me quitta **comme elle était arrivée** (conjonctive).*

Si le complément répond à une question telle que *où ? quand ? comment ? combien ?* ou *pourquoi ?*, il s'agit d'un complément circonstanciel.

> *Ce jour-là, elle cheminait sans parapluie sur la route nationale. (quand cheminait-elle ? ce jour-là – comment cheminait-elle ? sans parapluie – où cheminait-elle ? sur la route nationale)*

SITÔT LU
sitôt su

Complément circonstanciel (2)

On distingue différentes catégories de compléments circonstanciels.

LES DIFFÉRENTES CATÉGORIES

Les principaux compléments circonstanciels (CC) répondent le plus souvent chacun à un adverbe interrogatif*.

NOM DU CC	ADVERBE	EXEMPLE	
temps	quand ?	*Le petit cheval travaille **par mauvais temps.***	voir p. 214
lieu	où ?	*Il emmène les gens **au village.***	
cause	pourquoi ?	*On l'apprécie **parce qu'il est courageux.***	voir p. 215
but	pourquoi ?	*Il fait tout cela **pour rendre service.***	voir p. 216
manière	comment ?	*Il a toujours travaillé **courageusement.***	
mesure	combien ?	*Il a travaillé **toute sa vie.***	
concession		***Malgré la pluie**, il parcourt la campagne.*	voir p. 217
condition		*Il est heureux **s'il peut rendre service.***	voir p. 218
conséquence		*Il est si gentil **que tout le monde l'aime.***	voir p. 219
comparaison		*Il est plus courageux **que nous.***	voir p. 222

LES NUANCES

Chacune de ces catégories comprend des nuances nombreuses et variées. Ces nuances sont importantes pour le sens, mais non pour l'analyse grammaticale.

Ainsi, les compléments de mesure peuvent se rapporter au poids, à la taille, à la durée… ; ceux de lieu renseignent sur la provenance, la destination…

❓ QUI L'EÛT *cru*

Le complément circonstanciel de cause répond à la question « Pourquoi ? », « Pour quelle raison ? »… Mais il faut, dans la réponse, employer les termes qui conviennent particulièrement à chaque situation. On ne dit pas, car ce serait impropre : « L'entraîneur de cette équipe de football a été licencié grâce aux mauvais résultats des joueurs » mais « à cause des mauvais résultats… ».

SITÔT LU
sitôt su

Pour ne pas confondre un CC de mesure avec un complément d'objet direct, il faut voir à quelle question répond le complément. Si la question est *combien ?*, il s'agit bien d'un CC. Si la question est *que ?*, il s'agit d'un complément d'objet direct.

Le cheval <u>mesure</u> 1 m au garrot. (combien mesure-t-il ? → CC)
Vous <u>mesurerez</u> tous son courage. (que mesurerez-vous ? → complément d'objet direct)

Le complément d'agent

Le complément d'agent fait partie d'une phrase à la forme passive [voir p. 203]. Il répond à un certain nombre de caractéristiques.

CARACTÉRISTIQUES

● Le complément d'agent désigne l'être ou la chose qui **accomplit l'action** exprimée par le verbe.

> *Le Minotaure a été vaincu **par Thésée**.*
> (c'est Thésée qui a vaincu le Minotaure)

● Le complément d'agent dépend toujours d'un **verbe transitif** conjugué à la **voix passive**.

> *Par Thésée* est complément d'agent du verbe *a été vaincu.*

> **❓ QUI L'EÛT CRU**
>
> « Une veste mangée aux mites » présente un aspect déplorable, certainement, puisqu'elle a subi les assauts de bestioles voraces... Ici, *aux* remplace *par les* dans une expression figée consacrée par l'usage. « Une veste mangée par les mites », formulation licite, naturellement, est moins employée, bien que forgée avec la préposition *par*, celle qui introduit le plus souvent les compléments d'agent.

● Le plus souvent, il peut être **supprimé**. La phrase est alors moins précise, mais elle reste correcte. Mais, contrairement aux compléments circonstanciels non essentiels [voir p. 175], il peut rarement être déplacé en tête de phrase.

> *Sept jeunes hommes et sept jeunes filles devront être livrés **par les Athéniens** à Minos.* (on peut dire *sept jeunes hommes et sept jeunes filles devront être livrés à Minos*)

CONSTRUCTION

● Le noyau* du complément d'agent peut être un **nom** ou un **pronom**.

> *Le Minotaure ne sera vaincu que par **celui** qui saura retrouver son chemin dans le Labyrinthe.*
> (le pronom *celui* est le noyau du groupe complément d'agent de *sera vaincu*)

Le pronom *ce* complété par une relative peut ainsi être complément d'agent.

> *Les Athéniens furent enthousiasmés par **ce** que Thésée avait accompli pour eux.*

● Le complément d'agent est toujours introduit par une préposition : *par* ou *de*. Le plus souvent, on utilise la préposition *par* si le verbe exprime une action concrète.

> *Le Labyrinthe a été construit **par** Dédale.*
> *Thésée est admiré **de** tous ses compatriotes.*

On vérifie que l'on a bien affaire à un complément d'agent et non à un complément circonstanciel en s'assurant qu'à la voix active*, le complément devient sujet du verbe.

> *Thésée a été guidé **par le fil d'Ariane**.* (on peut dire : *le fil d'Ariane a guidé Thésée* → *par le fil d'Ariane* est complément d'agent)
> *La voile noire a été hissée **par erreur**.* (~~l'erreur a hissé la voile noire~~ n'aurait pas de sens → *par erreur* n'est pas complément d'agent)

SITÔT LU
sitôt su

Les autres compléments

Le verbe n'est pas le seul mot à pouvoir recevoir des compléments : les mots des autres classes grammaticales peuvent également avoir des compléments.

QUELLES CLASSES ?

● Hormis les déterminants et les conjonctions de coordination, toutes les classes grammaticales peuvent recevoir des compléments.

> *Le feu fut découvert bien avant l'âge du bronze.* (l'adverbe *bien* modifie le sens de *avant* → *bien* est complément de la préposition *avant*)

● Cependant, le cas se présente le plus souvent pour :

➤ les **noms** [voir p. 179] ;

> *Les Ulams durent partir à la **recherche** du feu.* (*du feu* est complément du nom *recherche*)

➤ les **pronoms** [voir p. 182] ;

> *La conservation du feu était **ce** qui leur importait le plus.* (*qui leur importait le plus* est complément du pronom *ce*)

➤ les **adjectifs** [voir p. 180] ;

> *Les Ulams savaient que le feu est **indispensable** à la survie de l'homme.* (*à la survie de l'homme* est complément de l'adjectif *indispensable*)

➤ les **adverbes** [voir p. 181].

> ***Heureusement** pour eux, ils ont fini par découvrir comment faire du feu.* (*pour eux* est complément de l'adverbe *heureusement*)

❓ QUI L'EÛT *cru*

Les compléments divers... complètent et précisent le sens des mots auxquels ils sont rattachés logiquement, comme les compléments du verbe (COD, COI, COS, compléments circonstanciels et d'agent) le font, de leur côté... Dans « un panier de fleurs », *fleurs* est un complément du nom (*panier*) qui fournit l'information sur la nature du contenu, mais dans « un panier plein de fleurs », le dernier mot précise la nature de ce qui rend plein le panier.

COMPLÉMENTS ESSENTIELS ET NON ESSENTIELS

Tout comme pour les verbes, ces compléments peuvent être essentiels ou non :

➤ certains d'entre eux ne peuvent être supprimés ;

> *Ils sont partis à la recherche **du feu**.* (on ne pourrait pas dire ~~ils sont partis à la recherche~~)

➤ certains mots se construisent toujours avec un complément.

> *Désireux* est un adjectif qui a toujours un complément.

SITÔT LU

sitôt su

Chaque groupe constitué d'un noyau et de son complément reçoit un nom :

nom + complément → groupe **nominal**
pronom + complément → groupe **pronominal**
adjectif + complément → groupe **adjectival**
adverbe + complément → groupe **adverbial**

Les compléments du nom

Le nom peut recevoir différents compléments (appelés expansions du nom). Un nom ainsi complété est le noyau d'un groupe nominal.

QUELS COMPLÉMENTS ?

- Le nom est le plus souvent complété par :
> un **adjectif** épithète [voir p. 183] ;
  *Le **petit** poisson convaincra-t-il le pêcheur ?*
> un autre **nom** (ou groupe nominal), un **pronom** ou un **infinitif** introduit par une préposition ;
  *Le discours **du poisson** ne le convainc pas.*
  *Le discours de **celui-ci** ne le convainc pas.*
  *Le poisson finira dans la poêle **à frire**.*
> une proposition **relative** [voir p. 154].
  *Il emporte le poisson **qu'il vient de pêcher**.*

> **❓ QUI L'EÛT *cru***
>
> La formulation elliptique peut tromper, mais, dans « désherbants rosiers », par exemple, couramment employé à la place de « désherbants pour rosiers » par ellipse de la préposition, *rosiers* est bien un complément du nom, un complément de *désherbants*.
> Sont dans le même cas des expressions comme : *des pneus neige, des produits minceur, la fin janvier, des programmes jeunesse...*

- On trouve également comme complément du nom :
> un autre **nom** apposé [voir p. 185] ;
  *Le pêcheur, **homme prudent**, préfère garder sa prise.*
> un groupe ayant pour noyau un **participe présent** qui reste alors invariable ;
  *Les pêcheurs **attrapant des petits poissons** sont priés de les relâcher.*
> une proposition **complétive** [voir p. 151].
  *Le poisson avait pourtant fait la promesse au pêcheur **qu'il ferait une plus grosse prise**.*

CAS PARTICULIERS

- Lorsqu'un nom **collectif*** a un complément qui désigne les éléments de l'ensemble, on peut considérer que c'est ce complément qui est le véritable noyau du groupe, le premier nom tenant le rôle de déterminant [voir p. 26]. Les accords peuvent alors se faire avec ce pseudo-complément. Pour plus de détails, voir *Toute l'orthographe*, p. 126.
  Une centaine de petits poissons ne feront pas un bon plat. (on considère que *une centaine de* est un déterminant et que le noyau est *poissons ;* le verbe est donc au pluriel)

- Le **déterminant** se rapporte à un nom, mais on ne dit pas qu'il en est complément.

Lorsqu'un nom est dérivé d'un verbe, son complément se construit alors le plus souvent avec la même préposition que celle du verbe. Pensez-y en cas d'hésitation.
*Le pêcheur n'a eu aucune hésitation **à** garder son poisson.* (et non ~~aucune hésitation pour garder son poisson~~ car on dirait *le pêcheur n'a pas hésité **à** garder son poisson*)

SITÔT LU
sitôt su

179

Les compléments de l'adjectif

Un adjectif qui reçoit un complément est le noyau d'un groupe adjectival.

QUELS COMPLÉMENTS ?

L'adjectif peut être complété par :
➤ un **adverbe** [voir p. 126] ;
> *Aladin était **plutôt** <u>paresseux</u>.* (l'adverbe *plutôt* est complément de *paresseux*)
➤ un **nom** (ou groupe nominal) ou un **pronom** introduit par une préposition ;
> *Aladin se montrait <u>généreux</u> envers **ses proches**.* (le groupe nominal *ses proches* est complément de *généreux*)
> *Sa femme était <u>fière</u> de **lui**.* (le pronom *lui* est complément de *fière*)
➤ un **infinitif** (ou groupe infinitif) ;
> *Il découvrit un génie prêt à **exécuter tous ses ordres**.* (le groupe infinitif *exécuter tous ses ordres* est complément de *prêt*)
➤ une proposition **complétive** [voir p. 151].
> *Le magicien était <u>furieux</u> qu'**Aladin ait refusé de lui donner la lampe**.* (la complétive *Aladin ait refusé de lui donner la lampe* est complément de *furieux*)

❓ QUI L'EÛT cru

« Noir de colère, le général Dourakine s'étouffait en insultant le cocher blanc de crainte qui avait fait verser la troïka rouge dans le fossé. » Le héros soupe au lait de la comtesse de Ségur se montre donc sous son mauvais côté, avec un visage tordu de colère. *Colère* est le complément de l'adjectif *noir*, d'une part, et du participe adjectivé *tordu*, d'autre part.

CAS PARTICULIERS

● Les pronoms *en*, *y* et *dont* et les **pronoms personnels conjoints** (*me*, *te*, *lui*, *nous*, *vous*, *leur*) peuvent être compléments d'un adjectif attribut (et non épithète). Ils ne sont pas introduits par une préposition.
> *J'exécuterai tes ordres : j'**y** suis <u>prêt</u> et je **te** serai <u>fidèle</u>.* (je suis prêt **à exécuter tes ordres** et je serai fidèle **« à toi »**)
> *Le magicien voulait la ruine d'Aladin **dont** il était jaloux.* (il était jaloux **d'Aladin**)

● Les **participes présents** et **passés** employés comme adjectifs reçoivent souvent les compléments qu'ils peuvent avoir en tant que verbes.
> *Aladin <u>installé</u> **dans sa riche demeure** coulait des jours heureux.*

❗ SITÔT LU
sitôt su

L'adjectif ne peut pas avoir pour complément un autre adjectif, sauf dans quelques locutions figées telles que *fou furieux, grand ouvert, frais éclos...* [voir p. 134]. Mais, dans ce cas, le premier adjectif a une valeur d'adverbe et c'est bien le deuxième adjectif qui est le noyau du groupe adjectival.
> *frais éclos = nouvellement éclos – fou furieux = excessivement furieux*

Les compléments de l'adverbe

Un adverbe qui reçoit un complément est le noyau d'un groupe adverbial.

QUELS COMPLÉMENTS ?

L'adverbe est généralement complété par :

➤ un autre **adverbe** ;

Hier **encore**, *Bartholo pensait épouser Rosine.* (l'adverbe *encore* est complément de *hier*)

Le cas est fréquent pour les adverbes de quantité qui marquent le degré (comparatif ou superlatif) de l'adverbe qu'ils complètent.

Tout s'est **très** *bien terminé, sauf pour Bartholo !* (l'adverbe *très* est complément de *bien*)

➤ un **nom** (ou groupe nominal) ou un **pronom** introduit par une préposition.

Figaro a agi _conformément_ ***aux vœux du comte****.* (le groupe nominal *aux vœux du comte* est complément de *conformément*)

Heureusement *pour* **lui***, Figaro était son allié.* (le pronom *lui* est complément de *heureusement*)

❓ QUI L'EÛT *cru*

« Il a beaucoup de plaisir à vous revoir ! » affirmaient les parents de Cédric à des cousins éloignés venus leur rendre visite. Tristes comme la pluie et ennuyeux à mourir, lesdits cousins inspiraient au gamin un tout autre sentiment : « J'aurais beaucoup de plaisir à les voir... partir ! » À deux reprises, le nom *plaisir* est le complément de l'adverbe *beaucoup*.

PARTICULARITÉS

● Les adverbes de lieu *ici, là* et *partout* ont la particularité de pouvoir être complétés par une proposition **relative** introduite par *où*.

Figaro suivra Almaviva **partout** _où le comte ira_.

● Lorsqu'un adverbe de quantité tel que *beaucoup, trop, peu, combien,* etc. a un complément introduit par *de*, on peut considérer que ce complément est le véritable noyau du groupe, l'adverbe tenant le rôle de déterminant [voir p. 49]. Les accords se font alors généralement avec ce pseudo-complément [voir *Toute l'orthographe*, p. 126].

Beaucoup de travail attend Figaro. (on considère que *beaucoup de* est une locution déterminative et que le noyau du groupe sujet est *travail* ; le verbe est donc au singulier)

Lorsque deux adverbes sont employés côte à côte, il faut se demander si l'un est complément de l'autre (en général, le premier est complément du second), ou si les deux adverbes sont indépendants l'un de l'autre, chacun étant complément du verbe.

C'est **bien** *là que je l'ai vu.* (*bien* est complément de *là*)

Il viendra **ici** *demain.* (*ici* et *demain* sont chacun complément circonstanciel de *viendra* ; on peut d'ailleurs dire *demain, il viendra ici*)

SITÔT LU

sitôt su

Les compléments du pronom

Le pronom peut recevoir différents compléments. Un pronom ainsi complété est le noyau d'un groupe pronominal.

QUELS COMPLÉMENTS ?

● Les pronoms peuvent être complétés par un **nom** (ou groupe nominal) ou un autre **pronom** introduit par une préposition (le plus souvent *de, d'entre* ou *parmi*).

> *Les rêves de Charles sont simples, ceux d'**Emma** plus complexes ! Parmi les amants d'Emma, aucun d'**eux** ne pourra la combler.*

Cette construction est réservée aux pronoms démonstratifs, interrogatifs, indéfinis ou numéraux. On ne la rencontre pas pour les pronoms personnels, relatifs ou possessifs.

● Les pronoms peuvent également avoir pour complément une proposition **relative**.

> *Elle a rencontré quelqu'un **qui a enflammé son cœur** et elle délaisse celui **qu'elle a épousé**.* (la première relative complète l'indéfini *quelqu'un,* la seconde le démonstratif *celui*)
> *C'est lui **qui a voulu cette liaison**.* (la relative est complément du pronom personnel disjoint *lui*)

Là encore, la relative complète le plus souvent les pronoms démonstratifs, indéfinis et les pronoms personnels disjoints. Parfois, elle complète un pronom personnel conjoint, possessif, numéral ou interrogatif, mais jamais un relatif.

> *Que rêve-t-elle encore **qu'elle n'a déjà rêvé** ?* (la relative complète le pronom interrogatif *que*)

● Certains pronoms ont la particularité de pouvoir être complétés par un **adjectif épithète** introduit par la préposition *de*.

> *L'héroïne de Flaubert est quelqu'un de très **romantique** !*

RENFORCEMENT

Les adjectifs *autre, même* et les pronoms indéfinis *tous* et *chacun* peuvent se rapporter à un pronom ; ils ne sont pas alors des compléments à proprement parler, mais plutôt des renforcements.

> *Nous avons **tous** nos propres rêves. Elle-**même** ne savait pas ce qui la comblerait.*

SITÔT LU
sitôt su

Le *seul* adjectif qualificatif qui puisse être épithète d'un pronom personnel ou d'un pronom démonstratif est... *seul*. En tant qu'épithète, il doit bien sûr s'accorder en genre et en nombre avec le pronom.

> *Elle **seule** connaissait le secret de son cœur.*
> *Cela **seul** lui importait.*

L'épithète

Épithète est le nom que l'on donne à la fonction de l'adjectif qualificatif lorsqu'il est complément d'un nom. L'adjectif épithète fait partie d'un groupe nominal.

CARACTÉRISTIQUES

● L'épithète est un **adjectif qualificatif**. On associe à cette classe les **adjectifs verbaux** issus du participe passé ou du participe présent d'un verbe.

> *Sophie, au caractère **affirmé**, est une **petite** fille parfois **désobéissante**.* (*petite* est adjectif qualificatif ; *affirmé* et *désobéissante* sont des adjectifs verbaux)

L'épithète peut également se rapporter à un pronom auquel elle est reliée par la préposition *de*.

> *Sophie ne savait pas que couper des poissons vivants était <u>quelque chose</u> de **cruel**.*

❓ QUI L'EÛT *cru*

Comme son nom l'indique, l'épithète (du grec *epitheton*, « qui est ajouté ») apporte un complément d'information... qui est parfois ressenti comme inutile quand cet adjectif est indissociable du terme qu'il qualifie. Ainsi, jamais on n'emploie le mot *hère* tout seul : on dit toujours « un pauvre hère », bien que *hère* soit la graphie moderne du vieux français *haire*, qui veut dire... « pauvre ».

● L'épithète précède ou suit **directement** le nom auquel elle se rapporte [voir p. 184]. Contrairement à l'attribut, elle n'en est jamais séparée par un verbe d'état*.

> *Ses fidèles amies sont plus sages que Sophie.* (*fidèles* est épithète de *amies*, alors que *sages* en est attribut)

● L'épithète apporte un complément d'informations. On peut la **supprimer** sans rendre la phrase incorrecte ni en modifier profondément le sens.

> *La tête **blonde** de la **jolie** poupée lui plaît.* (on peut dire *la tête de la poupée lui plaît*)

L'ÉPITHÈTE DÉTACHÉE

Lorsque l'épithète est séparée du nom par une virgule, on parle d'**épithète détachée** (ou d'adjectif apposé). Elle peut précéder le nom et son déterminant.

> <u>*Sophie*</u>*, **toujours aussi têtue**, n'a pas tenu compte du conseil qu'on lui avait donné.*
> ***Toujours aussi têtue**, <u>la fillette</u> n'a pas tenu compte du conseil qu'on lui avait donné.*

L'épithète détachée peut avoir le sens d'un complément circonstanciel*.

> *Inconsciente de sa cruauté, Sophie avait découpé les poissons encore vivants.* (cause)

Il faut bien distinguer l'adjectif verbal en *-ant,* qui s'accorde, du participe présent qui, lui, reste invariable. Pour cela, on regarde si on a affaire à un adjectif qui exprime une qualité ou à un verbe qui exprime une action. Pour plus de détails, voir *Toute l'orthographe,* p. 132.

> *Sophie, désobéiss**ant** souvent, s'attire les pires ennuis.* (verbe)
> *Sophie, souvent désobéiss**ante**, s'attire les pires ennuis.* (adjectif)

SITÔT LU
sitôt su

La place de l'adjectif épithète

Certains adjectifs ont une place fixe dans le groupe* nominal.

PLACE FIXE

- L'adjectif épithète se place ordinairement après le nom. C'est le cas de :
  - ➤ l'adjectif de **couleur**, de **forme** ;
    *un <u>canard</u> **gris**, un <u>œuf</u> **ovale***
  - ➤ l'**adjectif verbal** [voir p. 55] ;
    *la <u>tête</u> **courbée**, la <u>nuit</u> **tombante***
  - ➤ l'**adjectif de relation** [voir p. 55] ;
    *une <u>forêt</u> **domaniale***
  - ➤ l'adjectif **dérivé d'un nom propre**.
    *un <u>conte</u> **danois** (du Danemark)*

> ### ❓ QUI L'EÛT *cru*
>
> « C'est blanc bonnet et bonnet blanc » : autrement dit, c'est exactement pareil ! Les individus ou objets concernés ne présentent pas de différences : « Voter Dupont ou Durand, c'est blanc bonnet et bonnet blanc ».
> Mais, dans d'autres cas, les adjectifs épithètes n'ont pas la même acception selon qu'ils sont avant ou après le nom qu'ils qualifient : un *brave homme* n'est pas obligatoirement un *homme brave*...

- Quelques **adjectifs très courants**, le plus souvent d'une seule syllabe, se placent d'ordinaire avant le nom. C'est le cas de *autre, beau, bon, grand, gros, jeune, joli, long, mauvais, même, petit* et *vieux*.
  *un **petit** <u>canard</u>, de **beaux** <u>cygnes</u>*
  Mais s'il est suivi d'un complément, l'adjectif se place après le nom.
  *des <u>cygnes</u> **beaux** à regarder*

- Les **adjectifs ordinaux** [voir p. 57] se placent toujours avant le nom. Il en va de même pour *dernier* s'il ne signifie pas « précédent ».
  *la **troisième** <u>couvée</u>, le **dernier** <u>œuf</u> (mais l'été dernier)*

AVANT OU APRÈS LE NOM

- La plupart des adjectifs ont la possibilité de se placer **avant ou après** le nom. Dans ce cas, la place de l'adjectif répond davantage à des questions de rythme ou de mise en relief* qu'à des règles strictes.
  *un **majestueux** <u>cygne</u> ou un <u>cygne</u> **majestueux***

- Certains adjectifs changent de **sens** selon leur place.
  *une ferme **propre** (qui n'est pas sale) – sa **propre** ferme (la sienne)*

SITÔT LU

sitôt su

Qu'il soit placé avant ou après le nom, l'adjectif épithète, contrairement à l'adjectif attribut, n'est jamais séparé du nom par un verbe.
*Le **petit** <u>canard</u> est vilain. (petit est épithète ; vilain, séparé de canard par est, est attribut)*

L'apposition

Apposition est le nom que l'on donne à la fonction du nom ou du pronom qui complète un autre nom dans un rapport d'équivalence.

CARACTÉRISTIQUES

● Il y a rapport d'équivalence parce que le nom apposé désigne le **même être** ou la **même chose** que le nom auquel il se rapporte. On peut « traduire » l'apposition par un attribut.

(1) *Étienne, son **fils**, travaille à la mine.* (Étienne est son fils → *Étienne* et *son fils* désignent bien la même personne)
(2) *Les mineurs déclencheraient une grève surprise* (la grève est une surprise)

● L'apposition apporte un complément d'informations. On peut la **supprimer** sans rendre la phrase incorrecte ni en modifier profondément le sens.

(1) *Étienne travaille à la mine.* – (2) *Les mineurs déclencheraient une grève.*

APPOSITION ATTACHÉE ET APPOSITION DÉTACHÉE

● L'apposition **attachée** suit ou précède **directement** le nom auquel elle se rapporte.

Son père était ouvrier zingueur.

L'apposition attachée est parfois reliée au nom par *de*.

*C'est au mois **d'**avril que germe le blé.*

● L'apposition **détachée** est **séparée** du nom par une virgule. Elle peut précéder le nom et son déterminant.

*Les mineurs, **farouches défenseurs de leurs droits**, entendaient obtenir gain de cause.*
***Farouches défenseurs de leurs droits**, les mineurs entendaient obtenir gain de cause.*

Dans ce cas, elle peut être aussi un pronom ou un groupe pronominal.

*Étienne Lantier, **celui** qui a mené la grève, a subi un terrible affront.*

L'apposition détachée peut avoir le sens d'un complément circonstanciel*.

***Simple mineur**, Étienne ne pouvait s'offrir le luxe d'habiter une maison.* (cause)

Apposition et complément du nom peuvent se ressembler par leur structure. Pour les distinguer, il faut se rappeler que l'apposition et le nom qu'elle complète renvoient à la même réalité.

la ville de Montsou (Montsou = ville → apposition)
la région de Montsou (Montsou ≠ région → complément du nom)
des grèves surprises (grèves = surprises → apposition)
des tartes maison (tartes ≠ maison → complément du nom)

SITÔT LU
sitôt su

L'apostrophe

Un mot mis en apostrophe sert à attirer l'attention de l'interlocuteur en le nommant.

QUELS MOTS ?

● Un mot mis en apostrophe désigne l'être auquel on s'adresse. C'est un **nom** (ou groupe nominal) ou un **pronom personnel** de la 2ᵉ personne (ou groupe pronominal) : seules ces deux classes sont en effet aptes à désigner des êtres.

> *Milou*, viens ici !
> *Aurais-tu senti quelque chose, **toi** ?*
> *C'est bien, <u>mon bon</u> **chien** !*
> ***Toi** <u>qui as un bon flair</u>, retrouve le professeur Tournesol.*

● Les apostrophes peuvent également désigner des non-animés* que l'on personnifie.

> ***Satané os** ! Où te caches-tu ?*

● Puisque l'apostrophe sert à interpeller, elle n'est possible qu'au **style* direct**. Lorsqu'on passe au style indirect, l'apostrophe disparaît ou est transformée en complément d'objet second du verbe qui introduit les paroles rapportées.

> *Milou, je tiens à te féliciter !* → *Tintin dit à Milou qu'il tenait à le féliciter.*

CARACTÉRISTIQUES

● Un mot mis en apostrophe n'a **aucune fonction** dans la phrase. Il ne dépend d'aucun terme et se situe en quelque sorte en dehors de la phrase. Tout comme l'interjection, l'apostrophe peut constituer une phrase à elle seule : *Milou !*

● Dans le registre littéraire, l'apostrophe s'accompagne souvent de *ô*.

> ***Ô temps**, suspends ton vol.* (Lamartine)

SITÔT LU

sitôt su

Pour s'assurer que l'on a bien affaire à une apostrophe et non à une apposition*, on vérifie que le terme disparaît dans la proposition subordonnée au style indirect. Si le terme est maintenu, il s'agit d'une apposition.

> *Mon fidèle ami, je te félicite.* (Tintin dit à Milou qu'il le félicite → *mon fidèle ami* est une apostrophe)
> *Milou, mon fidèle ami, me suit partout.* (Tintin dit que Milou, son fidèle ami, le suit partout. → *mon fidèle ami* est une apposition)

L'ellipse

L'ellipse est le fait de sous-entendre un mot ou un groupe de mots. Elle peut se produire dans différents cas.

TERMES RÉPÉTÉS

● Lorsque des éléments d'une phrase sont **coordonnés**, il est possible de faire l'ellipse des termes qui se répéteraient.

> *Daffy court et tombe.* (ellipse du sujet)
> *Daffy est un canard maniaque, Porky un cochon tenace.* (ellipse du verbe)

Dans ce cas, il est indispensable que le terme sous-entendu ait la même construction dans chacun des membres coordonnés [voir p. 160].

● Les **propositions subordonnées** introduites par *comme* ou *que* exprimant la **comparaison** font souvent l'ellipse des termes déjà mentionnés dans la principale.

> *Daffy Duck <u>est</u> aussi maniaque que Porky tenace.* (ellipse de *est* : *que Porky est tenace*)
> *Porky et Bugs Bunny ne <u>sont</u> pas <u>maniaques</u> comme Daffy.* (ellipse de *est maniaque*)

● Si un nom a déjà été exprimé, il peut rester sous-entendu dans un groupe nominal avec un adjectif épithète.

> *Lequel de ces deux héros préfères-tu : le bon ou le méchant ?* (ellipse de *héros*)

AUTRES CAS

● Le verbe *être* et son sujet (qui est exprimé dans la principale) sont souvent sous-entendus dans une proposition subordonnée introduite par *parce que*, *puisque* ou *quoique*.

> *Quoique conscient du danger, Daffy Duck fonce.* (quoiqu'il soit conscient du danger)

● Les locutions *comme convenu, comme prévu, dès que possible, si possible, si besoin, si nécessaire* sont des subordonnées avec ellipse de la tournure impersonnelle *il est*.

> *Porky arrivera **dès que possible**.*

Il faut penser à l'ellipse quand on emploie des expressions avec *que possible, que prévu,* etc. pour ne pas faire d'accords qui n'ont pas lieu d'être.

> *aussi grandes que possible* (car *aussi grandes qu'il est possible de l'être*)
> *Il arrivera à l'heure comme prévu.* (car *à l'heure comme il est prévu*)

SITÔT LU
sitôt su

La phrase

La phrase est un élément du discours qui répond à un certain nombre de critères mais qui peut se présenter sous des aspects différents.

CARACTÉRISTIQUES

● La phrase constitue une **unité de sens**. Parfois son sens est indépendant du reste du discours, mais le plus souvent, le contexte est nécessaire.

> *Le dauphin est un mammifère.*
>
> *Il l'a sauvé* (cette phrase n'a un sens que si on sait qui représentent *il* et *l'*)

● D'un point de vue **syntaxique**, la phrase est une unité **autonome**. Elle ne dépend d'aucune autre structure.

● À l'oral, la phrase forme également une certaine unité et a une intonation qui lui est propre. Chaque phrase est séparée de la suivante par une pause nettement marquée.

● À l'écrit, la majuscule marque la limite gauche de la phrase [voir *Toute l'orthographe,* p. 36] ; la ponctuation (généralement le point) en marque la limite droite [voir *Toute l'orthographe,* p. 14].

> *Heureusement, son ami Flipper est venu à son secours.*
>
> *Qui a prévenu Flipper ?*

LA DIVERSITÉ DES PHRASES

● Le nombre de mots par phrase est très variable (d'un seul mot à plusieurs dizaines de mots !). Mais ces mots apparaissent dans un certain ordre.

● On classe les phrases en quatre types (déclarative, interrogative, exclamative et impérative) et six formes (affirmative, négative, active, passive, neutre, emphatique) [voir p. 189].

● Les phrases qui n'ont pas de verbes sont dites averbales [voir p. 206].

SITÔT LU
sitôt su

Pour compter le nombre de phrases d'un texte, on compte le nombre de majuscules qui suivent un signe de ponctuation forte tel que le point, le point d'interrogation, le point d'exclamation ou les trois points, nombre auquel on ajoute 1 pour la première phrase.
Son père s'étonna. « Où est parti Flipper ? » demanda-t-il. (2 phrases)

Types et formes de phrases

Chaque phrase peut être caractérisée par son type et sa forme.

LES TYPES

- Selon sa structure, sa ponctuation et son intonation... une phrase appartient à l'un (et à un seul) des types suivants :
  - ➤ phrase **déclarative** [voir p. 190] ;
    Les enfants rangent leur chambre.
  - ➤ phrase **interrogative** [voir p. 191] ;
    Avez-vous rangé votre chambre ?
  - ➤ phrase **impérative** [voir p. 195] ;
    Rangez votre chambre.
  - ➤ phrase **exclamative** [voir p. 196].
    Quel désordre dans cette chambre !

❓ QUI L'EÛT *cru*

« Élèves éveillés, écoutez exactement, en effectuant excellemment ensuite exercices enjoués et épreuves entraînantes... et en évitant, évidemment, erreurs étonnantes et étourderies ébouriffantes ! »
Non seulement nous avons là une phrase impérative, mais aussi un *tautogramme*, c'est-à-dire un texte dont tous les mots commencent par la même lettre.

- Le critère du sens, même s'il est important, ne peut être retenu pour le classement des types. En effet, on peut exprimer une intention propre à un type de phrase par un autre type de phrase.
  Pourriez-vous ranger votre chambre ? (ordre exprimé par une interrogative)
  Ils se demandent qui pourra les aider. (interrogation exprimée par une déclarative)

LES FORMES DE PHRASES

- Chaque phrase est caractérisée par trois formes. Une phrase est :
  - ➤ soit **affirmative**, soit **négative** [voir p. 197] ;
    Mary Poppins a tout fait. – Les enfants n'ont rien fait.
  - ➤ soit **active**, soit **passive** [voir p. 203] ;
    Ils ont rangé la chambre. – La chambre est rangée.
  - ➤ soit **neutre**, soit **emphatique** [voir p. 204].
    Mary Poppins a aidé les enfants. – C'est Mary Poppins qui a aidé les enfants.

Pour définir le type et la forme d'une phrase, on peut s'aider de ce tableau : dans chaque colonne, on ne coche qu'<u>une</u> case.

La chambre n'a-t-elle pas été rangée par les enfants ?

TYPE	FORMES		
☐ déclarative ☒ interrogative ☐ exclamative ☐ impérative	☐ affirmative ☒ négative	☐ active ☒ passive	☒ neutre ☐ emphatique

SITÔT LU
sitôt su

La phrase déclarative

La phrase déclarative (que l'on appelle également phrase énonciative) correspond au type de phrase le plus neutre.

CONTENU

Dans une phrase déclarative, le locuteur transmet une information sans **intention particulière**, que l'information soit réelle ou imaginaire, crédible ou non...

> *La maison a disparu dans le brouillard.*
> *Je ne vois plus d'arbres autour de la maison.*

❓ QUI L'EÛT *CRU*

Le « Je ne te hais point » de Chimène à Rodrigue (*Le Cid*, de Corneille) est une phrase déclarative. C'est même, sous l'apparence d'une forme négative et euphémique, une... *déclaration* : Chimène fait entendre au Cid qu'elle l'aime, bien qu'il ait tué don Gormas, père de la jeune fille.

CARACTÉRISTIQUES

• La phrase déclarative se termine à l'écrit le plus souvent par un **point**. On peut également trouver des **points de suspension**.

> *J'entends l'oiseau chanter, mais je ne sais pas où il est.*
> *Le brouillard a tout pris : les fleurs, les arbres...*

• L'intonation de la phrase déclarative est **montante** dans un premier temps, puis **descendante** en fin de phrase.

• L'ordre des mots dans une phrase déclarative répond le plus souvent au schéma suivant : sujet + verbe + complément.

> *Le brouillard aura sans doute disparu cet après-midi.*

Cependant, pour des raisons d'expressivité, certains compléments peuvent être placés en tête de phrase.

> *Cet après-midi, le brouillard aura sans doute disparu.*

• Le verbe de la phrase déclarative est le plus souvent au mode **indicatif**. Il est au **conditionnel** si l'on veut atténuer son propos, marquer l'hypothèse ou la condition.

> *Je ne **saurais** vous dire ce qui reste autour de la maison.*

! SITÔT LU *sitôt su*

Il faut se rappeler que le signe de ponctuation le plus neutre (le point) correspond au type de phrase le plus neutre (déclarative). On évitera ainsi de mettre un point d'interrogation aux déclaratives qui expriment un doute ou contiennent une interrogation indirecte.

> *Peut-être a-t-il tout emporté.* (et non ~~peut être a-t-il tout emporté ?~~)
> *Je me demande où il est.* (et non ~~je me demande où il est ?~~)

La phrase interrogative

La phrase interrogative se distingue des autres types de phrases par sa structure, son intonation et sa ponctuation.

CONTENU

● La phrase interrogative est le type de phrase utilisé lorsque le locuteur **demande** directement une information.

Que dites-vous ?

● Si la question porte sur l'ensemble de la phrase, c'est l'interrogation **totale** [voir p. 193]. Si elle ne porte que sur un élément, c'est une interrogation **partielle** [voir p. 194].

Tournesol a-t-il bien compris ce qu'on lui a dit ? (interrogation totale)

Pourquoi fait-il toujours le contraire de ce qu'on lui demande ? (interrogation partielle)

> **❓ QUI L'EÛT** *cru*
>
> Si Médor est un chien, et s'il est noir et blanc, tous les chiens sont-ils noir et blanc ? Non, bien sûr, car c'est là un faux syllogisme, et l'interrogation est pour le moins naïve. En revanche, un vrai syllogisme – raisonnement rigoureux – permet d'affirmer : « Médor est un chien. Les chiens sont des quadrupèdes. Donc, Médor a quatre pattes. »

CARACTÉRISTIQUES

● La phrase interrogative se termine par un **point d'interrogation**. Son intonation est **montante** en fin de phrase.

*Quelle sera la prochaine découverte du professeur Tournesol **?***

● Il existe trois façons de construire une phrase interrogative, chacune des façons relevant d'un registre* de langue différent :

➤ par une **inversion** du sujet ou **reprise** du sujet après le verbe [voir p. 167] (registre soutenu) ;

*Ne serait-**il** pas sourd ?* (inversion)

*Le **professeur** ne serait-**il** pas sourd ?* (reprise)

➤ en introduisant la question par *est-ce que* [voir p. 192] (registre courant) ;

***Est-ce que** le professeur a bien entendu ?*

➤ en gardant la **structure** de la phrase **déclarative** [voir p. 190] (registre familier). Dans ce cas, seules la ponctuation et l'intonation permettent d'identifier l'interrogative totale.

Le professeur a entendu ? Il a compris quoi ?

Pour distinguer l'interrogation totale de l'interrogation partielle, on regarde quelle est la réponse attendue. Si cette réponse est *oui, non* ou *si*, il s'agit d'une interrogation totale ; sinon, il s'agit d'une interrogation partielle.

Est-il sourd ? (oui → interrogation totale)

Pourquoi se trompe-t-il toujours ? (parce qu'il est sourd → interrogation partielle)

SITÔT LU
sitôt su

La locution : *est-ce que... ?*

La langue courante utilise *est-ce que* dans les questions. Son emploi est parfois obligatoire mais, quand c'est possible, on préfère l'éviter.

EMPLOIS POSSIBLES

● *Est-ce que* s'emploie :

➤ seul dans l'**interrogation totale** (réponse par *oui, non* ou *si*) ;

    ***Est-ce que* deux et deux font quatre ?**

➤ avec un pronom ou un adverbe interrogatif dans l'**interrogation partielle***.

    Avec **qui** ***est-ce que*** *joue l'enfant ? Où* ***est-ce qu'****est caché l'oiseau ?*

    De ces deux réponses, l'une est bonne, l'autre fausse. Laquelle ***est-ce que*** *tu choisis ?*

● On remplace *que* par *qui* quand la question porte sur le **sujet**.

    Qui **est-ce qui** *sait combien font huit et huit ? – Qu'****est-ce qui*** *distrait l'enfant ?*

● La locution *est-ce que* répond à la structure de l'interrogation : le verbe est placé en tête et est suivi par le pronom (tout comme dans *est-ce juste ?*). Il n'est pas possible d'employer *est-ce que ?* sans faire cette inversion.

    Quand ***est-ce qu'****il se taira ?* (et non ~~c'est quand qu'il se taira~~ *?*)

● Le plus souvent, on peut remplacer *est-ce que* par la structure de l'interrogation directe avec inversion ou reprise du sujet.

    Deux et deux font-ils quatre ? – Avec qui joue l'enfant ? – Où l'oiseau est-il caché ? – Laquelle choisis-tu ? – Qui sait combien font huit et huit ?

EMPLOIS OBLIGATOIRES

Dans certains cas, seule l'interrogation avec *est-ce que ?* est possible. C'est le cas :

➤ lorsque la question porte sur un **sujet inanimé** ; on emploie alors *qu'est-ce qui ?*

    *Qu'****est-ce qui*** *fait seize ? – Qu'****est-ce qui*** *redevient oiseau ?*

➤ lorsque l'inversion du pronom sujet aboutirait à une **tournure non admise**.

    Où ***est-ce que*** je *cours ainsi ?* (~~où cours je ?~~ n'est pas possible)

❗ SITÔT LU

sitôt su

Rappelez-vous : *est-ce que* ne peut se passer de son point d'interrogation. On ne peut donc l'employer dans l'interrogation indirecte, qui n'est pas une question.

    *Qu'****est-ce qu'****a dit le maître ?* → *Je ne sais pas ce qu'a dit le maître.* (et non ~~je ne sais pas qu'est-ce qu'a dit le maître~~)

L'interrogation totale

L'interrogation totale (appelée aussi globale) est la forme de l'interrogation que l'on utilise lorsque le locuteur pose une question à laquelle on ne peut que répondre par *oui, non* ou *si*.

REGISTRE SOUTENU

Il convient de distinguer deux cas.

● Si le sujet du verbe est un pronom personnel, *on* ou *ce*, l'interrogation commence par le **verbe** (éventuellement précédé des pronoms personnels compléments). Le sujet est placé après le verbe auquel il est relié par un trait d'union.

> *Irons-**nous** encore aux bois ?*
> *Était-**ce** un bois plein de lauriers ?*
> *Les avez-**vous** coupés ?*

● Si le sujet n'est pas un des pronoms mentionnés ci-dessus, l'interrogation commence par le **sujet** qui est repris par un pronom personnel. Ce pronom se place après le verbe auquel il est relié par un trait d'union.

> ***Les lauriers*** ont-**ils** été coupés ?*
> ***Quelqu'un*** a-t-**il** envie d'aller les ramasser ?*

❓ QUI L'EÛT *cru*

« Est-ce que le train Corail parti de Brest pour Paris à 8 h 43, et roulant à 120 km/h croisera avant de passer à Rennes le TGV parti de la Ville Lumière à 7 h 30 et roulant à une vitesse moyenne de 200 km/h ? » Oui ou non ?... Ah ! Ces problèmes de trains sont bien « durailles » !

REGISTRES COURANT ET FAMILIER

● Dans le registre courant, l'interrogation totale commence par *est-ce que* suivi de la phrase qui garde la même structure qu'une phrase déclarative [voir p. 192].

> ***Est-ce que*** nous irons encore aux bois ? **Est-ce que** les lauriers sont coupés ?

Dans certains cas, notamment lorsque le sujet est *je*, seule la construction avec *est-ce que* est possible.

● Dans le registre familier, l'interrogation totale a la même structure que la phrase déclarative. On marque l'interrogation par le point d'interrogation et l'intonation.

> *Quelqu'un a envie d'aller ramasser les lauriers **?***

Si est la réponse que l'on donne lorsque l'on veut dire *oui* à une interrogation de forme négative.

> « *Les lauriers n'ont-ils pas été coupés ? – Si.* »

SITÔT LU
sitôt su

L'interrogation partielle

L'interrogation partielle est la forme de l'interrogation que l'on utilise lorsque le locuteur pose une question à propos d'un élément seulement.

REGISTRE SOUTENU

• L'interrogation partielle commence toujours par le groupe contenant un **mot interrogatif** qui représente ce sur quoi porte la question.

> *Qui les a invités sur l'île ?*
> *À partir de quand avez-vous eu de véritables soupçons ?*

❓ QUI L'EÛT *cru*

« Qui a mangé dans mon assiette ? » s'exclame Blanche-Neige, en fronçant les sourcils. Les sept nains se regardèrent par en dessous, chacun soupçonnant l'autre d'être le goinfre indélicat, d'être un... nain gras ou un nain très affamé.

• Le mot interrogatif peut être :
➤ un **pronom** interrogatif : *qui, que, quoi, lequel* [voir p. 94] ;
> *Qui est le meurtrier ?*
➤ un **adverbe** interrogatif : *combien, comment, où, pourquoi, quand* ;
> *Pourquoi laisse-t-il toujours une statuette ?*
➤ le **déterminant** interrogatif : *quel.*
> *Pour quelle raison assassine-t-il les invités ?*

REGISTRES COURANT ET FAMILIER

• On peut également construire une interrogation partielle en utilisant la locution *est-ce que* précédée du groupe contenant le mot interrogatif [voir p. 192].

> *Qui est-ce qui les a invités sur l'île ?*
> *À partir de quand est-ce que vous avez eu de véritables soupçons ?*
> *Pour quelle raison est-ce qu'il assassine les invités ?*

Dans la langue soignée, on évite d'utiliser *est-ce que* pour les interrogations partielles, ce qui est toujours possible.

• Dans le registre familier, l'interrogation partielle place le groupe contenant le mot interrogatif là où il se placerait dans une phrase déclarative*. On marque l'interrogation par le point d'interrogation et l'intonation.

> *Il laisse une statuette pour quelle raison ? Il a eu des soupçons à partir de quand ?*

SITÔT LU
sitôt su

Pour s'assurer que l'on a construit correctement la phrase avec *est-ce que*, on vérifie que ce qui suit *est-ce que* a bien la structure d'une phrase déclarative.

> *Pourquoi est-ce que l'assassin a laissé une statuette ?* (et non ~~pourquoi est-ce que l'assassin a-t il laissé une statuette ?~~ car *l'assassin a-t-il laissé une statuette* n'est pas la structure d'une déclarative)

La phrase impérative

La phrase impérative se distingue des autres types de phrases par le mode de son verbe et sa structure.

CONTENU

- La phrase impérative sert à exprimer :
- ➤ un **ordre** ;
    *Idéfix, **descends** de l'arbre !*
- ➤ un **conseil** ;
    *Ne **mange** pas trop de sangliers.*
- ➤ une **demande** ;
    ***Apporte**-moi dix menhirs, s'il te plaît.*
- ➤ un **souhait**.
    *Que Toutatis nous **entende** !*

CARACTÉRISTIQUES

- Le verbe de la phrase impérative est généralement à l'**impératif**. Ce mode a la particularité de n'exister qu'à la 2e personne du singulier et du pluriel et à la 1re personne du pluriel. Le sujet d'un verbe à l'impératif n'est pas exprimé.
    ***Prends** ta potion et **partez** voir ce que veulent les Romains.*

- Les pronoms personnels compléments d'un verbe à l'impératif **suivent** le verbe (alors qu'ils le précèdent dans une phrase déclarative*). Mais si la phrase est à la forme négative, les pronoms précèdent le verbe.
    *Prends cette potion, **bois**-la, mais n'**en donne** pas à Obélix.*

- À la 3e personne, on utilise le **subjonctif** et le sujet est exprimé.
    *Qu'Obélix ne **boive** surtout pas une goutte de potion.*

- Lorsque la personne à qui s'adresse l'ordre n'est pas déterminée, on utilise l'**infinitif**.
    Obélix eut la surprise de lire sur la cuirasse du Romain : « Frapper avec modération. »

- La phrase impérative se termine généralement par un **point**. Mais le point d'exclamation n'est pas exclu, surtout quand la phrase est au subjonctif.

Ne confondez pas le sujet et l'apostrophe*. Un verbe à l'impératif n'a <u>jamais</u> de sujet, mais il est possible de désigner la ou les personnes auxquelles on s'adresse en les nommant.
    Obélix, sois raisonnable. (Obélix n'est pas sujet de *sois* – qui est à la 2e personne du singulier –, mais il est mis en apostrophe)

SITÔT LU
sitôt su

La phrase exclamative

La phrase exclamative se distingue des autres types de phrases par son intonation, sa ponctuation et parfois sa structure.

CONTENU

La phrase exclamative permet au locuteur d'exprimer un **sentiment** par rapport à ce qu'il énonce.

> *Enfin, elle dort !*
> (expression de soulagement)
> *Comme elle est mignonne !*
> (expression de l'admiration)

CARACTÉRISTIQUES

● À l'oral, la phrase exclamative se caractérise essentiellement par le **ton** sur lequel elle est prononcée et qui, à lui seul, peut exprimer le sentiment. À l'écrit, la phrase exclamative se termine toujours par un **point d'exclamation**.

> *Il faut chanter « Au clair de la lune » à deux voix pour que Marie s'endorme **!***

● La phrase exclamative peut commencer par un **mot exclamatif** :
➤ un adverbe tel que *combien* (registre* soutenu), *comme, que* ;
> *Qu'elle est sage quand elle dort !*
➤ le déterminant exclamatif *quel* [voir p. 50]. Dans ce cas, le groupe sur lequel porte l'exclamation se place en début de phrase.
> *Quelle bonne idée ils ont eue de lui chanter une berceuse !* (dans une phrase déclarative, on aurait eu : *ils ont eu la bonne idée de lui chanter une berceuse*)

● La phrase exclamative est souvent **incomplète** ou **averbale***.
> *Puisque je te dis qu'elle a faim !* (subordonnée sans principale)
> *Quels bons pères, ces trois hommes !* (phrase sans verbe)

QUI L'EÛT *cru*

Une phrase exclamative se termine – qui s'en étonnerait – par un point... d'exclamation. Dans le jargon de l'imprimerie et de la presse, pour gagner du temps, on emploie l'abréviation « clam » : « Il faut mettre un "clam" à la fin de la citation ! »

Ainsi, il faut un point d'exclamation à la fin du propos qu'aurait tenu le chef gaulois Brennus, jetant son épée dans un des plateaux de la balance destinée à peser les 1 000 livres d'or à verser par les Romains assiégés : « Malheur aux vaincus ! »

SITÔT LU
sitôt su

Une phrase qui commence par *que* **peut être exclamative ou impérative*. Ce qui distingue ces deux types de phrases, c'est le mode du verbe : l'exclamative n'a jamais son verbe au subjonctif, l'impérative a toujours son verbe au subjonctif. Et lorsqu'il n'y a pas de verbe, il s'agit d'une exclamative.**

> *Que de soucis ils se <u>sont faits</u> pour elle !* (indicatif → exclamative)
> *Qu'ils ne <u>fassent</u> pas de soucis !* (subjonctif → impérative)
> *Que de soucis !* (phrase averbale → exclamative)

Formes affirmative et négative

Une phrase est soit à la forme affirmative, soit à la forme négative. Les quatre types de phrases (déclarative, interrogative, impérative et exclamative) peuvent être à l'une ou l'autre forme.

DÉFINITIONS

• La forme négative se distingue de la forme affirmative par l'emploi de la négation formée à partir de l'adverbe *ne* et d'un **auxiliaire de négation** (*pas, aucun, rien, personne, jamais...*).

> *Marco Polo est allé en Chine* (affirmative), mais il **n'**est **pas** allé au Japon (négative).

❷ QUI L'EÛT *cru*

Nini nie formellement et affirme qu'elle n'a jamais emprunté sans le lui dire le scooter de son frère aîné. Son démenti catégorique permet à l'oncle Paul, grand amateur de jeux de mots et de calembours, d'affirmer que Nini est une ingrate, car elle n'est pas... « reconnaissante » (puisqu'elle nie, elle ne reconnaît rien !).

• Lorsque la négation porte sur l'ensemble de la phrase, on dit qu'il s'agit d'une négation **totale**. Lorsqu'elle ne porte que sur un élément de la phrase, on dit qu'elle est **partielle** [voir p. 199]. On n'emploie pas les mêmes auxiliaires dans la négation totale et dans la négation partielle.

> *Marco Polo* **n'**a **pas** *pris l'avion.* (négation totale)
> **Personne** *encore* **n'**était allé si loin. (négation partielle qui porte sur le sujet)

• Une phrase sans verbe contenant un auxiliaire de négation est à la forme négative.
> *« Qui était déjà allé aussi loin ? –* **Personne**. *»*

Pour les emplois de *ne* sans auxiliaire de négation, voir p. 198 et p. 202.

LES AUXILIAIRES DE NÉGATION

Parmi les auxiliaires de négation, on trouve :
➤ les **adverbes** *pas, point, guère* (registre* soutenu), *jamais, plus, nullement* [voir p. 132] et la locution adverbiale *nulle part* ;
➤ les **pronoms indéfinis** *aucun, nul, personne* et *rien* ;
➤ les **déterminants indéfinis** *aucun* et *nul* ;
➤ la **conjonction de coordination** *ni* [voir p. 143].

Une phrase verbale à la forme négative ne peut pas être construite sans *ne* : faites un nœud (*ne*) à votre mouchoir dès que vous utilisez *pas, jamais, rien...* ou tout autre auxiliaire de négation.

SITÔT LU

sitôt su

L'emploi de *ne* seul

L'adverbe de négation *ne* s'emploie le plus souvent avec un auxiliaire de négation [voir p. 197]. Mais dans certains cas, on peut l'employer seul.

LOCUTIONS FIGÉES

● *Ne* s'emploie seul dans les **locutions*** **courantes** *n'importe qui, quand, quel,* etc., ainsi que dans *n'avoir que faire, qu'à cela ne tienne...*

> Dupont suit Dupond *n'importe où*.
>
> C'est une bonne idée, *si ce n'*est même une excellente idée.

● Certains **proverbes** (qui sont aussi en quelque sorte des expressions figées) emploient *ne* seul.

> Qui *ne* dit mot consent.

AVEC CERTAINS VERBES

Cesser, oser, pouvoir, savoir peuvent s'employer à la forme négative avec *ne* seul, sans auxiliaire de négation.

> Dupond *ne* cesse de répéter ce que dit Dupont.
>
> On *ne* saurait reconnaître Dupond de Dupont.

L'omission de l'auxiliaire appartient au registre* soutenu. Dans la langue courante, on peut employer *pas*.

AVEC *SI* INTRODUISANT UNE CONDITIONNELLE

On emploie également facilement *ne* seul quand une proposition subordonnée de condition est introduite par *si*, mais l'auxiliaire de négation n'est pas exclu.

> Dupont ne s'en serait pas douté si Dupont *ne* l'avait déjà dit. (ou *si Dupont ne l'avait pas déjà dit*)

On dit ainsi couramment *si je ne me trompe, si je ne m'abuse.*

!

SITÔT LU

sitôt su

Il ne faut pas confondre l'emploi de *ne* sans auxiliaire de négation et celui de *ne* explétif [voir p. 202]. Dans le premier cas, il est toujours possible de rétablir *pas* sans changer le sens de la phrase – ce qui n'est pas le cas lorsqu'il s'agit de *ne* explétif.

> Ils parlent plus qu'ils n'agissent. (on ne pourrait pas dire ~~ils parlent plus qu'ils n'agissent pas~~ → *ne* n'exprime pas ici la négation ; c'est un *ne* explétif)

Négations totale et partielle

Selon que la négation est totale ou partielle, on utilise différents auxiliaires de négation.

NÉGATION TOTALE

● On dit qu'une négation est **totale** (ou absolue) lorsqu'elle porte sur toute la phrase. Dans ce cas, on ne fait qu'ajouter la négation à la phrase affirmative, sans autre transformation.

> Tu **n'**auras **pas** de mon tabac. (à la forme affirmative, on a *tu auras de mon tabac*)

● L'auxiliaire le plus courant servant à marquer la négation totale est l'adverbe *pas*. On rencontre également *nullement* ou *aucunement* (qui équivaut à *pas du tout*) et *point* (qui est littéraire ou spécifique à certaines régions).

> Il n'a **nullement** l'intention de me donner de son tabac.

NÉGATION PARTIELLE

● On dit qu'une négation est **partielle** quand on nie seulement un élément de la phrase. Dans ce cas, l'élément sur lequel porte la négation dans la phrase affirmative est transformé [voir p. 233].

> Ce **ne** sera **jamais** pour ton petit nez. (à la forme affirmative on a : *ce sera **un jour** pour ton petit nez*)

● Les auxiliaires servant à la négation partielle sont les **pronoms** et **déterminants** *aucun, nul, rien* et *personne,* ainsi que les **adverbes** *guère, jamais, plus* et *nulle part*.

> **Personne** ne me donnera de tabac.

En toute logique, une négation est soit totale, soit partielle : elle ne peut être les deux à la fois. On ne peut donc utiliser dans une même phrase un auxiliaire de négation totale et un auxiliaire de négation partielle. En revanche, les auxiliaires de négation partielle peuvent se combiner entre eux.

> **Personne** ne me donne **jamais** de tabac. (mais on ne peut pas avoir *personne ne me donne pas de tabac*)

SITÔT LU
sitôt su

La place de la négation

Les négations *ne... pas, ne... plus, ne... jamais*, etc. ont une place différente selon qu'on les emploie avec un verbe conjugué ou avec un verbe à l'infinitif.

VERBE CONJUGUÉ

● Lorsque le verbe est conjugué à un **temps simple**, les deux éléments de la négation encadrent le **verbe** conjugué.

> **Ne** jurez **pas**, Thérèse !

● Lorsque le verbe est conjugué à un **temps composé**, les deux éléments de la négation encadrent l'**auxiliaire**.

> Momo **n'a jamais** renié les Groseille.

● Le *ne* se place toujours **devant les pronoms conjoints** qui précèdent le verbe conjugué ou l'auxiliaire.

> Que Bernadette ne soit pas sa fille, Marielle **ne** le supportera **jamais**.
> C'est par esprit de vengeance que Josette **ne** lui en a **pas** parlé plus tôt.

VERBE À L'INFINITIF

● Lorsque le verbe est à l'infinitif, les deux termes de la négation se placent **ensemble** devant l'infinitif, que l'infinitif soit au présent ou au passé (temps composé).

> M. Groseille espère **ne pas** payer sa facture d'électricité.
> EDF pense **ne pas** avoir reçu le règlement de la facture.

● Dans ce cas également, les deux termes de la négation se placent **devant les pronoms conjoints** qui précèdent l'infinitif.

> Cette facture d'électricité, M. Groseille espère **ne pas** la payer.

❗

SITÔT LU

sitôt su

Il n'y a qu'à l'infinitif que la négation n'encadre pas le verbe. On ne doit donc pas hésiter sur la place de la négation avec un verbe conjugué au subjonctif.

> Jean Le Quesnoy fera tout pour que le scandale n'éclate pas. (et non ~~Jean Le Quesnoy fera tout pour ne pas que le scandale éclate~~)

La restriction : *ne... que*

L'adverbe *ne* associé à *que* ne marque pas la négation mais la restriction. Selon le contexte *ne... que* signifie « seulement », « uniquement », « exclusivement »...

NE... QUE, RIEN... QUE

● *Que* ne peut marquer à lui seul la restriction. Il est le plus souvent **accompagné de *ne***.

> Le roi Marc **n'a qu'**une sœur. (et non ~~le roi Marc a qu'une sœur~~)

● *Ne* se place **devant le verbe** (ou devant les pronoms personnels compléments qui précèdent le verbe). *Que* se place devant le terme sur lequel porte la restriction.

> Tristan **n'**aime **qu'**Yseut.
>
> Les deux amants **ne** peuvent se retrouver **que** le soir en cachette.

● Quand l'emploi de *ne* n'est pas possible, on emploie *rien que* que l'on place également devant le groupe sur lequel porte la restriction. C'est notamment le cas quand la restriction porte :

➤ sur le sujet ;

> **Rien qu'**une gorgée du philtre avait fait d'eux des amants inséparables.

➤ sur un groupe qui fait partie d'une proposition sans verbe.

> Ils avaient hâte de se retrouver seuls, **rien que** lui et elle.

REDONDANCES À ÉVITER

Ne... que est l'équivalent de *juste, seulement, uniquement, simplement...* On veillera donc à ne pas confondre les deux façons d'exprimer la restriction et on emploiera *juste, seulement, uniquement, simplement* sans *que*.

> Tristan avait **seulement** trois jours quand sa mère est morte. (ou Tristan **n'**avait **que** trois jours, mais non ~~Tristan avait seulement que trois jours~~)

Dans une phrase longue et complexe, on peut hésiter sur la place de *que*. Dans ce cas, on construit la phrase avec un adverbe équivalent à *ne... que* et on regarde où se place cet adverbe. *Que* occupera la même place.

> Ils **ne** pourront se retrouver **que** s'ils trompent le roi. (ils pourront se retrouver **seulement** s'ils trompent le roi)

SITÔT LU

sitôt su

201

Ne explétif

Dans certains cas, l'adverbe *ne* ne sert pas à marquer la négation. Sa présence est alors facultative et il ne change pas le sens de la phrase *(Il se montra plus doux qu'on ne le pensait = Il se montra plus doux qu'on le pensait)*. On l'appelle *ne* explétif.

DANS QUELS CAS ?

L'emploi de *ne* explétif n'est possible que dans les propositions subordonnées*. On l'emploie le plus souvent quand :

➤ le verbe de la principale ou la locution* qui introduit la subordonnée exprime une idée de **crainte** ;

> *Elle craint que son mari **ne** découvre la vérité.*

➤ la subordonnée est une comparative qui exprime l'**inégalité**. On trouve alors dans la principale des termes tels que *plus, davantage, autre, mieux, pire...*

> *La femme de Barbe-Bleue était beaucoup plus curieuse qu'elle **n'**aurait dû l'être.*

➤ la subordonnée est introduite par *à moins que* ou *avant que*.

> *Il faut qu'elle fasse disparaître la tache de sang sur la clé avant que son mari **ne** rentre.*

> **❓ QUI L'EÛT *cru***
>
> Le *ne* dit « explétif » peut être omis dans un grand nombre de cas, en dépit de ce qu'ont pu exposer certains grammairiens. Comme il est facultatif, des linguistes l'ont qualifié de « redondant » et même d'« abusif ». Ce dernier terme, très peu usité, semble être un... abus, tout de même !

CAS OÙ LE *NE* EXPLÉTIF N'EST PAS POSSIBLE

On ne peut employer *ne* explétif si :

➤ l'idée de crainte est exprimée dans une principale à la **forme négative** ;

> *Elle ne craint pas que son mari découvre la vérité.*

➤ la subordonnée est introduite par *sans que* et que la principale est à la forme affirmative ;

> *Il voulait la punir de sa désobéissance **sans qu'**elle puisse se défendre.*

mais si la principale est à la forme négative, *ne* est possible ;

> *Il ne se passe pas une heure sans qu'elle **n'**éprouve le désir d'ouvrir la porte interdite.*

➤ le verbe de la principale exprime le **doute**.

> *Je doute que vous ayez résisté à la tentation d'ouvrir la porte.*

! SITÔT LU
sitôt su

Il faut savoir que l'emploi de *ne* explétif appartient au registre* soutenu. Il est recommandé, mais jamais obligatoire. Aussi, dans le doute, mieux vaut ne pas l'employer.

Formes active et passive

Un verbe transitif peut être employé dans une phrase active ou passive [voir p. 120]. On peut utiliser l'une ou l'autre voix avec des nuances de sens particulières.

SENS

- Une phrase à la voix passive a globalement le **même sens** que son équivalente à la voix active.

  *Bianca **massacre** toujours le nom du capitaine Haddock.* (actif)

  *Le nom du capitaine Haddock **est** toujours **massacré** par Bianca.* (passif)

- Mais, dans la phrase au passif, ce sur quoi porte l'action est davantage mis en valeur puisque c'est devenu le sujet de la phrase.

❓ QUI L'EÛT *cru*

« Tout l'actif de la société a été gaspillé, sans grande réaction des actionnaires, par son directeur » : même parlant d'« actif » (l'ensemble des biens et des créances détenus par une entreprise), cette phrase est à la voix passive, et met en évidence, donc, l'« actif de la société ». En revanche, à la voix active, l'accent est porté sur le rôle certes actif, mais néanmoins négatif, voire délictueux, du dirigeant en question : « Son directeur a gaspillé [...] tout l'actif de la société » et souligne toujours la... passivité des actionnaires !

EMPLOIS PARTICULIERS

- Le passif permet de **ne pas mentionner l'agent**, celui qui fait l'action. C'est notamment le cas lorsque l'agent désigne des personnes indéterminées (à l'actif, le sujet serait *on*).

  *La Castafiore **est adulée** dans le monde entier.*

  (→ *on adule la Castafiore dans le monde entier*)

- Le passif permet également de mettre **en opposition deux agents** sans ambiguïté.

  *Bianca **est appréciée** de nombreux admirateurs, mais ni de Tintin ni du capitaine !*

  (à l'actif, on aurait : *de nombreux admirateurs apprécient Bianca, mais ni Tintin, ni le capitaine,* ce qui serait ambigu)

Ce n'est pas parce qu'un verbe est conjugué avec l'auxiliaire *être* qu'il est à la voix passive ! Pour vérifier que l'on a bien affaire à un passif, on s'assure que l'on peut « reconstruire » la voix active.

La Castafiore est chaleureusement applaudie par le public. (Castafiore est bien l'objet de l'action ; on pourrait dire *le public applaudit chaleureusement la Castafiore* → *est applaudie* est à la voix passive)

La Castafiore est venue chanter. (on ne peut pas dire ~~chanter vient la Castafiore~~ → *est venue* est le passé composé de *venir*)

SITÔT LU

sitôt su

203

Formes neutre et emphatique

Lorsque l'on veut mettre en valeur un élément, on utilise la mise en relief. La phrase est alors à la forme emphatique et non plus à la forme neutre. Il existe plusieurs procédés de mise en relief.

C'EST... QUE, C'EST... QUI

● Il est possible de mettre en relief un groupe d'une phrase verbale (excepté le verbe lui-même) en le déplaçant en tête de phrase et en l'encadrant par *c'est... que*. Lorsque la mise en relief porte sur le **sujet**, on utilise *c'est... qui*.

> *La bergère fait un fromage du lait de ses moutons.* (forme neutre)
>
> ***C'est*** *un fromage* ***que*** *la bergère fait du lait de ses moutons.* (complément mis en relief)
>
> ***C'est*** *la bergère* ***qui*** *fait un fromage du lait de ses moutons.* (sujet mis en relief)

> **❓ QUI L'EÛT *cru***
>
> « La mère Michel avait perdu son chat...
> – Qui ?...
> – C'est la mère Michel, je te dis, qui avait perdu son chat !... Et c'est le père Lustucru, bien qu'étant fâché avec elle, qui l'a cherché, l'a retrouvé, et le lui a ramené. L'eusses-tu cru ? »

● Cette forme emphatique, courante pour les phrases déclaratives*, peut également s'employer pour les phrases **interrogatives** (avec *est-ce... que, est-ce... qui*) et pour les phrases **exclamatives** si elles ne contiennent pas de mot exclamatif*. Mais elle n'est pas possible pour les phrases impératives*.

> *La bergère fait-elle un fromage ?* (neutre) → ***Est-ce*** *la bergère* ***qui*** *fait un fromage ?*
>
> *La bergère a battu le petit chat !* (neutre) → ***C'est*** *le petit chat* ***que*** *la bergère a battu !*

AUTRES PROCÉDÉS DE MISE EN RELIEF

● On peut mettre en relief les compléments qui ne sont pas étroitement liés au verbe en les **déplaçant** en tête de phrase. C'est le cas des compléments circonstanciels*, mais non des compléments d'objet.

> *Le chat la regarde d'un petit air fripon.* (neutre) → ***D'un petit air fripon,*** *le chat la regarde.* (mais on ne pourra pas dire ~~la le chat regarde d'un petit air fripon~~)

● La mise en relief peut se faire avec la **reprise** par un pronom disjoint [voir p. 69].

> *Le petit chat* *aurait bien aimé,* ***lui****, avoir du fromage.*

SITÔT LU
sitôt su

Pour savoir si un pronom personnel est complément d'objet direct (COD) ou indirect (COI), il peut être utile de mettre la phrase à la forme emphatique avec *c'est... que*. Si la préposition apparaît avec la mise en relief, il s'agit d'un COI. Sinon, il s'agit d'un COD.

> *Elle* *lui* *a défendu d'y mettre la patte.* (***c'est*** *à lui* ***qu'****elle a défendu... → lui est COI)

Phrases simple et complexe

Pour analyser correctement une phrase, il faut savoir reconnaître les phrases simples des phrases complexes.

DÉFINITIONS

● La phrase **simple** contient une seule **proposition**, la phrase **complexe** en contient plusieurs.

> *Le loup a mangé le canard.* (simple)
> *Le loup n'attrapera pas l'oiseau qui vole au-dessus de lui.* (complexe)

● Ce n'est pas la longueur qui permet de dire s'il s'agit d'une phrase simple ou complexe : une phrase complexe peut être plus courte qu'une phrase simple.

> *Le grand-père de notre jeune héros craint pour la vie de son petit-fils et de ses amis, le chat, l'oiseau et le canard.* (simple) – *Le loup avale le canard qui nage.* (complexe)

● Généralement, on ne fait pas cette distinction simple/complexe pour les phrases averbales*. Pourtant, rien n'empêche d'appliquer le même type d'analyse aux phrases dont la principale ne contient pas de verbe.

> *Attention au loup !* (phrase simple)
> *Attention au loup qui rôde !* (phrase complexe)

LES DIFFÉRENTS TYPES DE PHRASES COMPLEXES

Selon les relations qu'elles entretiennent entre elles, on distingue :

➤ les propositions **coordonnées** et les propositions **juxtaposées** [voir p. 147] ;

> *Grand-Père est en colère car Pierre est sorti malgré son interdiction.* (coordonnées)
> *Grand-Père est en colère : Pierre est sorti malgré son interdiction.* (juxtaposées)

➤ les propositions **principales** et **subordonnées** [voir p. 148].

> *Si Pierre sort, Grand-Père sera en colère.* (subordonnée et principale)

Attention, dans le cas de l'ellipse*, le verbe est sous-entendu [voir p. 187].

> *L'oiseau craint autant le loup que le chat.* (l'oiseau **craint** autant le loup qu'il **craint** le chat)

Pour savoir si une phrase est simple ou complexe, il suffit de compter le nombre de verbes conjugués à un mode personnel (ou sous-entendus) : s'il n'y en a qu'un, c'est une phrase simple ; s'il y en a au moins deux, c'est une phrase complexe.

> *Le loup rôde dans les bois.* (simple)
> *Il n'a pas peur du loup qui rôde dans les bois.* (complexe)

SITÔT LU
sitôt su

La phrase averbale

Le plus souvent, la phrase est formée d'une ou de plusieurs propositions : ses constituants* s'organisent autour d'un verbe conjugué. Mais la présence du verbe n'est pas obligatoire.

STRUCTURE

● La phrase **averbale** s'organise autour d'un mot autre qu'un verbe. Ce peut être un nom, un pronom, un adjectif, un adverbe ou une interjection. Dans une phrase neutre, ce mot est le plus souvent placé en tête de phrase.

> « **Attention ! Impossible** d'avancer plus loin. – **Pourquoi** ? »

● Lorsque le noyau* d'une phrase averbale est un nom, on parle de phrase nominale.

❓ QUI L'EÛT CRU

Les Trois Mousquetaires, Vingt Ans après et *Le Vicomte de Bragelonne* : la trilogie des *Mousquetaires* de Dumas ne comporte que des titres où ne figure pas de verbe. Cela n'est pas exceptionnel dans ce que l'on appelle les « titres d'œuvres » (titres de livres, de films, de tableaux, de sculptures, etc.). Beaucoup plus rares sont les titres « à verbe » : *Le train sifflera trois fois, Le roi s'amuse, Le facteur sonne toujours deux fois...*

● Tout comme pour les phrases verbales, le noyau de la phrase averbale peut avoir des **compléments**.

> Dans l'exemple ci-dessus, *d'avancer plus loin* est complément de l'adjectif *impossible*.

Une phrase averbale peut ainsi contenir une proposition subordonnée avec un verbe, cette proposition étant complément du mot noyau.

> *Félicitations* <u>*à ceux qui ont su braver le danger*</u>.

EMPLOIS

● Les phrases averbales, du fait de leur expressivité, sont fréquentes à l'**oral**. On les trouve notamment dans les réponses des dialogues.

> « *Avec qui Lindenbrock est-il parti ? – Avec son neveu Axel et un guide islandais.* »

● Mais les phrases averbales se trouvent également à l'écrit, dans les **titres** d'ouvrages, d'articles de journaux..., sur des **pancartes**, dans des **maximes**...

> *Voyage au centre de la Terre – Découverte de nouveaux fossiles humains* (titres)
> *Sortie de secours – Défense d'entrer* (pancartes)
> *Pas de fumée sans feu* (maxime)

❗ SITÔT LU
sitôt su

Pour s'assurer qu'une phrase comportant un verbe est bien une phrase averbale, on vérifie qu'une fois la proposition réduite à un pronom complément, il ne reste plus de verbe.

> *Félicitations* <u>*à ceux qui ont su braver le danger*</u>. (lorsqu'on réduit la phrase, on obtient : *Félicitations* <u>*à eux*</u> ; il s'agit donc bien d'une phrase averbale)

Transformation nominale (1)

Il est souvent possible de transformer une proposition en groupe nominal. On procède alors à différentes modifications.

PRINCIPE

● Cette transformation est utile pour :
➤ les besoins de la **communication** ; c'est notamment le cas lorsque l'on veut créer un titre ;

On a découvert une nouvelle galaxie.
→ *Découverte d'une nouvelle galaxie*

➤ des questions de style (pour éviter une proposition subordonnée).

*J'attendrai **que Pierre arrive**.*
→ *J'attendrai **l'arrivée de Pierre**.*

❓ QUI L'EÛT *cru*

Lorsque l'on doit, en des circonstances diverses, « boucler » rapidement un texte, tout le monde ne prend pas le temps de vérifier si *après que* doit être suivi de l'indicatif ou s'il détermine un verbe au subjonctif... Pour éluder la difficulté, certains adoptent la solution du groupe nominal, en écrivant, par exemple : « La pluie devrait tomber après l'arrivée des coureurs » au lieu de : « ... après que les coureurs seront arrivés ».

● Le passage d'une proposition (dont le noyau* est un **verbe**) à un groupe nominal (dont le noyau est un **nom**) implique des modifications pour le verbe, mais aussi pour le sujet et le complément d'objet direct qui deviendront compléments du nom [voir p. 208].

● Il faut noter que, dans certains cas, la transformation rend presque méconnaissable la proposition d'origine. Dans d'autres cas, la transformation n'est pas possible.

J'espérais qu'il serait plus loyal. → *J'espérais davantage de loyauté de sa part.*
Tu viendras me voir ne peut pas donner lieu à un groupe nominal.

TRANSFORMATIONS DU VERBE

● Lorsque c'est possible, on transforme le verbe en utilisant la **dérivation***.

*Il a **disparu**.* → *sa **disparition*** (le nom *disparition* est dérivé du verbe *disparaître*)
*Il **voyage**.* → *son **voyage*** (le verbe *voyager* est dérivé du nom *voyage*)

● Lorsque le verbe n'a pas d'équivalent nominal dans la même famille, on utilise un nom de même contenu sémantique que le verbe.

*Il est **tombé**.* → *sa **chute***

Il n'y a pas que les verbes qui ont un dérivé nominal. De nombreux adjectifs peuvent être dérivés en noms. Il ne faut pas hésiter à s'en servir lorsque la proposition contient un attribut.

*Il a été **franc** à mon égard.* → *sa **franchise** à mon égard*

SITÔT LU
sitôt su

Transformation nominale (2)

Le sujet et les différents compléments d'un verbe peuvent être transformés en compléments d'un nom, ce qui implique certaines modifications.

LE SUJET ET LE COD

● Lorsque le sujet ou le COD est un **nom** ou un **pronom** autre que personnel, il devient un complément introduit par la préposition *de*.

> **Paul** *répondra.* → *la réponse* ***de Paul***
> *On attend* ***une réponse.*** → *l'attente* ***d'une réponse***

Lorsque le sujet est *on*, il n'est pas repris dans la transformation.

> *On a cambriolé la banque.* → *cambriolage de la banque*

● Si le sujet ou le COD est un **pronom personnel**, il peut souvent se transformer en **déterminant possessif*** de la même personne que le pronom personnel.

> *Je répondrai.* → ***ma*** *réponse* – *On* ***l'*** *a emprisonné.* → ***son*** *emprisonnement*

● Mais lorsque la proposition contient à la fois un sujet et un COD, le **complément** mis pour le sujet est le plus souvent introduit par la préposition *par*.

> *Les policiers* ***l'*** *ont arrêté.* → *son arrestation* ***par les policiers***

❓ QUI L'EÛT *cru*

Le *janotisme* (ou *jeannotisme*) est une des grosses bévues qu'un auteur négligent, peu rigoureux, peut commettre. Il consiste à écrire une phrase ambiguë, qui peut être interprétée de travers et – ou – être burlesque : « Découverte de la voiture volée par les gendarmes ».

LES AUTRES COMPLÉMENTS

● Quelle que soit leur fonction, les compléments introduits par une préposition sont repris le plus souvent sans modification, avec la même préposition.

> *Il a vendu son appartement* ***à un ami dans de bonnes conditions***.
> → *la vente de son appartement* ***à un ami dans de bonnes conditions***

● Lorsque c'est possible, l'**adverbe** est transformé en **adjectif** dont il dérive ou en adjectif de contenu sémantique équivalent.

> *Il vendra* ***prochainement*** *sa maison.* → *la vente* ***prochaine*** *de sa maison*
> *Il vendra* ***peut-être*** *sa maison.* → *la vente* ***probable*** *de sa maison*

SITÔT LU
sitôt su

La locution *de la part de* (*de ma part, de sa part...*) permet souvent de transformer le sujet lorsque le complément introduit par *de* ou le possessif ne conviennent pas.

> *J'aimerais qu'****il*** *s'explique.* → *J'aimerais une explication* ***de sa part***.

Transformation passive

Il est souvent possible de transformer une phrase active contenant un complément d'objet direct (COD) en phrase passive. On procède alors à différentes modifications.

PRINCIPE

La transformation passive a pour principe de **mettre en valeur** ce sur quoi porte l'action exprimée par le verbe (c'est-à-dire ce que désigne le COD) en le transformant en sujet.

> *Pénélope attend Ulysse.*
> → *Ulysse est attendu par Pénélope.*
> (l'accent est mis sur Ulysse)

Mais la transformation peut aboutir à des phrases maladroites. Mieux vaut alors l'éviter.

> *Tu tisses inlassablement ta toile.* (~~ta toile est inlassablement tissée par toi~~ ne se dirait pas)

❓ QUI L'EÛT *cru*

La transformation en phrase passive d'une phrase active permet à un auteur, écrivain ou journaliste, de varier son style, voire de mettre en relief les éléments censés être les plus importants. SI l'on dit que « le préfet a interdit le ramassage des coques sur les plages », le texte a moins d'impact, du point de vue de l'information, que : « Le ramassage des coques a été interdit par le préfet »...

LES MODIFICATIONS

● Le verbe est mis au **participe passé** et il est précédé de l'auxiliaire *être* conjugué au **même temps** qu'à la voix active [voir p. 120].

> *De nombreux prétendants* **courtisaient** *Pénélope.* → *Pénélope* **était courtisée** *par de nombreux prétendants.* (*était* est à l'imparfait comme *courtisaient*)

● Le COD devient **sujet** et est déplacé en tête de phrase. Le sujet devient **complément d'agent** et se construit avec *par* ou *de* [voir p. 177]. Les pronoms personnels changent de forme.

    La servante avertit Pénélope.   *La servante l'avertit.*

→ *Pénélope fut avertie par la servante.*   → *Elle fut avertie par la servante.*

Les autres compléments ne changent pas.

> *Le tissage l'a* **toujours** *passionnée.* → *Elle a* **toujours** *été passionnée par le tissage.*

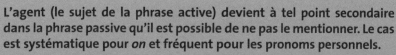

L'agent (le sujet de la phrase active) devient à tel point secondaire dans la phrase passive qu'il est possible de ne pas le mentionner. Le cas est systématique pour *on* et fréquent pour les pronoms personnels.

> *On a averti Pénélope du retour d'Ulysse.* → *Pénélope a été avertie du retour d'Ulysse.*
> *Elle attend Ulysse.* → *Ulysse est attendu.*

SITÔT LU
sitôt su

Styles direct et indirect (1)

Pour rapporter les paroles d'une personne, on peut utiliser différents procédés : le style direct, le style indirect et le style indirect libre (appelés également discours direct, discours indirect et discours indirect libre).

STYLE DIRECT

● Le **style direct** consiste à rapporter les paroles de quelqu'un, telles qu'il les a prononcées. Les paroles peuvent être annoncées par une proposition contenant un verbe (*dire, répondre, annoncer...*), mais il n'y a aucun mot de liaison entre la proposition et les paroles rapportées.

> *Quelqu'un m'a dit : « Il vous aime encore. »*

● Le style direct se marque à l'**oral** par une **pause** plus importante qui précède les paroles rapportées. Il se marque à l'**écrit** par une **ponctuation particulière** (deux-points, guillemets, parfois tiret). Pour plus de détails, voir *Toute l'orthographe*, p. 27].

❓ QUI L'EÛT *cru*

Le style direct équivaut à reproduire « chou pour chou » (mot pour mot) les propos de quelqu'un. En presse, la quasi-totalité des journaux mettent donc en caractères italiques (penchés) et entre guillemets ces paroles qui ont vraiment été prononcées ou écrites. Généralement, cette citation directe est annoncée par un verbe comme *dire* et un deux-points.

STYLE INDIRECT ET STYLE INDIRECT LIBRE

● Le **style indirect** consiste à rapporter les paroles de quelqu'un en les **intégrant** à son propre discours, à son propre récit. Les paroles sont rapportées dans une proposition subordonnée introduite par *que*. Les pronoms personnels, les possessifs et les temps doivent alors parfois être modifiés. Pour plus de détails, voir p. 211.

> *Il me <u>confie</u> **que c'est un secret**.* (au style direct, on a *Il me confie : « C'est un secret. »*)
> *Quelqu'un m'a dit qu'il **m'**aimait encore.* (au style direct, on a *Quelqu'un m'a dit : « Il vous aime encore. »*)

● Le **style indirect libre** est une variante du style indirect : on intègre les paroles de quelqu'un à son propre discours, mais sans les faire dépendre d'un verbe dans une subordonnée. Le choix des personnes, du temps, etc. se fait comme au style indirect.

> *Tous avaient le même avis sur la question. **Il m'aimait encore**.* (au style indirect, on pourrait avoir : *Tous étaient de l'avis qu'il m'aimait encore*)

❗ SITÔT LU
sitôt su

Que l'on soit au style direct ou indirect, les verbes qui annoncent les paroles rapportées font partie de la proposition principale. Il n'y a donc pas lieu de les introduire par *que*.

> *« Il vous aime encore », me dit-on.* (et non ~~« Il vous aime encore », qu'on me dit~~)

Styles direct et indirect (2)

Lorsqu'on rapporte les paroles de quelqu'un en les intégrant à son propre discours, on change les points de référence (*je*, par exemple, ne désigne plus la même personne). Il faut donc faire certaines transformations, notamment en ce qui concerne les personnes.

LES PERSONNES

Dans le **style indirect**, les pronoms personnels et les possessifs sont en relation non pas avec celui qui prononce les paroles, mais avec celui qui les **rapporte** et ses interlocuteurs.

> « *Je verrai Vic après son cours d'allemand* », dit Poupette.
>
> Si c'est Vic qui rapporte les paroles de Poupette, on aura : *Poupette m'a dit qu'elle me verrait après mon cours d'allemand.*

❓ QUI L'EÛT *CRU*

Lorsque l'on veut enchaîner sans un deux-points, et sans majuscule initiale au premier mot, une citation directe, très souvent on est obligé de changer ou de modifier un mot, pour éviter que le texte ne soit boiteux. Le mot changé se met alors entre crochets. Ainsi : « Le président nous a déclaré qu'il verrait "avec déplaisir la démission de [son] secrétaire général" » (pour "la démission de mon secrétaire général").

AUTRES CHANGEMENTS

● Si la principale est au présent ou au futur, les temps du discours indirect sont ceux du discours direct. Mais si la principale est à un **temps du passé**, la subordonnée qui rapporte les paroles est soumise à la **concordance des temps** [voir p. 115]. Le présent du discours direct devient imparfait, le futur devient conditionnel, le passé composé devient plus-que-parfait.

> « *Je dois partir et je reviendrai plus tard* », explique François.
>
> → *François dit qu'il doit partir et qu'il reviendra plus tard.* (principale au présent)
>
> → *François a dit qu'il devait partir et qu'il reviendrait plus tard.* (principale au passé)

S'il y a un changement de référence dans le temps ou dans l'espace, les adverbes sont également modifiés [voir p. 233].

● Un **impératif** utilisé en style direct doit être modifié car ce mode ne s'emploie pas dans les subordonnées. Il faut alors le traduire selon les cas par l'**infinitif**, le **subjonctif** ou par une tournure telle que *il faut*... [voir p. 220].

> « *Reviens vite* », lui demande Françoise.
>
> → *Françoise lui demande de revenir vite* (ou *Françoise lui demande qu'il revienne vite*)

Certains éléments sont propres au discours direct (interjections, apostrophes*...). On ne peut donc pas les reproduire dans la subordonnée. Mais rien n'empêche de les « traduire » dans la principale.

> *Soit ! Je me suis trompé.* → *Il reconnaît qu'il s'est trompé.*
>
> *Viens me voir, s'il te plaît.* → *Elle m'a prié d'aller la voir.*

SITÔT LU

sitôt su

Les différentes interrogations

Les interrogations directe et indirecte ont des structures et des sens différents.

SENS

L'interrogation directe pose directement une question. C'est une phrase interrogative [voir p. 191] qui implique une réponse. Dans l'interrogation indirecte, on rapporte la question dans une subordonnée et, a priori, on n'attend aucune réponse.

> *Qui peut faire du vin sans raisin ?* (on attend une réponse : *moi, lui, pas moi...*)
>
> *Je me demande qui peut faire du vin sans raisin.* (on affirme sans attendre de réponse)

❓ QUI L'EÛT *cru*

« Monsieur reprendra-t-il du civet ? » ou « Est-ce que Madame veut plus de thé ? » sont des formulations traditionnelles des gens de maison quand ils s'adressent aux maîtres des lieux, voire aux invités de ces derniers. Il est peu orthodoxe, voire inconcevable, dans ce contexte précis, de poser des questions sous la forme : « Reprendrez-vous du caviar, Monsieur ? »

STRUCTURE ET PONCTUATION

● **L'interrogation directe** est une proposition **indépendante** alors que l'**interrogation indirecte** est rapportée dans une **subordonnée** qui dépend d'un verbe tel que *demander, savoir, ignorer...* Cette subordonnée peut être introduite par le même terme qui sert à poser la question dans l'interrogation directe (*qui, quand, pourquoi...*), mais n'est jamais introduite par *est-ce que ?* [voir p. 192].

> ***Comment*** *peux-tu faire du vin sans raisin ?* – ***Comment*** *est-ce que tu fais ?*
>
> → *J'ignore* ***comment*** *tu peux faire du vin sans raisin.* – *Je me demande* ***comment*** *tu fais.*
>
> ***Qu'est-ce qui*** *te fait verser des larmes ?* → *Il sait, lui,* ***ce qui*** *te fait verser des larmes.*

Il n'y a pas de mot interrogatif dans l'interrogation directe lorsqu'elle est totale [voir p. 193]. La subordonnée de l'interrogative indirecte est, elle, introduite par *si*.

> *Peux-tu voir le soleil la nuit ?* → *Je me demande* ***si*** *tu peux voir le soleil la nuit.*

● **L'interrogation directe** se termine toujours par un **point d'interrogation**. La ponctuation de l'**indirecte** dépend, elle, du **type de phrase** qui contient la subordonnée.

> *J'ignore* <u>*qui peut faire du vin sans raisin*</u>**.** (déclarative)
>
> *Je ne sais pas, moi,* <u>*qui peut faire du vin sans raisin*</u> **!** (exclamative)
>
> *Sais-tu* <u>*s'il a un ami*</u> **?** (interrogative contenant une interrogative indirecte)

SITÔT LU
sitôt su

Quand on passe d'une interrogation directe à une interrogation indirecte, il faut appliquer les mêmes transformations (temps, personnes...) que celles appliquées pour passer du style direct au style indirect [voir p. 211].

> *Pourquoi* ***poses-tu*** *toutes ces questions ?*
>
> → *Il ignorait pourquoi* ***je posais*** *toutes ces questions.*

Les registres de langue

On distingue trois principaux registres de langue (familier, courant, soutenu ou littéraire) qui ont leurs caractéristiques et leurs emplois propres.

CARACTÉRISTIQUES

● Les registres se caractérisent par leur **lexique**. Certains mots, en effet, ne s'emploient que dans un registre particulier.

> *bol* (registre familier)
> *fortune* (registre littéraire)
> *chance* (registre courant)

Les dictionnaires indiquent souvent le registre par des abréviations : *fam., littér.* ...

> **? QUI L'EÛT *cru***
>
> L'argot n'est pas un « registre de langue » à lui seul. En revanche, la langue dite « familière », ou « populaire », englobe une bonne part de ce que l'on appelle l'argot au sens absolu, ainsi que les jargons et argots professionnels, constitués de mots tout à fait acceptables !

● Le registre familier **transforme** souvent les mots du registre courant, soit dans leur forme, soit dans leur sens, pour créer son propre lexique.

> *filer* pour *donner*, *réglo* pour *réglementaire*, *bourge* pour *bourgeois*, *fortiche* pour *fort*

● Les registres se caractérisent également par leur **syntaxe**. Le registre familier construit la négation sans *ne*, garde la structure de la déclarative* dans l'interrogative, ignore la concordance des temps... alors que le registre soutenu interdit *est-ce que ?*, *on* pour *nous*, privilégie le passé simple et l'imparfait du subjonctif...

> *On sait même plus où est-ce qu'il habite Momo !*
> *Nous ne savons plus où habite Maurice.*

EMPLOIS

● Parce qu'il est **neutre** et qu'il convient à la plupart des situations de communication, le registre courant est celui que l'on emploie le plus fréquemment : presse, courrier administratif, conférence, débat...

● Le registre familier s'emploie entre **amis proches**, en **famille**. C'est le registre de la conversation informelle.

● Le registre soutenu est réservé aux récits **littéraires**, aux discours solennels...

Employer le registre familier n'est pas condamnable en soi ; ce qui l'est, c'est de l'employer dans une situation qui ne s'y prête pas. Tout comme il serait étrange d'utiliser le registre soutenu pour proposer une partie de billes à son petit frère.

SITÔT LU
sitôt su

213

Expression du temps

Outre les marques de temps que porte le verbe [voir p. 114], on recourt à différents procédés pour situer une action dans le temps.

COMPLÉMENTS

● L'expression du temps se fait le plus souvent dans un **complément circonstanciel** dépendant du verbe. Ce complément peut être :

➤ un adverbe tel que *hier, soudain, maintenant, tout à l'heure…* ;

> Il aperçut **soudain** une lumière vive.

➤ un groupe* nominal, pronominal ou infinitif introduit par une préposition telle que *dès, depuis, avant (de), à partir de…* ;

> **Depuis** *l'arrivée des envahisseurs,* David essaie de convaincre ses compatriotes.

➤ un gérondif* qui marque toujours la simultanéité ;

> David Vincent a vu la soucoupe **en arrivant** dans le désert.

➤ une proposition conjonctive* introduite par une conjonction telle que *quand, lorsque, dès que, en attendant que…* ou une proposition participiale*.

> L'envahisseur se désintègre **lorsqu'il meurt**. – **Les preuves réunies**, il alertera la presse.

● L'expression du temps peut également apparaître dans une **épithète** ou une **apposition détachée*** dépendant du sujet.

> Sitôt prévenu, David Vincent s'est rendu sur les lieux du crime.

QUI L'EÛT *cru*

« Cela remonte au temps où la reine Berthe filait… » : autrement dit, ce n'est pas d'aujourd'hui ! Même si l'on a du mal à démêler s'il s'agit de Berthe au grand pied, mère de Charlemagne, ou, plutôt, de la bonne et douce reine Berthe de Souabe, épouse de Rodolphe II, puis d'Hugues d'Italie, que l'on représente avec une quenouille, cela situe le fait, ou la légende, entre le VIIIe et le Xe siècle ! Le temps est ici exprimé par une expression !

CAS PARTICULIERS

● Dans certains cas, le complément nominal n'est pas introduit par une préposition.

> *La prochaine fois,* David tâchera de prendre des photos pour avoir une preuve.

● Lorsque la proposition subordonnée est introduite par *que* seul pour marquer la simultanéité, le temps est exprimé dans la proposition principale.

> *Il était à peine parti* **que** *les envahisseurs arrivèrent*. (les envahisseurs arrivèrent alors qu'il était à peine parti)

SITÔT LU

sitôt su

Si l'action de la principale est postérieure ou simultanée à celle de la subordonnée, le verbe de la subordonnée est à l'indicatif. Si elle est antérieure, le verbe est au subjonctif.

> *Après qu'il les eut vus*, il fut convaincu de leur existence. (postériorité)
> *Quand ils sont là*, David les reconnaît à coup sûr. (simultanéité)
> Il faut le prévenir *avant qu'il ne parte*. (antériorité)

Expression de la cause

Pour exprimer la cause, c'est-à-dire la raison pour laquelle s'est réalisé quelque chose, on peut recourir à différents procédés.

LE SENS DU VERBE

Si le sens du verbe contient l'idée de cause, l'expression de la cause peut apparaître :

➤ dans le **sujet**. C'est le cas des verbes tels que *causer, susciter, entraîner, provoquer...* ou dans des locutions verbales contenant *cause* ou *origine* (*avoir pour cause, pour origine...*) ;

Les injustices <u>provoquent</u> leur colère.

➤ dans le **complément**. C'est le cas des verbes transitifs indirects se construisant avec un complément introduit par *de* tels que *venir, résulter, découler...*

La colère des péons <u>résulte</u> **des injustices de Monastorio**.

> **Q** QUI L'EÛT *cru*
>
> « L'incendie a été causé, entraîné, déclenché, déterminé, motivé, occasionné, excité, attisé, aggravé, amplifié, intensifié, compliqué... » par tel facteur ou par telle raison : autrement dit, par telle cause. Pour mentionner celle-ci, les verbes synonymes ou de sens voisin ne manquent généralement pas, en français !

LES COMPLÉMENTS ET LA COORDINATION

● La cause est exprimée dans un **complément circonstanciel** qui peut être :
➤ un groupe* nominal, pronominal ou infinitif introduit par une préposition ou une locution prépositive telle que *à cause de, grâce à...* ;

Don Torres a été arrêté ***pour cause de*** trahison.

➤ une proposition **subordonnée** introduite par une locution conjonctive telle que *comme, parce que...* ou une proposition **participiale** [voir p. 159].

Personne ne peut le reconnaître <u>parce qu'il est déguisé</u> ! (subordonnée circonstancielle)
<u>Tornado étant le cheval le plus rapide</u>, personne ne pourra rattraper Zorro. (participiale)

● La cause peut apparaître dans une **épithète détachée***, une **apposition*** ou un **gérondif***.

<u>Plus rusé que ses adversaires</u>, Zorro sort toujours vainqueur d'un combat.

● *Car* et *en effet* relient deux propositions **coordonnées**. Dans ce cas, c'est toujours la seconde proposition qui contient l'expression de la cause.

Personne ne soupçonne Diego car, en public, il se montre lâche et paresseux.

Pour ne pas confondre *à cause de,* qui marque la cause négative, et *grâce à,* qui exprime la cause positive, il faut se rappeler les expressions telles que *les bonnes grâces de quelqu'un, rendre grâce à quelqu'un...* où le sens positif de *grâce* apparaît nettement.

Torres a été délivré grâce à Zorro. (et non pas ~~Torres a été délivré à cause de Zorro~~)

SITÔT LU

sitôt su

Expression du but

L'expression du but, c'est-à-dire la raison pour laquelle on réalise quelque chose, se fait toujours dans un complément circonstanciel.

LES COMPLÉMENTS

● Les **prépositions** et **conjonctions** introduisant les compléments de but sont : *pour (que), afin de (que), en vue de, dans le but de...*

● Le complément prend la forme :
➤ d'un groupe* **infinitif**, **nominal** ou **pronominal** (avec une préposition) ;

> Il part **afin d'**apprendre la cornemuse.
> Joseph ne vit que **pour** sa musique, que **pour** elle.

➤ d'une proposition **subordonnée** conjonctive* dont le verbe est toujours au subjonctif.

> Il est parti dans le Bourbonnais **pour qu'**Huriel lui apprenne l'art de la cornemuse.

CAS PARTICULIERS

● Le registre* familier emploie *histoire de* pour introduire un complément de but.
> Allons le voir, **histoire de** savoir ce qu'il pense exactement.

● L'**infinitif** peut suivre **sans préposition** un verbe qui exprime le mouvement.
> Étienne a envoyé Brûlette **soigner** Joseph.

● Après un **impératif**, la subordonnée peut être introduite par *que* seul.
> Joue-nous un de tes airs, **qu'**on entende ce que tu composes.

● Les locutions *de crainte de (que)*, *de peur de (que)* introduisent un but que l'on ne veut pas voir se réaliser. Elles sont l'équivalent de *pour ne pas*.
> Brûlette soigne Joseph **de crainte qu'**il ne meure. (pour qu'il ne meure pas)

● Lorsqu'elles sont suivies du subjonctif, les locutions *de façon que, de manière que* peuvent exprimer davantage le but que la conséquence.
> Il joue plus fort **de façon que** tout le monde entende sa musique.

SITÔT LU
sitôt su

L'expression du but et celle de la conséquence sont souvent similaires et la distinction est parfois subtile. Il faut toutefois se rappeler que le but est ce que l'on vise, alors que la conséquence est ce qui se réalise sans qu'on l'ait vraiment cherché.
> Que fera-t-elle *pour le soigner* ? (but)
> Comment a-t-il fait *pour être si seul* ? (conséquence)

Expression de la concession

Pour exprimer la concession (le fait que, contre toute attente, quelque chose se réalise ou ne se réalise pas), on recourt à différents procédés.

LES COMPLÉMENTS

La concession est exprimée dans un **complément circonstanciel** dépendant du verbe. Il peut s'agir :

➤ d'un groupe* nominal ou pronominal introduit par *malgré, en dépit de* ;

> **Malgré** leurs difficultés, Charlot et l'enfant étaient heureux ensemble.

➤ d'une proposition subordonnée conjonctive introduite par *bien que, quoique, si (aussi)... que, tout... que.*

> **Bien qu**'il soit maladroit, Charlot finit toujours par se tirer d'affaire.
> **Si** modeste **que** soit sa condition, Charlot avait accepté de recueillir l'enfant.

Si et *aussi* peuvent s'employer avec inversion ou reprise du sujet sans *que* ;

> **Si** modeste sa condition soit-elle, Charlot...

➤ d'une proposition subordonnée introduite par *qui que, quoi que, où que, quel que.* Dans ce cas, *qui, quoi, où* et *quel* ont une fonction dans la subordonnée.

> L'enfant suivra Charlot **où qu**'il aille. (où est complément de lieu de aille)

QUI L'EÛT *cru*

La concession recoupe ce que l'on désigne par « réticence » ou « réserve » à l'égard de quelque chose ou de quelqu'un : « Certes, Untel est un grand romancier, mais son vocabulaire n'est pas tout à fait à la hauteur de son imagination ! » Ici, on pourrait faire l'économie de *certes*, mais celui-ci amorce la critique qui va suivre...

ADVERBES DE LIAISON ET COORDINATION

● La concession peut s'exprimer par des **adverbes** (ou locutions adverbiales) de **liaison** tels que *pourtant, cependant, néanmoins, malgré tout, tout de même...*

> Charlot s'occupait très bien de l'enfant. On le lui a **pourtant** retiré.

● Les locutions verbales *avoir beau* et *pouvoir toujours* suivies de l'infinitif marquent la concession avec deux propositions juxtaposées.

> Vous **aurez beau** les séparer, ils se retrouveront. (ou vous **pouvez toujours** les séparer, ils se retrouveront)

Quoi que et *quel que* s'écrivent bien en deux mots quand *quoi* et *quel* ont une fonction dans la subordonnée. Lorsqu'on transforme cette subordonnée en indépendante, seul *que* disparaît. *Quoique*, lui, n'a pas de fonction et disparaît de la principale.

> *Quoi que* fasse l'enfant, Charlot le défend. (l'enfant fait « **quoi** », n'importe quelle chose et Charlot le défend)
> *Quoiqu*'il fasse froid, ils sont dehors. (il fait froid et ils sont dehors)

SITÔT LU

sitôt su

217

Expression de la condition

Pour exprimer la condition, c'est-à-dire ce dont dépend la réalisation de quelque chose, on peut recourir à différents procédés.

LES COMPLÉMENTS

Le plus souvent, la condition est exprimée dans un complément circonstanciel qui peut être :

➤ une **proposition subordonnée conjonctive*** introduite par *si, à condition que, au cas où*...

> *Le prince ne guérira que **s'il se marie**.*
>
> *Il épousera celle qui se présentera à lui **à condition que** la bague lui aille.*

La subordonnée introduite par *si* est soumise à la concordance des temps [voir p. 115] ;

➤ un **groupe*** **nominal**, **pronominal** ou **infinitif** introduit par *sans, avec, à condition de, en cas de*... ;

> *Cette baguette magique te sera utile **en cas de** besoin.* (si tu as besoin de quelque chose)
>
> ***Sans** l'aide de sa marraine, Peau d'Âne aurait dû épouser son père.*
>
> (si sa marraine ne l'avait pas aidée...)

➤ un **gérondif*** ;

> ***En refusant** d'obéir au roi, les couturiers risquaient leur vie.* (s'ils refusaient d'obéir au roi...)

➤ une **proposition participiale***.

> *Peau d'Âne vivant à ses côtés, le prince serait comblé.* (si Peau d'Âne vivait...)

❓ QUI L'EÛT *cru*

« À ta place, je réfléchirais ! » est un conseil mêlé d'avertissement, de mise en garde, qui équivaut presque à : « À ta place, j'y réfléchirais à deux fois ! » On prône une condition, qui est de bien réfléchir. Si (...encore une condition !) l'on change l'ordre des mots, en gardant le conditionnel : « Je réfléchirais à ta place », nous passons à une hypothèse : « Si quelque chose t'empêchait de réfléchir, je le ferais à ta place. »

LA COORDINATION

● Une phrase **impérative*** (ou un subjonctif introduit par *que* pour la 3e personne) suivie de la conjonction de coordination *et* et d'une **déclarative*** exprime la condition.

> *Enfile cette bague à ton doigt **et** je t'épouse* (si tu enfiles...)
>
> *Que cette bague soit la tienne **et** je t'épouse* (si cette bague est la tienne...)

● Dans le registre* littéraire, la condition s'exprime également dans une proposition au **subjonctif** avec sujet inversé et **juxtaposée** à une autre proposition.

> ***Apparaisse Peau d'Âne** dans sa robe, il la reconnaîtra.* (si la princesse apparaît...)

SITÔT LU

sitôt su

Pour exprimer une condition négative, on peut utiliser simplement *si ne... pas*, ou, plus recherché, *à moins que*.

> ***Si** sa marraine **ne** l'aide **pas**, Peau d'Âne devra épouser son père.*
>
> ***À moins que** sa marraine ne l'aide, Peau d'Âne devra épouser son père.*

Expression de la conséquence

Pour exprimer la conséquence, c'est-à-dire le résultat de quelque chose, on peut recourir à différents procédés.

LES COMPLÉMENTS

● La conséquence est exprimée dans un complément circonstanciel par :
➤ une **proposition subordonnée** introduite par une locution conjonctive telle que *si bien que, de sorte que, au point que…* ;

> *La branche était fragile **si bien qu**'elle s'est cassée.*

➤ un groupe* **infinitif** introduit par *à, au point de, de manière à…* ;

> *Guilleri s'est installé sur la branche **de manière à** voir ses chiens.*

● Souvent, la conséquence est exprimée dans une subordonnée introduite par *que* en corrélation avec un **adverbe de quantité** tel que *tant, tellement* ou *si* complétant un adjectif, un adverbe ou le verbe de la principale.

> *La branche était **si** fragile qu'elle s'est cassée.*

On observe la même construction avec l'**adjectif *tel*** se rapportant à un nom.

> *Sa chute a fait un **tel** bruit que les dames de l'hôpital sont arrivées.*

LA COORDINATION ET LA JUXTAPOSITION

● Les **conjonctions de coordination** *donc* et, dans certains cas, *et*, ainsi que les **adverbes** *aussi, par conséquent* ou *partant* (registre* littéraire) coordonnent deux propositions en exprimant la conséquence dans la deuxième proposition.

> *Guilleri voulait remercier ces dames, **aussi** les embrassa-t-il.*

● Deux propositions peuvent également être **juxtaposées**, sans lien explicite marquant la conséquence. C'est le sens qui implique ce lien, la conséquence étant toutefois toujours dans la seconde proposition.

> *Les dames de l'hôpital l'ont soigné : il est guéri maintenant.*

Certains verbes contiennent l'idée de conséquence dans leur sens : ce sont les mêmes que ceux qui contiennent l'idée de cause [voir p. 215] ! Si c'est le sujet qui exprime la cause, c'est le complément qui exprime la conséquence et… inversement.

> *Sa chute a provoqué **un grand bruit**.*
> cause   conséquence

> *Le bruit provient de sa chute.*
> conséquence   cause

SITÔT LU

sitôt su

Expression de l'ordre

L'expression de l'ordre se marque essentiellement par le verbe. Mais on peut recourir à d'autres procédés.

QUELS MODES ?

● L'**impératif** est le mode propre à l'expression de l'ordre. Mais il n'est possible qu'à la 2e personne du singulier et aux deux premières personnes du pluriel.

> *Ne me **quitte** pas.*
> ***Oublions** nos querelles.*

● Pour exprimer un ordre à la 3e personne, on utilise le **subjonctif** introduit par *que*.

> *Que l'amour **soit** roi dans notre pays.*

● Le **futur** de l'indicatif sert à exprimer l'ordre dans une démarche à suivre.

> *Vous **traverserez** le pont, puis vous **prendrez** la première rue à droite.* (traversez le pont, puis prenez...)

● Lorsque l'ordre est donné de façon générale à un ensemble de personnes indéterminées (recettes, modes d'emploi, étiquettes, panneaux de signalisation...), on utilise une **phrase averbale*** ou un **infinitif**.

> ***Silence** !*
> *À **consommer** avant la date indiquée au dos.*

AUTRES PROCÉDÉS

● L'expression de l'ordre atténué peut se faire au moyen d'une **fausse interrogation**. La question que l'on pose n'appelle pas une réponse, mais l'exécution d'un acte.

> *Peux-tu rester ?* (reste, s'il te plaît)

● On exprime également l'ordre par les tournures *il faut* (+ infinitif), *il faut que* (+ subjonctif) ou par le verbe *devoir* (+ infinitif).

> ***Il faut que** nous reconstruisions notre histoire.*

SITÔT LU
sitôt su

Lorsque l'on exprime un ordre négatif avec *il faut* ou *devoir,* la négation se place sur *il faut* ou *devoir.*

> *Ne me quitte pas.* → *Il ne faut pas que tu me quittes* (et non *il faut que tu ne me quittes pas*) ou *tu ne dois pas me quitter* (et non *tu dois ne pas me quitter*)

Expression du degré

Pour nuancer l'intensité d'une qualité exprimée par un adjectif ou un adverbe, on emploie des adverbes de quantité [voir p. 129]. C'est ce qu'on appelle le degré.

LES DIFFÉRENTS DEGRÉS

● L'intensité peut être évaluée **sans référence** à autre chose. Elle est alors exprimée par un adverbe tel que *très, assez, peu*...

> La table est **très** <u>haute</u>.
> Boucle d'or ne doit pas partir **trop** <u>loin</u>.

Q *QUI L'EÛT* cru

Une table « carrée » n'a rien d'extraordinaire, c'est un meuble banal... sauf si elle est d'une haute époque ou d'un style très coté... En revanche, si l'adjectif *carré* est employé au sens figuré, il peut prendre alors une valeur de degré : un « raisonnement (bien) carré » est solide, sérieux, bien argumenté, charpenté, fort !

● L'intensité peut être évaluée **par comparaison** à autre chose. Elle est alors exprimée par un adverbe tel que *plus, aussi* ou *moins* et l'élément de comparaison est mentionné dans un complément : c'est le **comparatif** [voir p. 222].

> *Comme cette soupe était **moins** salée <u>que l'autre</u>, Boucle d'or l'a bue.* (le caractère salé de la soupe est évalué en fonction d'une autre soupe)

● L'intensité peut être évaluée par rapport à la **totalité** des éléments d'un ensemble. Elle est alors exprimée par *le plus* ou *le moins* et l'ensemble est mentionné dans un complément : c'est le **superlatif** [voir p. 223].

> *Elle s'est couchée dans le **plus** petit <u>des trois lits</u>.* (la taille du lit est évaluée par rapport à l'ensemble des lits)

POUR QUELS ADJECTIFS ET ADVERBES ?

Le degré impliquant l'idée de variation d'intensité, il ne peut être exprimé pour des adjectifs ou des adverbes dont le sens exclut cette idée.

> Un bol est vide ou il ne l'est pas. On ne pourra donc pas dire qu'il est très vide, plus vide qu'un autre ou que c'est le plus vide de tous.

C'est notamment le cas des adjectifs et adverbes qui contiennent une idée de totalité (*entier, totalement*...), de ceux qui contiennent une idée de comparaison (*préféré, meilleur, mieux, pire, pis*...) et des adjectifs de relation (*solaire, régional*...) [voir p. 55].

Pire et *le pire* sont les formes équivalentes de *plus mauvais, le plus mauvais*. On ne peut donc pas les faire précéder de *plus, aussi* ou *moins*.

> *Cette soupe est **moins mauvaise** que l'autre.* (et non ~~cette soupe est moins pire...~~, car on ne dirait pas ~~cette soupe est moins plus mauvaise~~)

SITÔT LU

sitôt su

Le comparatif

Le comparatif est l'expression du degré [voir p. 221] qui permet d'établir un rapport de supériorité, d'infériorité ou d'égalité entre deux éléments.

FORMES

● Le comparatif se forme avec *plus* (supériorité), *aussi* (égalité) et *moins* (infériorité) précédant l'adjectif ou l'adverbe.

> Little Big Man a vécu *plus* <u>longtemps</u> que ses contemporains.
> La femme de leur pasteur était *moins* <u>vertueuse</u> qu'on aurait pu le croire.

● *Bon* et *bien* ne sont jamais précédés de *plus* ; ils ont une forme particulière pour leur comparatif : *meilleur* et *mieux*. *Pire, pis* et *moindre* sont les comparatifs de supériorité de *mauvais, mal* et *petit*. On les rencontre dans le registre* soutenu ou dans des locutions* figées. Dans les autres cas, on emploie *plus mauvais, plus mal* et *plus petit*.

> Little Big Man avait une *meilleure* santé que nous tous. (et non pas ~~une plus bonne santé~~)
> Sa situation serait *pire* ailleurs. (ou *sa situation serait **plus mauvaise** ailleurs*)

LE COMPLÉMENT DU COMPARATIF

● L'élément de comparaison est exprimé dans une proposition subordonnée circonstancielle (appelée **proposition subordonnée comparative**) introduite par *que*.

> Little Big Man était aussi petit *que* <u>sa femme, suédoise, était grande</u>.

Il peut y avoir ellipse des termes qui se répéteraient dans la comparative [voir p. 187].

> Il avait fait plus froid **que** <u>l'hiver précédent</u>. (qu'il **avait fait froid** l'hiver précédent)

Le complément n'est pas toujours exprimé, soit que le contexte est suffisamment clair, soit que l'on juge inutile de préciser l'élément de comparaison.

> Il aurait connu une vie *plus calme* s'il était resté chez les Blancs.

● Les comparatifs de supériorité et d'infériorité peuvent être **renforcés** par *bien, encore, beaucoup, nettement...* ; le comparatif d'égalité par *tout*.

> Sa vie a été *bien* plus tumultueuse que la mienne.
> Il est resté *tout* aussi vif qu'autrefois.

❗

SITÔT LU

sitôt su

Lorsqu'on emploie un adjectif ou un participe dans le complément, il faut souvent rétablir ce qui est sous-entendu par ellipse pour faire les bons accords.

> La situation était beaucoup plus compliquée que prévu. (plus compliquée que ce qu'on avait prévu → prévu est au masculin singulier)

Le superlatif

Le superlatif est l'expression du degré [voir p. 221] qui permet de distinguer un élément parmi un ensemble.

FORMES

● Le superlatif a la **même forme** que le **comparatif** [voir p. 222], si ce n'est qu'il est précédé de l'article défini *le* (*la, les*).

> Ce criminel est plus retors qu'un autre. (comparatif)
>
> Superman combat les criminels **les plus retors**. (superlatif)

Lorsque l'adjectif au superlatif précède le nom auquel il se rapporte, *le, la, les* s'effacent devant le déterminant du nom.

> **Son** plus grand désir est de vaincre Lex Luthor. (son désir le plus grand)

● Le superlatif de *bon* et *bien* est **le meilleur** et **le mieux**. *Le pire* et *le moindre* s'emploient dans le registre* soutenu ou des locutions* figées. Dans l'usage courant, on emploie *le plus mauvais, le plus petit. Le pis,* pour *le plus mal,* ne se trouve que dans quelques expressions : *tant pis, de mal en pis...*

> De Batman ou Superman, lequel se déplace **le mieux** dans les airs ?

LE COMPLÉMENT DU SUPERLATIF

Lorsqu'on juge utile de préciser l'ensemble qui sert de référence, on le mentionne dans un **complément** qui prend la forme :

➤ d'un groupe* nominal ou pronominal introduit par *de,* parfois *parmi* ou *entre* ;

> Qui aurait imaginé que **le plus** maladroit des journalistes était Superman ?

➤ d'une proposition relative* dont le verbe se met le plus souvent au subjonctif.

> C'est évidemment l'homme **le plus** puissant que je connaisse.

Quand le superlatif n'est pas précédé de l'article défini, il y a risque de confusion avec le comparatif. On a affaire à un superlatif si on peut rétablir l'article ; on a affaire à un comparatif si on peut lui ajouter un complément introduit par *que.*

> La défaite de Lex Luthor fut sa **plus grande victoire** (sa victoire la plus grande → superlatif)
>
> La prochaine fois, il obtiendra une **plus grande victoire** (on ne dira pas il obtiendra une victoire la plus grande, mais on peut dire une victoire plus grande **que** celle d'aujourd'hui → comparatif)

La ponctuation

La ponctuation est un système propre à l'écrit qui permet de structurer un texte. Elle est en lien étroit avec la syntaxe de la phrase, du texte.
Pour plus de détails, voir *Toute l'orthographe*, p. 14 à 28.

point **.**	marque la fin d'une phrase déclarative	*Saint Éloi conseille le roi.*	voir p. 188, 190
	s'emploie dans les abréviations	*R.-V. lundi avec saint Éloi*	
point d'interrogation **?**	marque la fin d'une phrase interrogative directe	*A-t-il vraiment besoin de conseils ?*	voir p. 191, 193, 194, 212
point d'exclamation **!**	marque la fin d'une phrase exclamative	*Votre Majesté est mal culottée !*	voir p. 196
	marque la fin d'une phrase impérative à laquelle on donne une intonation particulière	*Remettez votre culotte à l'endroit !*	voir p. 195
	accompagne l'interjection	*Oh ! votre culotte est à l'envers.*	voir p. 144
points de suspension **…**	marquent la fin d'une phrase déclarative non achevée	*Le roi est un peu étourdi, un peu peureux…*	voir p. 190
	marquent l'interruption, l'hésitation, l'énumération	*Je voulais vous dire… si vous me permettez… que vous êtes mal culotté.*	
point-virgule **;**	sépare deux propositions juxtaposées	*Le roi a mis sa culotte à l'envers ; il va la remettre à l'endroit.*	voir p. 147
deux-points **:**	séparent deux propositions juxtaposées	*Le roi est étourdi : il a mis sa culotte à l'envers.*	voir p. 147 voir p. 210
	annoncent des paroles rapportées, une citation	*Saint Éloi lui dit : « Votre Majesté est mal culottée. »*	
	annoncent une suite	*Voici un conseil : remettez votre culotte à l'endroit.*	

virgule ,	sépare deux propositions juxtaposées	*Regardez, votre culotte est à l'envers.*	voir p. 147
	sépare deux éléments juxtaposés	*Le roi est étourdi, un peu peureux et plutôt naïf.*	voir p. 160
	encadre une relative explicative	*Le roi, qui s'était mal culotté, n'avait rien remarqué.*	voir p. 153
	encadre une proposition incise	*« Votre Majesté, lui fit remarquer saint Éloi, est mal culottée. »*	voir p. 156
	encadre une épithète détachée	*Le roi, toujours mal culotté, est parti à la chasse.*	voir p. 183
	encadre une apposition détachée	*Saint Éloi, conseiller du roi, fait des remarques judicieuses.*	voir p. 185
guillemets « »	encadrent des paroles rapportées, une citation	*« Que feriez-vous à ma place ? » lui demanda-t-il.*	voir p. 210
parenthèses ( )	encadrent une information supplémentaire	*Saint Éloi (mort en 660) est le patron des orfèvres.*	
crochets [ ]	s'emploient à l'intérieur d'une parenthèse	*Saint Éloi (patron des orfèvres [588-660]) était le conseiller du roi.*	
	marquent une coupure dans une citation	*« C'est vrai [...] je vais la remettre à l'endroit. »*	
	encadrent une transcription phonétique	[kylɔt]	
tirets –	marquent le changement d'interlocuteur dans un dialogue	*– Vous êtes mal culotté.* *– C'est vrai, vous avez raison.*	
	encadrent une information supplémentaire	*Saint Éloi – mort en 660 – est le patron des orfèvres.*	

Classes grammaticales

NOMS, DÉTERMINANTS, ADJECTIFS, PRONOMS

CLASSES	CARACTÉRISTIQUES		
	MORPHOLOGIQUES	SYNTAXIQUES	SÉMANTIQUES
nom ou substantif	• varie en nombre (*fromage/fromages*) • varie parfois en genre s'il s'agit de noms d'êtres animés (*maître/maîtresse*)	• est le plus souvent accompagné d'un déterminant • noyau d'un groupe nominal	• désigne une personne, un animal, une chose, une qualité...
déterminant	• varie : – en nombre (*le/les*) – en genre (*le/la*) – en personne pour les possessifs (*ma/ta*) • porte les marques de genre et de nombre du nom auquel il se rapporte	• fait toujours partie du groupe nominal et précède le nom • peut, dans certains cas, être omis	• peut apporter une indication supplémentaire sur la possession, le nombre, la localisation...
adjectif	• varie en nombre et en genre • porte les marques de genre et de nombre du nom ou du pronom auquel il se rapporte	• facultatif dans le groupe nominal (épithète) • obligatoire dans le groupe verbal (attribut)	• exprime une qualité, une propriété du nom ou du pronom auquel il se rapporte
pronom	• varie : – en nombre (*le/les*) – en genre (*chacun/chacune*) • peut varier selon : – la personne (*le mien/le tien*) – la fonction (*le/lui*) • certains pronoms sont invariables	• peut avoir ou non un antécédent	• reprend un mot ou un groupe de mots (le plus souvent un nom ou un groupe nominal) mentionné dans le texte • nomme les interlocuteurs (*je, tu, nous*) • nomme des personnes ou des choses indéterminées

CLASSES	SOUS-CLASSES	FONCTIONS POSSIBLES
nom ou substantif	• nom commun, nom propre • nom concret, nom abstrait • nom comptable, nom non comptable • nom animé, nom inanimé	• sujet • objet (direct, indirect, second) • attribut • apposition • complément circonstanciel • complément d'agent • complément d'un mot autre que le verbe
déterminant	• article défini (*le, la, les*) • article indéfini (*un, une, des*) • article partitif (*du, de l', de la*) • déterminant cardinal (*un, deux...*) • déterminant indéfini (*chaque...*) • déterminant démonstratif (*ce*) • déterminant possessif (*mon, ton...*) • déterminant interrogatif (*quel*) • déterminant exclamatif (*quel*) • déterminant relatif (*lequel*)	• détermine le nom auquel il se rapporte
adjectif	• adjectif qualificatif (dont les adjectifs de relation) • adjectif verbal : formé sur le participe passé ou le participe présent d'un verbe • adjectif ordinal • adjectif indéfini	• épithète • attribut du sujet • attribut du COD
pronom	• pronom personnel (*je, me, moi, tu, te...*) • pronom réfléchi (*se, soi...*) • pronom numéral (*un, deux, trois...*) • pronom démonstratif (*ce, celui...*) • pronom possessif (*le mien, le tien...*) • pronom interrogatif (*qui, que, lequel...*) • pronom relatif (*qui, que, lequel...*) • pronom indéfini (*personne, aucun...*)	• sujet • objet direct • objet indirect • objet second • attribut • apposition • complément circonstanciel • complément d'agent • complément d'un mot autre que le verbe

VERBES, ADVERBES, CONJONCTIONS DE COORDINATION ET DE SUBORDINATION

CLASSES	CARACTÉRISTIQUES		
	MORPHOLOGIQUES	SYNTAXIQUES	SÉMANTIQUES
verbe	• varie en personne, en nombre, en temps et en mode • le participe passé peut varier en genre	• s'emploie le plus souvent avec un sujet exprimé	• exprime le plus souvent ce que fait ou ce que subit le sujet
adverbe	• invariable	• se place généralement devant le mot ou le groupe de mots qu'il modifie	• apporte un complément d'information sur la quantité, la manière, le lieu ou le temps • marque un lien logique
conjonction de coordination	• invariable	• se place entre les deux mots ou groupes de mots qu'elle coordonne	• marque un lien logique entre deux éléments mis sur le même plan (addition, choix, cause...)
conjonction de subordination	• invariable	• introduit une proposition subordonnée	• peut apporter une indication sur le rapport qui existe entre la subordonnée et la principale (opposition, temps, but...)
préposition	• invariable	• introduit un mot ou un groupe de mots	• peut apporter une indication sur le rapport qui existe entre le complément qu'elle introduit et le mot ou groupe de mots dont ce complément dépend (circonstance, possession, matière...)
interjection	• invariable	• constitue une « phrase » à elle seule	• exprime une émotion, un sentiment... ou reproduit un bruit

CLASSES	SOUS-CLASSES	FONCTIONS POSSIBLES
verbe	• verbe transitif, intransitif • verbe d'action, d'état • verbe pronominal • verbe impersonnel • verbe défectif	• noyau de la phrase verbale ou de la proposition
adverbe	• adverbe de phrase • adverbe de circonstance • adverbe de négation • adverbe de temps et de lieu • adverbe de liaison • adverbe de quantité	• complément d'un verbe, d'un adjectif, d'un adverbe ou d'une phrase • équivalent d'une locution déterminative
conjonction de coordination	• pas de sous-classes	• ne dépend d'aucun mot dans la phrase et n'a donc aucune fonction grammaticale
conjonction de subordination	• pas de sous-classes	• ne dépend d'aucun mot dans la phrase et n'a donc aucune fonction grammaticale
préposition	• pas de sous-classes	• ne dépend d'aucun mot dans la phrase et n'a donc aucune fonction grammaticale
interjection	• onomatopée • mot employé « accidentellement » comme interjection (*silence !*, *attention !*)	• n'a pas de fonction propre • ne dépend d'aucun autre terme

Fonctions

Ce tableau établit une correspondance entre une fonction et les classes grammaticales qui peuvent occuper cette fonction. On classe dans « nature » les différents types de propositions. La dernière colonne indique à quel mot se rattache chaque fonction.

FONCTION	NATURE DU MOT OU DU NOYAU	EXEMPLES	DÉPEND D'UN
sujet	• nom • pronom • infinitif • subordonnée conjonctive • subordonnée relative	*Le loup <u>a mangé</u> l'agneau.* *Qui <u>a mangé</u> l'agneau ?* *Se justifier ne <u>sert</u> à rien.* *Que le loup soit cruel n'<u>étonne</u> personne.* *Qui ose contredire le loup <u>doit</u> s'attendre au pire.*	verbe
COD	• nom • pronom • infinitif • subordonnée conjonctive • subordonnée relative	*Le corbeau <u>croit</u> **le renard**.* *Le corbeau **le** <u>croit</u>.* *Il <u>veut</u> **manger le fromage**.* *Il <u>croit</u> **qu'il est le plus beau**.* *<u>Croyez</u> **qui vous voulez**.*	verbe
COI	• nom • pronom • infinitif • subordonnée conjonctive • subordonnée relative	*Cela <u>déplaît</u> **à la fourmi**.* *Cela **lui** <u>déplaît</u>.* *La cigale <u>renonce</u> **à danser**.* *Je <u>doute</u> **qu'elle lui accorde un prêt**.* *La cigale <u>déplaît</u> **à qui vous savez**.*	verbe
COS	• nom • pronom	*Le renard <u>sert</u> une assiette de soupe **à la cigogne**.* *La cigogne **lui** <u>rend</u> son invitation.*	verbe
complément d'agent	• nom • pronom	*La victoire <u>a été remportée</u> **par la tortue**.* *La tortue <u>a été félicitée</u> **par tous**.*	verbe

FONCTION	NATURE DU MOT OU DU NOYAU	EXEMPLES	DÉPEND D'UN
complément circonstanciel	• adverbe • nom (introduit ou non par une préposition) • pronom • infinitif introduit par une préposition • subordonnée conjonctive • proposition participiale • gérondif	*Perrette* <u>marche</u> **vite**. *Elle* <u>va</u> **tous les jours au marché**. *Elle* **en** <u>est revenue</u> *les mains vides.* *Elle* <u>vend</u> *son lait* **pour gagner de l'argent**. **Si elle avait fait attention,** *elle ne* <u>serait</u> *pas* <u>tombée</u>. **Une fois ses cochons vendus,** *elle* <u>sera</u> *riche.* *Perrette* <u>rêve</u> **en marchant**.	verbe
attribut du sujet	• adjectif • nom • pronom • infinitif • subordonnée conjonctive	<u>Le chêne</u> *paraît* **résistant**. <u>Le roseau</u> *est* **une plante des marais**. **Qui** *est* <u>le plus résistant</u> ? <u>Son erreur</u> *est* **de croire qu'il est le plus fort**. <u>Le problème</u> *est* **que le vent a soufflé trop fort**.	nom ou pronom
attribut du COD	• adjectif • nom	*Le roseau trouve* <u>le chêne</u> **légèrement prétentieux**. *Le chêne* <u>se</u> *prétend* **roi de la forêt**.	nom ou pronom
épithète	• adjectif	*Le pêcheur a attrapé un* **petit** <u>poisson</u>. *Le pêcheur est* <u>quelqu'un</u> *de* **prévoyant**.	nom ou pronom
apposition	• nom	<u>Le pot de fer</u>, **ami du pot de terre**, *lui propose un voyage.*	nom ou pronom
apostrophe	• nom • pronom	**Petit rat**, *sauras-tu me défaire de ce filet ?* *Aide-moi,* **toi** *là-bas.*	autonome

Exemples d'analyse

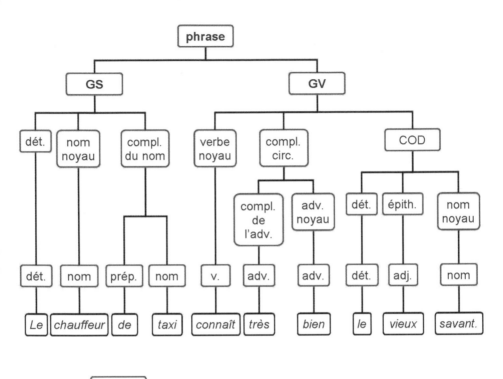

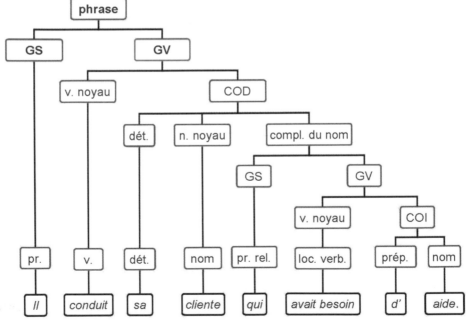

De l'affirmative à la négative

FORME AFFIRMATIVE	FORME NÉGATIVE
et *Il viendra aujourd'hui et demain.*	ni *Il ne viendra pas aujourd'hui ni demain.* ou *Il ne viendra ni aujourd'hui ni demain.*
aussi *Il partira aussi.*	non plus *Il ne partira pas non plus.*
quelqu'un *J'ai vu quelqu'un.*	personne *Je n'ai vu personne.*
quelque chose *J'ai entendu quelque chose.*	rien *Je n'ai rien entendu.*
tout *J'ai tout entendu.*	rien *Je n'ai rien entendu.*
toujours *Il arrive toujours en retard.*	jamais *Il n'arrive jamais en retard.*
quelquefois, parfois *Il arrive quelquefois en retard.*	jamais *Il n'arrive jamais en retard.*
déjà *Il est déjà arrivé.*	pas encore *Il n'est pas encore arrivé.*
encore *Elle a encore du travail.*	plus *Elle n'a plus de travail.*
quelque part *Je l'ai vu quelque part.*	nulle part *Je ne l'ai vu nulle part.*

Du style direct au style indirect

STYLE DIRECT	STYLE INDIRECT
ici *Il me dit : « Il fait très beau ici. »*	là-bas *Il me dit qu'il fait très beau là-bas.*
aujourd'hui *Il me dit : « Il fait très beau aujourd'hui. »*	ce jour-là *Il m'avait dit qu'il faisait très beau ce jour-là.*
ce matin, ce soir *Il me dit : « Je rentre ce soir. »*	ce matin-là, ce soir-là *Il m'avait dit qu'il rentrait ce soir-là.*
demain *Il me dit : « Je rentre demain. »*	le lendemain *Il m'avait dit qu'il rentrait le lendemain.*
après-demain *Il me dit : « Je rentre après-demain. »*	le surlendemain *Il m'avait dit qu'il rentrait le surlendemain.*
hier *Il me dit : « Je suis rentré hier. »*	la veille *Il m'avait dit qu'il rentrait la veille.*
avant-hier *Il me dit : « Je suis rentré avant-hier. »*	l'avant-veille *Il m'avait dit qu'il rentrait l'avant-veille.*

Rectifications de l'orthographe

Les *Rectifications de l'orthographe* s'inscrivent dans l'histoire du français, qui, en tant que langue vivante, est en constante évolution. Cependant, les spécialistes de la langue ne les reconnaissent pas unanimement.

PRÉSENTATION

En 1990, le Conseil supérieur de la langue française, présidé par le secrétaire perpétuel de l'Académie française et composé de linguistes, d'auteurs de dictionnaires, d'écrivains, de professionnels de l'édition et de la presse, rend un rapport qui propose des rectifications concernant l'orthographe de certains mots.
Ces nouvelles graphies et nouvelles règles ne bouleversent en aucun cas l'orthographe du français. Mais elles tentent, d'une part, d'instaurer une certaine cohérence là où cela faisait défaut, d'autre part de refléter l'évolution de la langue. Les formes ainsi préconisées ne peuvent et ne doivent être considérées comme fautives. D'un autre côté, elles n'ont rien d'obligatoire et les formes utilisées auparavant ne peuvent être condamnées. Plusieurs dictionnaires ont déjà enregistré ces rectifications. Malgré tout, certains jurys ne reconnaissent pas la validité des nouvelles graphies.
Pour plus de détails, voir *Toute l'orthographe*, p. 176 à 180.

LES RECTIFICATIONS

Elles autorisent :
➤ l'accent grave sur les *e* qui précèdent les *e* muets (*évènement, il cèdera*) ;
➤ l'accent sur le *e* qui se prononce [e] ou [ɛ] (*asséner, réfréner, sénestre, papèterie*) ;
➤ l'alignement de la conjugaison des verbes en -*eler* et -*eter* sur celle de *geler* et *acheter* (*il amoncèle, il étiquète*) ;
➤ la suppression de l'accent circonflexe sur *i* et *u* (*la voute, la chaine, paraitre*) ;
➤ le placement du tréma sur le *u* prononcé après un *g* (*aigüe, ambigüité, il argüe*) ;
➤ le trait d'union entre tous les termes de l'expression d'un nombre (*trois-cent-deux*) et la suppression du trait d'union dans certains mots (*boutentrain, turnover*) ;
➤ la suppression du *s* à la fin des noms composés au singulier (*un cure-dent, des cure-dents*) ;
➤ la francisation des emprunts (*un leadeur, un pédigrée*) et de leur pluriel (*des sandwichs, des confettis, des duplicatas*) ;
➤ l'invariabilité du participe passé de *laisser* lorsqu'il est suivi d'un infinitif (*je les ai laissé partir ; elles se sont laissé tomber*) ;
➤ l'harmonisation des finales en -*ole* (*corole*), -*oter* (*frisoter*), -*iller* (*quincailler*) ;
➤ la rectification des graphies incohérentes au sein d'une famille (*charriot, combattif*).

Lexique

Ce lexique donne le sens des différents termes de grammaire utilisés tout au long de l'ouvrage.

A

ACTIF, ACTIVE (VOIX) : Construction de la phrase dans laquelle le sujet du verbe désigne l'agent (celui qui fait l'action exprimée par le verbe). **Ex. :** *Demaesmeker a signé le contrat* (par opposition à la voix passive : *Le contrat a été signé par Demaesmeker*).

ANIMÉ : Nom qui désigne un être humain, un animal ou un être imaginaire par opposition au non-animé qui désigne un objet, une chose, une idée... **Ex. :** *Gaston, chat, mouette*.

ANTÉCÉDENT : Mot ou groupe de mots que remplace un pronom. **Ex. :** *Gaston n'écoute pas Fantasio qui lui parle* (*qui* a pour antécédent *Fantasio* et *lui* a pour antécédent *Gaston*).

APOSTROPHE : 1. Signe graphique (') que l'on utilise pour marquer à l'écrit l'élision d'une lettre.
2. Fonction du nom ou du pronom que l'on emploie pour désigner la personne à laquelle on s'adresse. **Ex. :** *Gaston, ne sortez surtout pas du bureau. Toi, ne bouge pas.*

APPOSITION : Fonction du nom (ou du groupe nominal), du pronom qui apporte une précision sur la nature ou la qualité du nom auquel il se rapporte. Contrairement aux autres types de compléments, l'apposition désigne toujours le même être ou la même chose que le nom auquel elle se rapporte. **Ex. :** *Gaston lui a offert une pochette surprise*. L'apposition détachée est séparée du nom auquel elle se rapporte par la ponctuation, parfois également par sa place. **Ex. :** *Gaston, le célèbre gaffeur, crée des soucis à Fantasio.*

ASPIRÉ (H) : *H* qui se trouve à l'initiale d'un mot et qui rend impossible toute liaison et toute élision (par opposition au *h* muet). **Ex. :** *le héros* [lə ero], *les héros* [le ero].

ATTRIBUT : Fonction de l'adjectif ou du groupe nominal qui exprime une qualité, une manière d'être, une dénomination... du nom auquel il se rapporte. **Ex. :** *Gaston est le nouvel employé de bureau* (*le nouvel employé de bureau* est attribut du sujet *Gaston*) ; *Fantasio n'a pas trouvé géniale la dernière invention de Gaston* (*géniale* est attribut du complément d'objet *invention*).

AUXILIAIRES : Verbes *être* ou *avoir* qui, vidés de leur sens et suivis du participe passé, servent de support à la conjugaison des temps composés. L'auxiliaire apporte les marques de temps, de mode, éventuellement de nombre et de personne ; le participe passé apporte, lui, les informations de sens. **Ex. :** *Demaesmeker n'**a** pas encore <u>signé</u> les contrats.* L'auxiliaire *être* sert à la formation du passif.

AVERBALE (PHRASE, PROPOSITION) : Phrase ou proposition dont le noyau n'est pas un verbe. Le plus souvent, le noyau est un nom. **Ex. :** *Tous mes **respects**, monsieur Demaesmeker.* Dans ce cas, on parle de phrase nominale. Mais on peut trouver d'autres catégories. **Ex. : *Rien** d'impossible pour Gaston !* La phrase averbale peut contenir un verbe, mais dans ce cas il est le verbe d'une subordonnée. **Ex. : *Heureux** <u>qui, comme Gaston, a fait un long somme</u>.*

C

CARDINAL : Déterminant qui apporte une information précise sur la quantité de choses ou d'êtres désignés par le nom auquel il se rapporte (*un, deux, trois, quatre, vingt, cent...*).

CIRCONSTANCIEL : Qui apporte une information liée aux circonstances (lieu, temps, manière, but, cause...) de l'action exprimée par le verbe. Le complément circonstanciel est un adverbe (**Ex. :** *Demaesmeker signera le contrat **demain***), un groupe nominal (ou l'équivalent d'un groupe nominal), généralement introduit par une préposition (**Ex. :** *Demaesmeker est reparti **sans les contrats***) ou une proposition (**Ex. :** *Gaston pourra revenir **quand Demaesmeker aura signé les contrats***).

COLLECTIF (NOM) : Nom commun singulier ou pluriel qui désigne plusieurs éléments considérés dans leur ensemble. **Ex. :** *personnel* est un nom collectif singulier qui désigne l'ensemble des personnes travaillant dans une entreprise ; *aïeux* est un nom collectif pluriel qui désigne l'ensemble des ancêtres.

COMPOSÉ : 1. Mot composé : association de mots ou d'éléments constituant une unité lexicale qui a sa propre définition. **Ex. :** *portemine* (2 mots), *taille-crayon* (2 mots), *électroaimant* (1 élément + 1 mot), *bibliothèque* (2 éléments).
2. Temps composé : temps de la conjugaison qui se forme à l'aide de l'auxiliaire *être* ou *avoir* conjugué et du participe passé du verbe (passé composé, passé du conditionnel...). **Ex. :** *Gaston **a inventé** une nouvelle machine.*

COMPTABLE (NOM) : Nom qui désigne des êtres, des choses que l'on peut compter, que l'on peut considérer comme des éléments distincts. **Ex. :** *lettre, contrat, mouette.* S'emploie par opposition à nom non comptable qui désigne une chose que l'on ne peut pas compter, qui se présente dans sa globalité. **Ex. :** *argent, ingéniosité, paresse.*

CONJONCTION DE COORDINATION : Mot qui sert à relier deux mots ou groupes de mots de même fonction syntaxique. **Ex. :** *Son chat **et** sa mouette sont installés dans son bureau.* La conjonction, par son sens, établit un lien logique entre les deux éléments : *et* (addition), *ou* (choix), *car* (explication)...

CONJONCTION DE SUBORDINATION : Mot qui introduit une proposition subordonnée. Tout comme la préposition, elle marque un lien de dépendance (entre la subordonnée et la principale). Mis à part *que,* les conjonctions de subordination expriment un lien sémantique entre la principale et la subordonnée : *quand* (temps), *si* (condition), *quoique* (concession)... La locution conjonctive (*pour que, bien que, au cas où...*) joue le même rôle qu'une conjonction de subordination. **Ex. : *Si Demaesmeker vient, arrangez-vous pour que* Gaston ne sorte pas de son bureau.** La conjonction de subordination n'a pas de fonction dans la subordonnée.

CONJONCTIVE (PROPOSITION SUBORDONNÉE) : Proposition subordonnée introduite par une conjonction de subordination. **Ex. :** *Fantasio voudrait **que Gaston réponde au courrier**.* **Remarque :** à ne pas confondre avec la proposition subordonnée relative qui, elle, est introduite par un pronom relatif.

CONSTITUANT : Mot (ou groupe de mots) qui entre dans la composition d'un groupe plus grand et au sein duquel il a une fonction particulière (le complément d'objet direct est un constituant du groupe verbal ; le déterminant est un constituant du groupe nominal).

D

DÉCLARATIVE : Phrase dans laquelle le locuteur affirme quelque chose. **Ex. :** *Mademoiselle Jeanne est amoureuse de Gaston.* Par opposition à l'interrogative où l'on pose une question (*Mademoiselle Jeanne est-elle amoureuse ?*), l'impérative où l'on donne un ordre (*Ne lui dis pas qu'elle est amoureuse de lui.*) et l'exclamative où l'on marque une prise de position, un sentiment... par rapport à son énoncé (*Comme Gaston est gentil !*).

DÉMONSTRATIF : Déterminant (*ce, cet, cette, ces*), pronom (*celui, celle, ceux, celles*) qui sert à « montrer » la personne ou la chose dont on parle.

DÉRIVATION : Voir **dérivé**.

DÉRIVÉ : Mot créé à partir d'un mot ou d'un radical à l'aide d'un suffixe et/ou d'un préfixe. **Ex. :** *incroyable* est dérivé de *croire*.

DÉSINENCE : Partie finale d'une forme verbale qui porte les marques de temps, de mode (et de nombre et de personne quand le verbe est conjugué à un mode personnel). La désinence s'ajoute au radical du verbe qui, lui, porte les informations de sens. **Ex. :** *Il inventait toutes sortes de machines* (-ait est la désinence de l'imparfait de l'indicatif, 3ᵉ personne du singulier).

DÉTACHÉE (ÉPITHÈTE) : Voir **épithète**.

DÉTACHÉE (APPOSITION) : Voir **apposition**.

DÉTERMINANT : Mot qui accompagne le nom et dont la présence (en particulier dans le groupe sujet) est le plus souvent obligatoire. **Ex. :** *Sa voiture lui pose parfois quelques soucis.* On ne dira pas ~~voiture lui pose parfois soucis~~. Les principaux déterminants sont : les articles (*le, un, du...*), les possessifs (*mon, ton...*), les démonstratifs (*ce...*), les indéfinis (*plusieurs, chaque, tout...*), les cardinaux (*deux, trois, vingt...*).

E

ÉLISION : Disparition à l'oral d'une voyelle (généralement *e* ou *a*) devant une autre voyelle. **Ex. :** *l'amie de Gaston* (pour *la amie*).

ELLIPSE : Fait de sous-entendre un ou plusieurs termes. **Ex. :** *Fantasio est moins tête en l'air que Gaston* (pour *...que Gaston est tête en l'air*).

ÉPITHÈTE : Mot (ou groupe de mots) qui qualifie un nom. L'épithète, qui est un constituant du groupe nominal, suit ou précède directement ce nom et sa présence n'est pas obligatoire. L'épithète détachée est séparée du nom auquel elle se rapporte par la ponctuation, parfois également par sa place. **Ex. :** *Tout émoustillée, sa voix retentissait.*

ESSENTIEL (COMPLÉMENT) : Mot, groupe ou proposition complément dont la suppression rendrait la phrase incorrecte ou en modifierait profondément le sens. **Ex. :** *Gaston jouit **d'une certaine liberté** au bureau.*

ÉTAT : Voir **verbe**.

EXCLAMATIF : Déterminant (*quel*) ou adverbe (*comme, combien...*) utilisé dans les phrases exclamatives. **Ex. :** ***Quel** impatient, ce Fantasio !*

EXCLAMATIVE : Voir **déclarative**.

G

GÉRONDIF : Mode impersonnel formé avec le participe présent du verbe précédé de *en*. **Ex. :** ***En voulant** réparer le moteur, Gaston a fait exploser la machine.*

GROUPE : Ensemble de mots constitué d'un mot noyau et d'autres mots ou groupes de mots qui dépendent de ce mot noyau. Selon la nature du mot noyau, on parle de groupe nominal, adjectival, adverbial, pronominal, etc. **Ex. :** *Les **inventions** de Gaston* (groupe nominal) *sont toujours **utiles** **à quelque chose*** (groupe adjectival).

H

HOMONYMES : Se dit de mots dont la prononciation est identique, indépendamment de la façon dont ils s'écrivent. **Ex. :** *vers* et *verre* sont homonymes ; le nom *porte* est homonyme de la forme verbale *porte* (présent de *porter*).

I

IMPÉRATIVE : Voir **déclarative.**

IMPERSONNEL : 1. Tournure impersonnelle : construction du verbe employé avec le sujet apparent *il* qui ne représente ni ne désigne rien. **Ex. :** *Il pleut. – Il reste quelques problèmes à résoudre. – Il est possible que je vienne.*
2. Mode impersonnel : mode du verbe pour lequel il n'y a pas de conjugaison en personne (par opposition aux modes personnels). Les modes impersonnels sont : l'infinitif, le participe et le gérondif.

INCISE : Proposition qui sert à indiquer que le locuteur rapporte les paroles de quelqu'un. **Ex. :** « *Pourquoi Gaston est-il encore en retard ?* » ***se demandait Fantasio.***

INDÉPENDANTE : Proposition qui ne dépend d'aucune autre proposition et dont ne dépend aucune proposition (par opposition aux propositions subordonnée et principale). **Ex. :** *Fantasio se méfie toujours des inventions de Gaston.*

INTERROGATIF : Déterminant (*quel, lequel, combien de...*), pronom (*qui, que, quoi, lequel...*), adverbe (*pourquoi, comment...*) servant à poser les questions. **Ex. :** ***Qui** veut tester la nouvelle invention de Gaston ? – Je ne sais pas **quand** Gaston répondra à mon courrier.*

INTERROGATIVE : Voir **déclarative**.

L

LOCUTION : Suite fixe de mots formant une unité de sens et pour laquelle le choix des constituants ne se fait pas librement. **Ex. :** *avoir recours à* (seule possibilité ; on ne pourra pas dire ~~avoir un grand recours, avoir le recours de Gaston~~). On parle de locution verbale, conjonctive, adjective... lorsque la locution a la valeur grammaticale d'un verbe, d'une conjonction, d'un adjectif... **Ex. :** *avoir l'air* (locution verbale, à comparer avec *paraître*), *au cas où* (locution conjonctive, à comparer avec *si*). On parle de locution figée quand on envisage la locution plutôt du point de vue sémantique, de son sens. Les locutions figées sont souvent composées de mots pris dans un sens figuré. **Ex. :** *Gaston est la **bête noire** de Fantasio.*

M

MUET : 1. *e* muet : *e* qui se prononce [ə] (**Ex. :** *venir* [vənir]) ou qui ne se prononce pas (**Ex. :** *idée* [ide], *bouleverser* [bulvɛʀse]). Même s'il ne se fait pas entendre, un *e* muet peut changer la prononciation d'un mot. **Ex. :** *tout* [tu] et *toute* [tut].
2. *h* muet : *h* qui se trouve à l'initiale d'un mot, qui n'a aucune valeur phonétique, n'empêchant ni l'élision ni la liaison (par opposition au *h* aspiré). **Ex. :** *l'habitude* [labityd], *les habitudes* [lezabityd].

N

NEUTRE : Genre des pronoms *ce, le, cela* et *ceci* quand ils représentent une proposition ou un élément de phrase. Le neutre se marque toujours par le masculin singulier. **Ex. :** *Sa nouvelle machine ne marche pas très bien, mais cela n'est pas très important.*

NOMINAL (PRONOM) : Pronom qui n'a pas d'antécédent et qui désigne ou qui nomme directement quelqu'un ou quelque chose, par opposition au pronom représentant. **Ex. :** *« M'enfin, pourquoi es-**tu** en colère ? » – Fantasio ne comprend **rien** à la logique de Gaston.*

NON-ANIMÉ : Nom qui désigne une chose, un objet, une idée... par opposition aux noms d'animés. **Ex. :** *courrier, invention, naïveté.*

NON-COMPTABLE : Voir **comptable**.

NOYAU : Terme d'un groupe dont dépendent les autres termes du groupe. **Ex. :** Dans *la petite amie de Gaston,* le nom *amie* est le noyau du groupe dont dépendent l'adjectif *petite,* le groupe nominal *de Gaston* et qui est déterminé par le déterminant *la*.

O

OBJET (COMPLÉMENT D') : Mot ou groupe de mots se rapportant au verbe et désignant la chose ou l'être sur lequel porte l'action exprimée par le verbe. Le complément d'objet direct (COD) est relié directement au verbe, sans préposition (**Ex. :** *Demaesmeker a signé **le contrat***) ; le complément d'objet indirect (COI) est introduit par une préposition (**Ex. :** *Pour Gaston, le sommeil ne peut nuire **à la santé***) ; le complément d'objet second (COS) est introduit par une préposition ; il est le complément d'un verbe qui est construit avec un COD (**Ex. :** *Il adaptera sa machine au siège de Demaesmeker*).

ORDINAL : Mot qui sert à marquer le rang dans une suite *(premier, deuxième, troisième, vingtième...)*, par opposition à *cardinal* qui, lui, sert à indiquer une quantité précise *(un, deux, trois, vingt...)*. **Remarque :** les cardinaux peuvent être employés avec une valeur ordinale. **Ex. :** *Il y avait une grosse tache à la page **quatre** du contrat !* (à la quatrième page)

P

PARTICIPIALE : Proposition subordonnée dont le verbe est au mode participe (passé ou présent). **Ex. :** ***Le temps aidant,*** *Gaston deviendra peut-être plus travailleur.* – ***Le contrat signé,*** *Gaston pourra sortir de son bureau.* **Remarque :** le sujet de la participiale est différent de celui de la principale.

PARTIELLE (INTERROGATION) : Interrogation qui pose une question sur un élément de la phrase, par opposition à l'interrogation totale qui pose une question sur l'ensemble de la phrase. **Ex. :** *Pourquoi Gaston doit-il rester enfermé dans son bureau ?* (interrogation partielle directe) – *Je ne sais pas où est Gaston* (interrogation partielle indirecte).

PASSIF, PASSIVE (VOIX) : Construction de phrase dans laquelle le sujet du verbe subit l'action. **Ex. :** *Le contrat a été signé par Demaesmeker* (par opposition à la voix active : *Demaesmeker a signé le contrat*). Le passif se forme avec l'auxiliaire *être* conjugué et le participe passé du verbe *(est signé, était signé, a été signé...)*. Le complément d'agent (introduit par la préposition *par,* parfois par *de*) représente celui qui fait l'action.

POSSESSEUR : Personne (plus rarement chose) qui possède, avec laquelle est établie la relation marquée par un possessif. Le possessif s'accorde en personne avec le possesseur. **Ex. :** *Gaston et <u>ses</u> collègues* (*Gaston* est le possesseur) – *<u>mes</u> collègues et moi* (*moi* est le possesseur).

POSSESSIF : Déterminant, pronom qui marque l'appartenance (**Ex. :** *son auto, la sienne*) ou une simple relation d'une chose, d'un fait à une personne (**Ex. :** *votre signature, la vôtre*).

PRÉPOSITION : Mot qui introduit un nom (ou un groupe nominal), un pronom ou un infinitif. Tout comme la conjonction de subordination, la préposition sert à marquer un lien de dépendance (entre un groupe et le mot, le plus souvent nom ou verbe, dont ce groupe dépend). **Ex. :** *la dernière invention **de** Gaston.* La locution prépositive *(aux côtés de, face à...)* joue le même rôle qu'une conjonction de subordination.

PRINCIPALE (PROPOSITION) : Proposition dont dépend une proposition subordonnée. **Ex. :** *Je sais que Demaesmeker est reparti furieux.*

PRONOMINAL (VERBE) : Verbe qui se conjugue avec un pronom personnel complément (pronom réfléchi) de la même personne que son sujet. **Ex. :** *Fantasio se méfie toujours des inventions de Gaston.*

R

RADICAL : 1. Partie d'un mot qui porte le sens et à laquelle on adjoint les préfixes et les suffixes pour former un dérivé. **Ex. :** *incroyable, atypique.*
2. Partie d'une forme verbale qui porte les informations de sens et à laquelle on ajoute les désinences. **Remarque** : un verbe peut changer de radical au cours de sa conjugaison. **Ex. :** *il peut, il pouvait, il pourra.*

RÉEL : Voir **sujet**.

RÉFLÉCHI : Pronom complément qui désigne le même être, la même chose que le sujet. **Ex. :** *Fantasio se fâche souvent.*

REGISTRE : Ensemble des caractères de la langue propres à un type de communication ou à un milieu culturel ou social. Le registre soutenu ou littéraire est utilisé dans les textes littéraires, les écrits solennels... Le registre familier est celui de la conversation informelle, entre personnes proches.

RELATIVE (PROPOSITION) : Proposition subordonnée introduite par un pronom relatif (par opposition à la conjonctive introduite par une conjonction de subordination). Le pronom relatif (*qui, que, quoi, dont, où, lequel*) a toujours une fonction (sujet, complément...) dans la relative. **Ex. :** *La machine qu'il a inventée ne marche pas* (*qu'il a inventée* : relative, complément de *machine* ; *qu'* : pronom relatif, complément d'objet direct de *a inventée*).

RELIEF (MISE EN) : Procédé par lequel on donne de l'importance à un mot (ou groupe de mots) en l'annonçant, par exemple, avec le présentatif *c'est... qui, c'est... que* (**Ex. :** *C'est cette nouvelle machine qui a provoqué l'explosion – C'est la nouvelle machine que Gaston a inventée*) ou en le déplaçant et en le reprenant par un pronom (*Cette machine, Gaston l'a inventée tout seul*).

REPRÉSENTANT (PRONOM) : Pronom qui représente un mot ou groupe de mots (appelé antécédent) mentionné ailleurs dans le texte, par opposition au pronom nominal. **Ex. :** *Gaston n'écoute pas Fantasio qui lui parle* (*qui* et *lui* sont deux pronoms représentants mis respectivement pour *Fantasio* et *Gaston*).

S

SUBORDONNÉE (PROPOSITION) : Proposition qui a un lien de dépendance (sujet, complément...) avec un terme de la principale (le plus souvent le verbe ou un nom). **Ex. :** *Fantasio espère **que Demaesmeker signera le contrat*** (proposition subordonnée complément d'objet direct de *espère*).

SUFFIXE : Partie d'un mot placée après le radical pour former un dérivé. **Ex. :** *inven**tion**, réalis**able***.

SUJET : Mot ou groupe de mots qui se rapporte au verbe et qui répond à la question *Qui... ? Qui est-ce qui... ? Qu'est-ce qui... ?* ou que l'on peut mettre en relief par la tournure *c'est... qui*. Le sujet détermine l'accord du verbe. Le sujet apparent est le pronom *il* dans les tournures impersonnelles, par opposition au sujet réel (appelé aussi sujet logique) qui peut être exprimé, mais qui ne commande pas l'accord. **Ex. :** *Il reste quelques miettes au fond de la gamelle de son chat.*

T

TOTALE (INTERROGATION) : Interrogation qui pose une question sur l'ensemble de la phrase et à laquelle la réponse attendue est *oui, non* ou *si*, par opposition à l'interrogation totale qui pose une question sur un élément de la phrase. **Ex. :** *Êtes-vous sûr que cette machine ne présente aucun danger ?*

V

VERBE D'ÉTAT : Verbe qui fait le lien entre le sujet et l'attribut. Les plus fréquents sont *être, demeurer, rester, sembler, paraître...*

Index

Les numéros renvoient aux pages où la notion est abordée. Les numéros en **gras** renvoient aux pages où la notion est le plus développée.

Alphabet phonétique international

12 VOYELLES			
a	mat	ɔ	sort
ɑ	mât	ø	bleu
e	café	œ	beurre
ɛ	mère	ə	chemin
i	pli	u	ours
o	sot	y	user

4 VOYELLES NASALES			
ã	branche	œ̃	brun
ɛ̃	brin	ɔ̃	bronzer

3 SEMI-CONSONNES[1]			
j	yaourt	ɥ	huit
w	oui		

17 CONSONNES			
b	bas	R	rare
k	cave	s	sur
d	dur	t	tas
f	femme	v	voler
g	gant	z	rose
l	léger	ʃ	château
m	main	ʒ	giboulée
n	non	ɲ	oignon
p	poule		

1. Les semi-consonnes sont également appelées « semi-voyelles »

● Le son anglais [ŋ] est souvent prononcé [ng] par les Français *(planning, brushing)*.

● Les deux tiers des sons sont représentés par les lettres de l'alphabet les plus caractéristiques de ces sons.

> [b] transcrit la consonne que l'on trouve dans **bu**, car la lettre b est la plus représentative de ce son.

● Cependant, certains caractères phonétiques ont une valeur différente de celle qu'ils ont dans l'écriture des mots :
➤ [y] transcrit la voyelle que l'on trouve dans **bu** et non celle de *pyjama* ;
➤ [j] transcrit le son que l'on trouve dans **yaourt** et non la consonne de *jus* ;
➤ [u] transcrit le son des voyelles **ou** et non la voyelle de *bu* ;
➤ [w] transcrit le son de **oui** et non la consonne de *wagon*.

● Certains caractères sont étrangers à notre alphabet : soit ils ne sont pas utilisés en français ou ils ne font pas partie de l'alphabet latin, soit il s'agit d'autres caractères propres à l'alphabet phonétique. Il faut donc connaître leur signification.

AUTRES ALPHABETS	AUTRES CARACTÈRES		
[ɛ] m**è**re	[ɔ] s**o**rt	[œ̃] br**un**	[ʃ] **ch**âteau
[ø] bl**eu**	[ə] ch**e**min	[ɔ̃] br**on**zer	[ʒ] **g**iboulée
[ɑ̃] br**an**che	[ɛ̃] br**in**	[ɥ] huit	[ɲ] oi**gn**on

Imprimé et relié en France par Pollina, 85400 Luçon

Éditions Albin Michel
22, rue Huyghens 75014 Paris
www.albin-michel.fr

ISBN : 2-226-14392-0
N° d'édition : 23627 - N° d'impression : L96995
Dépôt légal : juillet 2005